죽은 새는 울지 않는다

부크크오리지널은 부크크의 기획출판 브랜드입니다.
여러분의 투고를 기다립니다.

죽은 새는 울지 않는다

초판 1쇄 인쇄	2022년 8월 1일
초판 1쇄 발행	2022년 8월 8일

지은이 김설단
펴낸이 한건희

책임편집 유관의
디자인 조은주
마케팅 유인철

주식회사 부크크

출판사등록 2014. 07. 15(제2014-16호)
주소 서울특별시 금천구 가산디지털1로 119 A동 305호
전화 1670-8316
홈페이지 www.bookk.co.kr **이메일** editor@bookk.co.kr
블로그 blog.naver.com/bookkcokr **인스타그램** @bookkcokr
ISBN 979-11-372-8776-1 (03810)

죽은 새는 울지 않는다

김설단 장편소설

일러두기

37장에 수록된 시의 출처는 아래와 같습니다.
허수경, 〈늙은 새는 날아간다〉, 《내 영혼은 오래되었으나》, 문학동네, 2022

차례

토요일

1

바람은 차고 날은 궂었다. 산등성이의 거뭇한 윤곽 위에는 낮부터 내내 먹구름이 걸려 있었는데, 얼핏 보면 뭉게뭉게 피어오르는 검은 연기 같았다. 죽은 하늘이 드리운 침침한 그늘 사이로 투둑투둑 싸락눈이 떨어지기 시작했다. 지저분한 노인네의 비듬처럼 듬성듬성 날리는 작은 알갱이. 낮에는 그 정도였다.

겨울 해는 일찍 저물었다. 구름 사이를 비집고 나온 불그스레한 노을이 서쪽 산마루에서 섬광탄처럼 반짝이다 사라졌고, 이내 콜타르만큼 농밀한 어둠이 작은 고장을 덮쳤다. 눈발은 점점 굵어져 이제는 솜털 같은 함박눈이었다.

겨울바람을 타고 날리는 눈송이들이 경찰서 정문 옆 등불 아래에서 노랗게 반짝였다. 강철로 된 슬라이딩 게이트는 완전히 닫혀 있었고, 대리석 돌기둥에 박힌 놋쇠 팻말에는 무령경찰서라는 다섯 글자가 또렷하게 돋을새김되어 있었다. 정문 너머 오 층 높이의 경찰서 본관은 사각형과 직선만으로 이루어진 콘크리트 덩어리로, 밭장다리 노가다 십장이 흙바닥에 대충 그려서 지은 듯 무식하게 생긴 건물이었다.

정문 옆에 붙은 초소는 작은 컨테이너 크기였다. 태수는 걸음을 멈추고 초소 위쪽 귀퉁이의 양철 갓 씌운 전등을 바라보았다. 그 전등이 드리운 빛의 삼각형, 그 비스듬한 원뿔형 공간 안에 유유히 떠다니던 눈송이들이 공기의 흐름을 타고 한꺼번에 방향을 틀었다. 마치 잔고기떼처럼.

태수는 빛의 강물을 거스르며 약동하는 노란 생명체들을 쳐다보았다. 한순간 바람이 잦아들자 레몬색 눈송이들이 공중에 뜬 채 그대로 멈추었다. 마치 누군가 버튼을 눌러 시간을 멈춘 듯 세상이 단 하나의 장면으로 얼어붙었다. 태수 역시 숨을 멈췄다. 그리고 순간이 지나갔다. 눈송이들은 다시 아래로 떨어지기 시작했다. 허무하게, 찰나의 생명을 잃은 채, 운명의 가혹함을 증명하듯, 힘없이 땅으로 돌아갔다. 태수는 그 모습을 가만히 지켜보았다. 비극을 통해 진실을 바라보도록 창조된 인간 고유의 두 눈동자가 검고 단단한 두 개의 점으로 응축될 때까지…….

진 경장님 아니십니까?

태수는 소리가 들려온 방향으로 고개를 돌렸다. 정문 옆 초소의 알루미늄 창틀이 삑 마찰음을 내며 옆으로 밀렸고, 머리를 짧게 깎은 의경이 머리통을 비죽 내밀었다. 붉은 여드름 자국이 뺨을 뒤덮은 젊은 남자는 태수의 얼굴을 확인하고는 오른손을 창밖으로 내밀어 건성으로 경례를 붙였다.

충성.

춥다꼬 안에 들어가 있나?

눈도 오고 주말이라 딱히 오가는 사람도 없고 말입니다.

말년인데 그래도 아직 근무는 나오네.

의경은 장거리 운전에 지친 트럭 운전수처럼 창틀 너머로 팔을 늘어뜨렸다. 제대가 한 달 앞으로 다가온 취명재 수경은 의경반 최고참이었다. 태수는 초소 안을 힐끔 들여다보았다. 창유리에 엷게 맺힌 수증기 위에 누군가 손가락으로 선을 길게 그어놓았고, 책상 위에는 테두리가 반질반질 닳은 경찰 정모와 찌그러진 철제 필통 그리고 푸른 판지로 철을 한 근무일지가 놓여 있었다. 최 수경의 발치에서는 전열기의 석영관이 강렬한 주황빛을 뿜었다.

최 수경 옆에 곧은 자세로 앉아 있던 신참 의경이 의자에서 벌떡 일어나더니 태수에게 경례를 붙였다. 낯선 얼굴이었는데, 자대 배치를 받은 지 얼마 안 된 모양이었다.

태수는 오른손에 들고 있던 종이 박스를 슬그머니 최 수경의 코에 들이밀었다. 녀석은 코를 몇 번 벌름거리더니 태수를 마주 보며 씩 웃었다.

반반이지 말입니다.

개코네.

하나만 주시면 안 됩니까?

싫다. 먹고 싶나?

아니요.

태수는 초소 안에 멀뚱하게 서 있는 신참의 목젖이 움찔거리는 것을 보았다. 후임이 도리깨침 삼키는 소리를 들었는지 최 수경이 고개를 절레절레했다.

야, 조민기.

이경 조민기.

치킨 따위에 침 삼키지 마라. 우리는 거지가 아니다. 알겠나?

네. 알겠습니다.

최 수경은 싸구려 볼펜 뒤쪽의 플라스틱 버튼을 딸깍거렸다.

그리고 이번 기회에 너도 확실하게 알아둬라. 진 경장님은 우리 초소 근무자들에게 치킨을 주지 않는다. 절대 주지 않는다. 이건 내가 지난 일 년 동안 수도 없이 겪어봐서 확실하게 아는 거다. 그러니까 진 경장님이 닭다리 하나 줄 것처럼 살살 꼬드기면서 노래 한 곡 부르라고 해도 절대 넘어가지 마라. 알겠나?

네. 알겠습니다.

태수는 킬킬거리며 두 사람에게 손을 한 번 흔들어 주고는 쪽문을 통과해 경내로 걸어 들어갔다. 경찰서 앞마당의 콘크리트 포장 위에는 하얗게 눈이 깔려 있었다. 눈송이는 어둠만큼 묵직하게 떨어졌고, 사방은 고요했다. 밤의 휘장 너머에서 개 짖는 소리가 두 번 울렸으나, 두터운 밤의 적막을 깨트리기에는 부족했다. 희미한 캐럴이 바람에 실려 왔다. 이 주 후면 크리스마스였다.

태수는 흐릿하게 찍힌 고양이 발자국을 따라 경찰서 본관을 향해 걸었다. 걸음마다 운동화 밑창의 올록볼록한 무늬가 와플을 구워내듯 눈 위에 또렷이 찍혔고, 건물 현관에 도착했을 때는 태수의 머리와 어깨에도 눈이 쌓여 있었다. 태수가 코트 앞섶을 왼손으로 붙잡고 두세 번 세차게 흔들자 옷에 묻었던 눈송이가 공중으로 날렸다. 치킨 박스 위에 쌓인 눈도 입으로 훅 불어 날렸다. 고소한 기름 냄새가 얼어붙은 밤공기 사이로 퍼졌고, 녹은 눈송이는 물방울이 되어 손등에 맺혔다.

현관의 유리문을 밀고 안으로 들어가자 밋밋한 온기가 뺨에 닿았다. 둥근 벽시계의 검은 바늘은 열시 정각을 가리켰고, 하얗게 페인트칠한 벽에는 홍보 사진이 든 액자들이 조잡하게 붙어 형광등 불빛을 반사했다. 태수는 산세비에리아와 시들한 고무나무가 담긴 화분들을 지나쳐 형사과로 향했다. 오른쪽 모퉁이를 돌자 마침 화장실에서 나오던 손강모 경사가 태수를 발견하고는 반색했다.

어? 태수 니 벌써 왔나?

네, 치킨 사왔습니더. 식기 전에 퍼뜩 들어갑시더.

아니다.

손을 들어 태수를 제지한 강모는 뼈대가 굵은 손가락을 들어 계단 위쪽을 가리켰다.

상황실에 가서 같이 묵자.

상황실요?

그래.

강모는 음험한 미소를 띠며 다가와 자신보다 한 뼘 정도 키가 큰 태수의 어깨에 팔을 척 둘렀다. 강모의 튀어나온 뱃살이 태수의 옆구리에 닿아 물컹거렸다.

니 오늘 상황실 근무자가 누군지 아나?

누군데요?

유지나 경장.

선배님도, 참…….

강모는 태수의 가슴팍을 한 번 툭 쳤다.

내가 치킨이 묵고 싶어서 사오라고 한 줄 아나? 내년에는 결혼해야지.

아이참, 유 경장은 저한테 마음이 없다니까요.

그거를 니가 우째 아노? 혹시 직접 물어봤나?

물어보고 말고 할 게 뭐 있습니꺼? 아무튼 아니라니까요.

사내새끼가!

강모는 몸으로 태수를 밀어붙였다. 태수는 어쩔 수 없이 쭐레쭐레 강모를 따라갔다. 텅 빈 복도에 두 사람의 발걸음 소리가 자박자박 울렸고, 이내 어둑한 계단을 타고 두 개의 그림자가 구불거리며 위로 올라갔다. 계단 끝에서 오른쪽 복도를 향해 방향을 꺾자 112 종합상황실이라고 적힌 파란 플라스틱 팻말이 눈에 들어왔다.

강모가 문득 걸음을 멈추고 뒤돌아섰다.

니 형사 맞나?

왜요?

형사라는 놈이 우째 그래 정보력이 형편 없노. 유 경장 당직일 정도는 니가 제일 먼저 파악하고 있어야 되는 거 아니가? 우째 된 게 지금 내가 이거를 챙기고 있노.

선배님도, 참……. 진짜 아니라니까요.

아니기는. 니가 이러니까 서른두 살이나 처묵도록 장가도 못 가고 있지. 이 새끼, 명색이 경찰특공대 출신이라믄서 이래 배쌍이 없어서는.

경찰특공대가 무슨 연애 가르치는 곳입니꺼?

마, 됐고. 빨리 들어가자.

태수가 마음의 준비를 할 새도 없이 강모가 문을 열어젖혔다. 태수는 짧게 숨을 한 번 내쉰 다음 강모를 따라 안으로 들어갔다.

종합상황실 한쪽 벽면은 관내 지도와 폐쇄회로 화면들로 가득 차 있었다. 크기가 제각각인 모니터 세 대가 놓인 나무 데스크 위에는 각종 대장과 서류철, 버튼이 빽빽이 달린 플라스틱 전화기가 놓여 있었고, 근무복 차림의 유지나 경장은 전화기 옆 광역 무전기 앞에 앉아 법랑 코팅이 벗겨진 책상 귀퉁이를 손톱으로 긁고 있었다. 관내 무전기들이 주고받는 말소리가 지지직거리는 잡음 사이로 섞여 들려왔다.

유 경장, 치킨이나 묵고 합시다.

유 경장이 출입문 쪽으로 고개를 돌렸다. 강모가 장막을 걷는 마술사처럼 몸을 홱 비켜서며 뒤에 선 태수를 보여 주었다. 태수는 멋쩍은 표정으로 치킨 박스를 어깨 위까지 들어 보였다. 지나가 천천히 의자에서 일어나며 한쪽 입꼬리를 올렸다. 태수는 지나의 잘록한 허리와 둥근 골반을 흘끗 내려다보았다. 벨트의 금속 버클이 전등 빛을 반사하며 일순간 반짝였다.

진짜 사오셨네요.

의경은 어디 갔나?

걸레 좀 빨아오라고 보냈어요. 책상이랑 의자랑 한 번 싹 닦아야 할 것 같아서요.

지나가 나뭇결무늬 책상 표면을 검지로 쓸었다.

그때 전화벨이 울렸다. 지나는 퍼뜩 수화기를 집어 들었다.

네. 무령경찰서입니다. ……네?

수화기를 뺨에 붙인 지나의 미간에 부챗살처럼 주름이 잡혔다.

여기 경찰서예요. ……여보세요. 여기 경찰서라고요.

왜? 무슨 일인데?

강모가 물었다.

송화구를 손으로 막으며 지나가 어깨를 으쓱했다.

반반 한 마리 갖다 달라는데요.

순간 강모의 육중한 몸이 어울리지 않을 만큼 빠르게 움직였다. 전화기 쪽으로 내달리는 강모의 옆구리가 책상에 부딪히면서 종이 한 장이 팔랑거리며 땅으로 떨어졌다. 강모는 팔을 뻗어 신고 접수용 전화기의 스피커폰 버튼을 눌렀다. 전화기에서 여자 목소리가 흘러나왔다.

반반 말이에요, 반반. 양념 반 후라이드 반이요.

여기 경찰서인 거 알아요?

강모가 물었다.

네. 알아요. 안다고요.

핀볼 기계의 범퍼 사이에서 튀는 쇠공처럼, 세 사람은 빠르게 눈빛을 교환했다. 태수는 굳은 표정으로 치킨을 책상에 내려놓았다. 지나가 벽에 있는 관내 지도의 한 지점을 손가락으로 가리키며, 무지개 아파트예요, 라고 속삭였다.

혹시 지금 위험한 상황이면 콜라 큰 거로 달라 카소, 하고 강모가 말했다.

……콜라 큰 거로 주세요.

본인 외에 다른 인질도 있어요?

얼마나 걸려요?

태수가 벽의 지도와 손목시계를 확인했다.

빠르면 십 분, 길면 이십 분.

최대한 빨리 좀 부탁해요.

전화가 뚝 끊겼다.

강모는 녹음된 통화 내용을 재빨리 처음으로 돌려 재생했다. 여자의 차분한 음성이 흘러나왔다.

여기 무지개 아파트 비 동 육백사 호인데요. 반반 하나만 갖다주세요…….

지나를 쳐다보는 강모의 눈썹 양끝이 위로 솟아올랐다.

유 경장, 지금 바로 출동 벨 울려서 의경들 대기시키고 제일 가까운 순찰차 수배해서 보내. 순찰차 사이렌하고 경광등은 끄고 가라고 해. 나머지는 무전으로 이야기하자고.

지나는 얼어붙은 표정으로 고개를 끄덕였다. 태수가 강모에게 물었다.

권총도 챙길까요?

그래.

강모는 짧고 뭉툭한 손가락을 내밀어 책상 위에 놓인 치킨 박스를 가리켰다.

저것도 챙겨라. 혹시 모르니까.

2

검은색 기아 모하비가 눈발을 뚫고 텅 빈 도로를 달렸다. 앞유리에 들러붙는 눈송이는 빠르게 움직이는 와이퍼에 쓸려 나갔고, 헤드라이트 불빛은 인적 드문 길거리에 흐릿하게 번졌다. 글자가 떨어진 낡은 플라스틱 간판, 철제 셔터가 내려진 단층 건물, 건자재 가게와 약재상, 부서진 나무 궤짝이 널브러진 과일가게가 차례로 전조등 불빛 뒤로 밀려났다. 자동차의 광폭 타이어는 머플러에 눈을 튀겼고, 육중한 차체가 과속하며 휘저어 놓은 공기 흐름을 타고 눈송이들이 무작위로 소용돌이쳤다.

조수석에 앉은 강모가 군청색 파카의 밑부분을 들추고는 튀어나온 뱃살 아래에서 권총을 뽑았다. 그런 다음 리볼버 실린더를 끌러 공포탄 한 발과 실탄 네 발이 제대로 장전되었는지 확인한 후 실린더를 닫고 허리춤의 총집에 도로 넣었다. 강모가 자세를 바로잡자 두툼한 오리털 파카가 권총과 뱃살을 감쪽같이 가렸다.

강모는 사선으로 내리긋는 눈발을 지그시 바라보았다.

무령에 이렇게 눈이 많이 오는 건 진짜 오랜만인데.

첫눈이네요.

저기서 우회전. 골목으로 질러가자.

네.

태수는 건설 폐기물들이 널린 공터를 끼고 우회전했다. 좁은 이차선 도로가 나왔고 멀리 아파트 불빛이 보였다. 그때 강모의 휴대폰이 울렸다.

여보세요. ……응? 그래? ……알았어. 일단 그냥 대기하라고 해.

강모가 전화를 끊었다.

무슨 일입니까?

유 경장인데, 신고자한테서 다시 전화가 왔다네. 잘 해결되어서 경찰 출동할 필요 없다고 했다는데……. 옛날 남자친구가 술 먹고 찾아와서 고함을 치고 지랄을 해서 신고했는데, 지금은 그냥 진정이 됐단다.

그럼 상황 끝난 겁니까?

가보자. 가서 확인은 해야지.

두 사람은 금세 무지개 아파트 입구에 도착했다. 지은 지 삼십년가량 된 허술한 복도식 아파트로, 지하 주차장이 없는 탓에 노지에 빼곡히 들어찬 승용차들이 바람과 눈을 되는대로 맞고 있었다.

아파트 주차장 입구에 순찰차가 서 있었다. 태수와 강모가 차에서 내리자 이를 발견한 지구대 순경이 운전석 문을 열고 밖으로 나왔다. 두툼한 경찰 점퍼를 입고 어깨에 무전기를 단 젊은 순경이 느긋하게 걸어 두 사람에게 다가왔다.

유 경장한테 전화 못 받았습니꺼?

순경이 강모에게 외쳤다. 걸어오는 순경의 얼굴은 모자챙 그늘에 가려 입만 겨우 보였는데, 턱에 작은 뾰루지 세 개가 곪아 있었다.

초인종 눌러봤나?

네. 여자가 문을 열어주더라고요. 뒤에 남자도 서 있고.

상황이 어떤데?

그냥 둘이 좀 싸운 것 같더라고요. 뭐, 헤어지네 마네, 그런 거 있잖아요. 남자가 술 한잔 걸치고 온 것 같긴 하던데, 누구를 때리거나 뭘 부수거나 한 건 아닌 것 같고, 말싸움한 것뿐이라고 해서 그냥 내려왔습니더. 별일 아닙니더.

순경은 노란 참수리 마크가 새겨진 모자를 벗어 눈을 툭 털어내고는 다시 머리에 썼다. 순찰차 조수석에 앉은 다른 한 명이 하품을 하며 목을 긁었다.

강모는 고개를 돌려 태수를 흘끗 쳐다본 다음 다시 주변에 주차된 차들을 찬찬히 둘러보았다. 주위는 고요했고 눈송이만이 어둠의 부피를 더하며 차곡차곡 떨어졌다. 멀리 도로에서 차가 쌩 지나가는 소리가 들렸다. 태수는 자신의 머리와 어깨에 쌓인 눈을 손으로 털었다.

선배님, 어떡할까요?

강모는 눈을 가늘게 뜨면서 지구대 순경을 쳐다보았다.

집 안으로 들어가 봤나?

아니요.

왜?

여자가 들어오지 말라고 하던데요.

순경은 허리춤의 벨트 버클에 오른손 엄지를 끼우고는 바닥에 침을 한 번 뱉었다. 강모는 입을 다문 채 생각을 가다듬더니 다시 한번 주위를 둘러본 다음 태수를 향해 고개를 까딱했다.

올라가서 확실하게 확인해보자.

태수는 건물 출입구로 걸음을 옮기는 강모를 따라갔다. 뒤를 슬쩍 돌아보니 입을 삐죽 내민 지구대 순경이 다시 순찰차에 올라타고 있었다.

태수와 강모는 엘리베이터 안으로 들어갔다. 강모는 육 층 버튼과 닫힘 버튼을 연이어 누른 다음 주머니에서 스피어민트 향 껌을 꺼내 입에 넣고 질겅질겅 씹기 시작했다. 비좁은 엘리베이터는 난방이 되지 않아 싸늘했고, 바닥의 리놀륨은 죄다 일어나 있었으며, 닫힘 버튼 아래 중국집 홍보 스티커는 색이 바래 분홍색으로 변해 있었다. 땡, 소리와 함께 엘리베이터 문이 열렸다.

태수와 강모는 어두컴컴한 복도를 걸어 하늘색 철제 현관문 앞에 이르렀다. 페인트를 제대로 벗겨내지 않고 여러 번 덧칠한 탓에 표면이 거칠거칠해진 철문에는 604라고 적힌 타원형 아크릴 팻말이 비뚜름하게 붙어 있었다. 강모는 씹던 껌을 문구멍에 붙여 어안

렌즈를 막은 다음 문 옆의 초인종을 눌렀다.

누구요?

문 안쪽에서 걸걸한 남자 목소리가 들려왔다. 태수와 강모는 서로 눈빛을 주고받았다.

치킨 배달 왔습니더.

강모가 침착하게 팔세토로 답했다

치킨?

네. 반반 시키셨죠?

안 시켰는데?

반반 시키셨잖아요. 문 좀 열어보소.

강모가 손으로 문을 툭툭 쳤다.

이게 지금 뭐라카노?

잠금장치 돌아가는 소리가 들리고, 이내 문이 벌컥 열렸다. 문등을 역광으로 받으며 삼십 대 초반의 남자가 나타났다. 너부데데한 얼굴, 귀를 덮은 덥수룩한 머리, 충혈된 눈. 목이 늘어난 스웨터를 입은 남자는 강모를 보더니 움찔 놀라며 뒤로 물러났다.

어? 강모 행님.

어? 니 석구 아니가?

강모도 눈이 둥그레져서는 동시에 알은척을 했다. 태수는 손가락으로 자신의 인중을 긁으며 두 사람을 번갈아 보았다. 남자가 비틀거리며 문 옆 신발장에 손을 짚고 몸을 기댔다. 그러고는 입에서 문뱃내를 풍기며 멍한 표정으로 물어왔다.

행님, 요새 치킨 배달까지 합니꺼?

석구 니가 여기서 뭐하고 있노?

저예?

그래, 인마. 안에 누구 있나?

남자의 어깨 뒤를 넘겨보니 하늘색 운동복을 입은 여자가 두 팔로 자신의 상체를 감싼 채 서 있었다. 석구는 뒤의 여자를 슬쩍 돌아본 후 다시 강모를 향해 고개를 돌리고는 멋쩍은 듯 배시시 웃었다.

아, 알겠다. 행님, 신고 전화 때문에 왔습니꺼?

인마, 니 자꾸 술 처묵고 댕기면서 사고 칠래?

뒤에 서 있던 여자가 현관을 향해 고개를 삐죽 내밀었다.

형사님입니꺼?

신고하신 분이지요?

네. 그런데 안 오셔도 된다고 전화했는데…….

일단 좀 들어가자.

강모가 현관 안으로 발을 들이자 석구가 얼쯤얼쯤 비켜섰다. 강모의 뒤를 따라 태수도 안으로 들어갔다. 두 사람은 신발을 벗고 아파트 거실 안으로 들어섰다. 현관 앞에 때 묻은 소모사 매트가 깔려 있고 벽지는 누렇게 변한, 방 두 개짜리 작은 아파트였다.

네 사람은 거실 한편에 놓인 소파 쪽으로 갔다. 강모가 주방 식탁에서 나무 의자를 하나 들고 와 탁 소리가 나도록 놓은 다음 거기에 걸터앉았다. 그러고는 석구와 여자에게 소파에 앉으라고 손짓했다.

접대용 탁자 뒤 인조가죽 소파에 두 사람이 앉자 쿠션의 솔기 터진 자리에서 노란 스펀지가 비어져 나왔다. 나무 의자에 앉은 강모가 오른쪽 다리를 왼쪽 허벅지에 올리고는 파카 앞쪽 지퍼를 내렸다. 태수는 장미꽃 무늬 스티커가 붙은 낡은 냉장고 문에 기대서서 말없이 세 사람을 지켜보았다.

석구가 허리를 펴며 손바닥으로 자신의 허벅지를 쓸었다.

행님, 커피라도 한 잔 드실랍니꺼?

아가씨. 이름이 뭡니까?

인애요. 장인애.

여자는 팔짱을 낀 채 인상을 쓰며 강모의 시선을 피했다. 수술로 만들어진 지나치게 큰 쌍꺼풀 아래로 흰자위가 도드라져 보였다. 여자는 눈을 잠시 감았다가 다시 떴다.

아가씨가 한번 말해보소.

무슨 말이요?

석구가 왜 여기 와 있는지.

행님, 제 말 좀 들어보이소.

니는 가만히 있거라!

강모의 호통에 석구가 입을 닫았다.

장인애 씨, 말해보소. 편하게.

아니, 내가 뭘 어쨌다고요?

여자가 신경질을 부리며 고개를 돌렸다. 낡은 테이블 위 금 간

유리판 표면에 형광등 불빛이 쪼개지며 반사되었다. 싸늘한 냉기와 침묵이 흘렀다.

잠시 후 여자가 답답하다는 듯 한숨을 푹 내쉬었다.

인마 이게 자꾸 술 처묵고 찾아오는 걸 내가 우짭니꺼? 추운데 문 앞에 앉아서 삼십 분 동안 울고불고 지랄을 하는데 문을 안 열어줄 수도 없고……. 아이고, 고마 얼어 뒈지뿌도록 그냥 내비 둘 걸로 그랬다, 참말로.

강모가 자신의 발바닥을 손가락으로 긁으며 석구를 째려보았다.

행님, 그게 말입니더.

니는 와 술 처묵고 여기 와서 지랄을 하노?

석구의 고개가 아래로 뚝 떨어졌다.

사랑하니까요.

곧이어 흐느끼는 소리가 들리기 시작했다. 다시 고개를 들었을 때, 석구의 붉게 달아오른 뺨에는 눈물이 흐르고 있었다.

행님, 사랑하는 것도 죄가 됩니꺼?

인애가 혀를 차며 작은 소리로 혼잣말했다.

아주 지랄을 한다. 지랄을 해.

강모는 입을 닫고 발가락을 긁으며 천천히 생각을 정리했다.

석구야, 지금부터 행님 말을 잘 듣거라.

석구는 고개를 숙인 채 말이 없었다.

듣고 있나?

네.

석구야, 사랑하는 거는 죄가 아니다. 사람이 사람을 사랑하는 게 우째 죄가 되겠노? 그렇지만 밤에 술을 처묵고 여자 혼자 사는 집에 와서 개지랄을 하면 그거는 죄가 될 수도 있다. 무슨 말인지 알겠나?

석구는 자신의 무릎에 팔꿈치를 댄 채 고개를 두 손에 파묻었다. 태수는 냉장고 문에 붙은 스티커를 손톱 끝으로 살살 긁다가 벽에 걸린 달력으로 시선을 옮겼다. 지역 농협에서 판촉용으로 나누어 주는 달력이었는데, 무령 양수발전소의 상부 저수지 사진이 실려 있었다. 눈 쌓인 둑길 너머로 적막한 호수 풍경이 펼쳐졌고, 그 사진 아래에는 제목이 굴림체로 인쇄되어 있었다. 천경호의 겨울.

잠시 침묵이 흐른 후 석구의 흐느낌이 잦아들었다. 강모가 의자에서 일어났다.

가자.

강모는 태수를 향해 말한 다음 석구에게도 손을 내밀었다.

석구야, 니도 같이 가자. 일어나라.

석구는 고개를 들어 멍한 눈으로 강모를 쳐다보더니 다시 여자를 돌아보았다. 인애는 표정 없이 현관 신발장에 놓인 선인장 화분 쪽으로 시선을 고정하고 있었다. 여자의 코끝이 방향표지판의 화살표처럼 날카로웠다. 눈썹 끝이 축 늘어진 석구가 아르마딜로처럼 등을 말며 자신의 가랑이 사이에 두 손을 넣어 소파 끝을 움켜잡았다.

뭐 하노? 퍼뜩 일어나라!

저는 고마 여기서 자고 갈랍니더. 술도 마셨고…….

술?

예. 음주운전하면 안 된다 아닙니꺼?

니 차 끌고 왔나?

예.

술 묵고 차 끌고 왔나?

석구의 입이 갑자기 무거워졌다. 입을 삐죽 내민 채 우물쭈물하던 석구는 코를 한 번 들이마시고는 작은 소리로 대답했다.

아닙니더.

그라믄 차는 누가 끌고 왔노?

아까 올 때는 술을 안 마셨습니더.

그라믄 술은 어디서 마셨노?

석구는 말없이 침만 꿀꺽 삼켰다.

대답해라, 인마! 그라믄 술은 어디서 마셨노?

행님, 그거는 제가 나중에 말씀드리겠습니더.

에라, 자슥아. 퍼뜩 일어나거라! 여기 진 경장이 니 집까지 태워다 줄 끼다.

강모는 태수를 돌아보았다.

진 경장, 인마 이거 좀 태워다 주고 들어가라. 석구 이놈 이거 내가 잘 아는 놈이다. 애가 좀 이래서 그렇지, 근본은 착한 놈이다. 진 경장, 부탁 좀 하자.

태수는 자신의 턱 아래 수염이 덜 깎여 까끌까끌한 부분을 엄지

손가락으로 쓸며 고개를 끄덕였다.

걱정 마이소. 제가 태워다 주겠습니더.

석구는 마지못해 소파에서 일어났다. 시위라도 하듯 느릿느릿 파카를 껴입는 석구의 젖은 눈과 발기된 성기는 여전히 인애의 뒤통수를 향하고 있었다.

3

눈발은 그쳤지만 그사이 세상은 하얗게 변했다. 눈 쌓인 도로 위로 두 줄기 검은 바퀴 자국이 이어져 있었고, 시내의 모든 신호등은 노란 점멸등으로 바뀌었다. 가로등 불빛이 설면에 반사되어 주위가 훤했다. 눈 위를 구르는 자동차 바퀴에서는 좌르르 소리가 났다.

조수석에 앉은 강모는 도어 트림 팔걸이에 아래팔을 얹고 있었다. 창문으로 비스듬히 비친 가로등 불빛이 강모의 까딱거리는 검지 끝을 스쳤다. 뒷좌석에는 얼룩덜룩한 패딩 점퍼를 입은 석구가 허리를 숙이고 앉아 눈알을 좌우로 굴리고 있었다.

태수는 경찰서 방향으로 좌회전하기 위해 속도를 줄였다. 차가 거의 멈추었을 때, 뒷좌석 문이 벌컥 열렸다. 열린 문을 통해 차가운 바깥 공기가 차 안으로 훅 몰려들었고, 동시에 석구가 밖으로 뛰어내렸다. 눈 쌓인 도로를 휘청거리며 달리는 석구의 뒷모습을 태수와 강모는 멍한 눈으로 쳐다보았다. 텅 빈 차도를 가로질러 달

음박질치는 석구의 두 발에서 흰 눈의 파편이 튀었다. 석구는 인도를 넘어 논두렁으로 뛰어들었다.

강모가 눈살을 찌푸리며 조수석 창문을 내렸다.

석구야! 니 어데 가노?

논을 가로질러 달리던 석구가 고개를 틀어 뒤를 돌아보았다. 그러다 아무도 쫓아오지 않는다는 걸 확인했는지 그 자리에 멈춰 섰다. 태수는 어깨를 움츠리며 운전석 문을 열고 밖으로 나왔다. 깜빡거리는 신호등 불빛이 차 지붕에 쌓인 눈을 노랗게 물들였다. 태수는 코트 깃을 세우고 종종걸음으로 차 뒤를 돌아 오른쪽 뒷좌석으로 가서 석구가 열어 놓은 문을 닫았다. 그러고는 다시 운전석으로 돌아가 따뜻한 차 안으로 들어갔다. 석구는 하얀 논 한가운데서서 멀뚱히 차 쪽을 쳐다보고 있었다.

강모가 양손을 입으로 모아 나팔을 만들어 크게 소리쳤다.

석구야!

네!

니 어디 가냐고.

석구는 주위를 두리번거렸다. 검은 하늘에서 눈송이가 하나둘 다시 떨어지기 시작했다. 석구는 천천히 손가락을 들어 경찰서 건물을 가리켰다. 종합상황실의 네모난 창문에서 하얀 불빛이 새어 나오고 있었다.

저거 경찰서 아닙니꺼?

그래. 맞다.

석구의 입에서 하얀 입김이 씩씩거리며 쏟아져 나왔다.

아까 차에 탈 때!

석구가 곧 울 것처럼 인상을 구기더니 말을 맺지 못하고 소매로 눈가를 닦았다.

차에 탈 때, 뭐?

아까 차에 탈 때 내한테 우째 했습니꺼?

뭐를 우째 했는데?

아까 내 머리 잡고 차에 집어넣었다 아닙니꺼?

강모의 눈이 가늘어지고 입가에 팔자 주름이 졌다. 강모는 고개를 저으며 한숨을 푹 내쉬었다. 논두렁 아래에서 석구가 짐승처럼 울부짖었다.

내가 바보로 보입니꺼? 어? 내가 바보로 보입니꺼? 내 바보 아닙니더!

석구야, 미안하다! 머리 잡고 밀어 넣은 거는 내가 버릇이 되어서 그랬다. 그런데 지금 니 잡아가는 거 아니다.

잡아가는 거 아니면 왜 여기로 옵니꺼?

석구는 다시 한번 손가락으로 경찰서 건물을 가리키며 공중을 찔렀다.

내 바보 아닙니더.

빨갛게 변한 강모의 코에서 두 줄기 흰 김이 뿜어져 나왔다. 태수는 빙긋이 웃으며 강모를 바라보았다. 강모가 창밖으로 고개를 내밀고 석구를 향해 소리쳤다.

석구야, 내가 오늘 당직이다.

당직?

그래. 나는 당직이라서 경찰서에 다시 들어가야 된다. 그라니까 진 경장이 나를 먼저 경찰서에 내려주고 그다음에 니를 집에 데려다줘야 된다는 말이다.

강모는 작은 소리로 옆자리의 태수에게 속삭였다.

저놈이 상태가 좀 그렇다.

석구는 태수의 차와 경찰서 건물을 번갈아 쳐다보더니 뒷머리를 긁적이며 잠시 고민했다.

행님이 오늘 당직이라꼬예?

그래. 고마 들어온나. 춥다.

석구는 터벅터벅 되돌아왔다. 강모는 몸을 떨며 버튼을 눌러 조수석 창문을 올렸다. 석구는 멋쩍은 표정으로 논두렁을 기어오른 다음 인도와 차도를 가로질러 차로 다가왔다. 바짓가랑이에 눈과 흙이 묻어 엉망이었다.

석구가 뒷좌석 문을 약간 열고 고개를 들이밀었다.

행님, 진짜 잡아가는 거 아니지예?

안 잡아간다니까.

두 눈을 끔뻑거리는 석구에게 강모가 짜증스럽게 대꾸했다. 태수가 룸미러를 보며 입을 열었다.

석구 씨, 잡아갈 때는 잡아간다고 말을 해줍니더. 묵비권 같은 것도 고지를 하고요. 법적으로 그리하도록 되어 있습니더.

춥다. 빨리 들어와서 문 닫아라.

석구는 미적대며 차 안으로 들어와 슬며시 문을 닫았다. 그러고는 축축한 바짓단에 묻은 눈을 손으로 툭툭 털었다. 석구의 점퍼 어깨에도 눈송이가 들러붙어 있었다.

태수는 천천히 차를 몰아 좌회전한 후 경찰서 정문 앞에 세웠다. 강모가 문을 열고 차에서 내리자 초소 옆에 서 있던 신참 의경이 장갑 낀 오른손을 눈썹 옆에 붙이며 큰 소리로 경례했다.

강모는 허리를 숙여 차 안으로 고개를 집어넣었다.

진 경장, 석구 집이 양수발전소 바로 옆이다. 양수발전소 가는 길로 쭉 가면 된다. 운전 조심하고.

네, 걱정 마이소.

행님, 제 차는 우짭니꺼? 차가 없으면 제가 나오지를 못하는데.

내일 내가 갖다줄게. 어차피 천경호에 낚시나 하러 갈까 했는데 잘됐지, 뭐.

그라믄 우리 집에서 매운탕이나 같이 끓여 드시지예.

봐서 그라든지.

강모가 문을 탕 닫았다. 석구는 기분이 좋은지 히죽거리고 있었다. 태수는 차를 약간 후진한 다음 핸들을 끝까지 꺾어 방향을 돌렸다. 자동차의 네 바퀴가 초서로 한자를 쓰듯 눈 위에 어지러이 검은 자국을 남겼다.

차는 무령강을 가로지르는 다리를 향해 천천히 움직였다. 미등 한쪽이 너덜거리는 일 톤 트럭 한 대가 배기구에서 검은 연기를 뿜으며 지나갔다. 태수는 눈길에 바퀴가 밀릴까 봐 가죽 커버를 씌운 운전대를 두 손으로 꼭 쥐었다. 룸미러에 묶인 나무 부적이 대롱거렸고, 거울에는 뒷좌석에 앉은 석구의 얼굴이 비쳤다. 석구는 엉덩이에 종기가 난 사람처럼 허리를 뒤틀고 있었다.

어디 불편합니까?

그게 아니고……. 제가 뒤에 계속 앉아 있으면 안 되는 것 이닌가 싶어서.

괜찮습니다.

그래도 예의가 아닌데. 잠시만 차 좀 세워 보이소. 제가 앞으로 가서 앉겠습니더.

괜찮습니다. 그냥 뒤에서 좀 쉬세요.

읍내를 빠져나와 지방도에 진입하자 가로등이 드물어졌다. 산 둘레를 타고 이어진 좁은 도로를 따라 헤드라이트가 둔하게 움직이며 허술한 가드레일과 그 너머의 소나무들을 비추었다. 뭉쳐난 솔잎에 얹혀 있던 눈이 이따금 소리 없이 무너져 내렸고, 마이크로프리즘 시트를 입힌 야생동물주의 표지판은 전조등 불빛을 반사하며 하얗게 빛났다. 자동차 히터에서 나오는 더운 바람이 창유리에 엷은 습기를 드리울 즈음 태수가 라디오 버튼으로 손을 뻗었다. 그때 문득 석구가 뒤에서 고개를 불쑥 들이밀었다.

진 경장님이라고 했지예?

네.

혹시 어디 사람입니꺼?

왜요?

무령 사람은 아니시지예?

원래 고향은 서울입니다.

석구는 푹신한 등받이에 몸을 묻으며 편한 자세로 고쳐 앉았다.

우짠지 억양이 좀 다르더라고예.

티가 많이 납니까?

무령 사투리가 따로 있거든예.

태수는 묵묵히 고개를 끄덕였다. 다시 침묵이 이어졌다.

음악도 라디오도 대화도 없이 한참을 달렸다. 빙빙 돌아가는 산길이 끝나자 도로는 평평한 들판으로 접어들었다. 도로 양옆으로 비닐하우스 단지들이 열을 맞추어 늘어서 있었는데, 식물 생장을 촉진하기 위해 밤에도 불을 켜놓은 비닐하우스들이 제법 많았다. 빛의 바다를 항행하듯 차는 조용히 직선을 그리며 앞으로 나아갔다. 저 앞에서 동물의 반짝이는 두 눈이 천천히 도로를 따라 움직이다가 차 소리를 듣고 재빨리 사라졌다. 고양이 같았다.

석구는 여전히 부루퉁한 표정으로 앉아 있었다. 태수는 룸미러를 통해 석구의 얼굴을 힐끔거렸다.

석구 씨.

네.

혹시 무슨 일 하십니꺼?

뭐, 이것저것 다 합니더. 닥치는 대로 합니더.

석구는 창밖으로 흘러가는 듬성듬성한 인가의 불빛을 물끄러미 바라보았다. 그러더니 혼잣말처럼 덧붙였다.

보통은 일이 없지예.

손 경사님하고는 서로 어떻게 아십니꺼?

강모 행님요?

네.

석구는 입을 닫고 생각에 잠겼다. 맞은편에서 찌르는 듯한 상향등을 켜고 달려오던 승용차가 급히 불빛을 낮추었다. 이차선 도로에서 두 자동차가 스쳐 지나가자 차 지붕에 쌓였던 눈이 급류에 휩쓸린 포말처럼 바람에 흩날렸다.

사실 제 친행님이 죽었습니더.

그래요? 안됐습니더.

행님이 죽었는데, 그 바람에 행님이 그 새끼를 죽도록 팼습니더.

네?

행님 친구였습니더. 그래서 행님이 고마 열이 받아서 사람을 그 모양으로 팼던 거지.

무슨 말입니꺼?

그러니까 제 말은, 우리 행님하고 행님하고 친구였다 이 말입니더.

태수는 전방에 쭉 뻗은 도로를 응시하며 머릿속에서 골패를 맞추듯 단어들을 정리했다.

석구 씨 친형하고 손 경사님이 친구였다고요?

예.

그런데 친형분이 돌아가시고.

예. 틀림없이 그 새끼가 죽였습니더. 증거가 없다 뿐이지.

그 새끼는 누구를 말하는 겁니꺼?

고창혁.

고창혁이 누굽니꺼?

있습니더, 씹새끼……. 요새 부산에서 돌아다닌다 카던데. 아무튼 그 새끼는 무령에서 내 눈에 보이는 날이면 그날이 그 새끼 제삿날입니더.

손 경사님이 그 고창혁이라는 놈을 팼다는 말입니꺼?

팼습니더. 진짜 개 패듯이 뚜드려 팼습니더. 독한 놈. 그래도 입을 안 열었다 카더라고예.

삼거리에 접어든 차가 노란 점멸등 아래를 천천히 지나갔다. 서글픈 표정으로 창에 머리를 기댄 석구의 주름진 이마 위로 노란 불빛이 비쳤다가 사라졌다. 유리창에 석구의 입김이 닿아 작고 흐린 동그라미가 생겼다.

제가 강모 행님한테 갚을 빚이 많습니더.

빚이요?

강모 행님이 그 새끼 깽값 물어주는 바람에 완전 거덜이 났다 아닙니꺼.

그걸 석구 씨가 갚아줘야 합니까?

사람이 도리라는 게 있지예. 지금은 제가 거지나 다름없지만, 돈 많이 벌면 다 갚아드릴라고예.

갑자기 석구가 주먹으로 자신의 허벅지를 탁 내리쳤다.

아! 요번에 비트코인 그것만 잘 됐어도 제가 다 갚아드리는 건데.

석구 씨도 비트코인 했습니꺼?

예.

결과가 별로 안 좋았나 보네요.

싹 나 날렸습니더.

그거 완전 사기라던데. 이 동네에서도 그거 하다가 돈 날린 사람이 하나둘이 아니더라고요.

문득 석구가 창에서 머리를 떼고 자세를 바로잡았다. 그러더니 자신의 손톱 끝을 물끄러미 내려다보았다.

진 경장님, 초면에 이런 말씀 드리기가 참 그런데…….

무슨 말인데요?

혹시 운명을 믿습니꺼?

운명이요?

네.

글쎄요.

아직 잘 모르실 수도 있는데, 운명이라는 게 있습니더.

네.

진짜 있습니더.

사람마다 자기 길이 있겠죠.

석구가 허리를 숙이며 운전석과 조수석 사이로 머리를 들이밀었다.

제가 아는 분 중에 유명한 스님이 한 분 계십니더.

그래요?

그 스님께서 최근에 아주 놀라운 연구를 하고 계신데예……. 참, 이거는 진 경장님만 알고 계셔야 합니더. 절대 비밀입니더.

알겠습니더.

그 스님이 원래 주역을 참 깊이 공부하신 분입니더. 갑, 을, 병, 정, 무, 기, 경, 신, 임, 계, 자, 축, 인, 묘, 진, 사, 오, 미, 신, 유, 술, 해……. 이런 거 들어보셨지예?

네.

진 경장님, 그런데 놀라지 마이소. 스님께서 이 사주를 풀어서 로또 당첨 번호를 예측할 수 있는 방법을 찾았습니더.

로또를요? 사주로?

네. 좀 놀라셨지예?

아, 네. 좀 놀랐네요.

물론 아직 연구가 완성된 건 아닙니더. 그래도 번호 세 개까지는 거의 확실하게 맞히시거든예. 진짜 잘 맞히십니더. 스님께서는 일 등 당첨 번호를 맞힐 수 있을 때까지 비밀리에 연구를 계속하겠다고 말씀하시는데, 제가 곰곰이 생각해봤거든예. 진 경장님도 한번 생각해보이소. 현재 연구 성과만 가지고도 오 등은 거의 확실하게 당첨이 되는 거 아닙니꺼? 이게 오 등만 당첨되어도 오천 원이거든예. 로또 한 장에 천 원이니까 다섯 배 장사 아닙니꺼. 그래서 말인데, 진 경장님.

네.

혹시 천만 원만 빌려주실 수 있습니까?

네?

딱 한 달만 쓰면 되는데. 제가 이자는 넉넉히 드리겠습니다.

공무원이 무슨 돈이 있습니까? 저도 가난합니다.

태수는 일부러 소리 내어 웃고 난 후 검지를 앞으로 뻗었다.

저기 보이는 저 길이 양수발전소 가는 길 맞지요?

예. 이제 거의 다 왔습니다. 저쪽 표지판 옆으로 난 작은 길로 들어가면 됩니다.

4

차 한 대가 겨우 지나갈 만큼 길이 좁아졌다. 석구의 손가락이 가리키는 방향으로 핸들을 꺾자 비포장도로로 접어들면서 차체가 크게 흔들렸다. 빽빽한 소나무 사이의 오솔길을 비추는 전조등 불빛이 위아래로 출렁였다. 태수는 전방을 응시하며 두 손으로 핸들을 꼭 붙들었다. 눈과 자갈, 낙엽, 진흙이 뒤범벅된 길을 타고 자동차가 올라가기 시작했다. 경사는 가팔랐다.

나무뿌리 뒤에서 바퀴가 헛돌았다. 고속절단기에서 튀는 불똥처럼 펜더 밖으로 젖은 흙이 원을 그리며 튕겨져 나왔지만, 태수는 가속기 페달을 더 깊이 밟았다. 구덩이에서 뛰쳐나오는 말처럼 차가 크게 요동친 후 움푹 팬 곳을 넘어 평지로 올라섰다. 태수는 브레이크를 밟아 차를 세웠다.

반쯤 허물어진 시멘트 블록 담벼락 너머로 슬레이트 지붕을 얹은 단층 건물이 보였다. 인가에서 멀리 떨어진 산 중턱이었다. 집은 소나무 숲에 완전히 둘러싸여 있었고, 사람이 살고 있으리라고 짐작조차 할 수 없을 만한 도린곁이었다.

여기가 우리 집입니더.

집이 완전 산속에 있네요.

제 차는 사륜구동이라 쉽게 올라오는데.

눈이 와서 그렇지요. 눈만 안 왔으면 제 차도 쉽게 올라왔을 겁니다.

그래노 사륜구동하고는 다르지예.

석구가 차에서 내리자 태수도 시동을 걸어둔 채 따라 내렸다. 습기를 머금은 산바람에 망막이 시렸다. 눈송이는 떨어지지 않았지만 먹구름이 잔뜩 낀 하늘은 언제든 눈을 뿌릴 태세였다.

담벼락 위에 손가락 한 마디 높이로 눈이 곱게 쌓여 있었다. 담 안쪽의 마당을 넘겨다보니 뒷바퀴가 찌그러진 자전거, 손잡이가 부러진 삽, 타이어에 바람이 빠진 외발 손수레, 녹슨 못이 삐져나온 나무토막 따위의 버림치가 어지럽게 널려 눈을 맞고 있었다.

석구는 문짝이 붙어 있지 않은 철제 기둥 옆에 엉거주춤 서서 입을 열었다.

들어가서 커피라도 한잔하고 가이소. 추운데.

바로 가야지요. 늦었는데.

그래도 여기까지 왔는데.

또 눈 오기 시작하면 운전하기 힘듭니더. 눈 안 내릴 때 가야지요.

그라믄 조심해서 가이소. 차는 이쪽으로 후진해서 돌리면 됩니더.

태수는 운전석으로 돌아가 차를 마당 깊숙이 후진했다가 들어온 길을 향해 전진했다. 석구가 운전석 옆으로 다가와 차 지붕에 손을 얹고 고개를 숙였다.

진 경장님, 아까 그 말은 못 들은 걸로 하이소. 괜히 강모 행님 귀에 들어가면…….

손 선배도 범인 잡고 싶은 마음에 그랬겠죠.

아니, 그거 말고……. 천만 원.

아.

조심해서 가이소.

태수는 작게 고개를 끄덕여 보이고는 옆 창문을 올리고 차를 출발했다.

울퉁불퉁한 흙길을 따라 내려가다가 마침내 포장도로로 접어들었다. 태수는 좁은 길을 따라 내려갔다. 찻길 왼쪽으로 양수발전소 하부 저수지인 중경호의 모습이 내려다보였지만, 먹물을 담아놓은 듯 매끄러운 수면은 어둠 외에 아무것도 반사하지 않았다.

태수는 올라오면서 자신이 만든 도로 위 바퀴 자국을 그대로 되밟으며 길을 거슬러 내려갔다. 중경호의 모습이 나무에 가려 사라지자 곧 길이 넓어졌다. 태수는 양수발전소 홍보관 건물과 관람객 주차장이 보이는 지점에서 핸들을 꺾어 무령읍 방향으로 차를 돌렸다.

그때 맞은편에서 전조등을 켠 차 한 대가 나타나더니 천천히 태수의 차를 지나쳤다. 앞 범퍼에 눈이 잔뜩 들러붙은 승용차는 방금 태수가 내려온 길로 들어섰다. 은색 신형 소나타였는데, 사이드미러로 힐끗 비치는 번호판에 허 자가 적혀 있는 것으로 보아 렌터카인 듯했다.

태수는 브레이크를 밟아 차를 멈추고 경음기를 가볍게 울렸다. 소나타는 태수의 신호를 무시하고 오르막을 오르기 시작했다. 태수는 차를 돌려 소나타를 쫓아갔다. 뒤에 바짝 붙어 클랙슨을 몇 번 눌러대자 소나타가 속도를 줄이고 멈추었다. 태수는 소나타 뒤에 차를 세우고는 문을 열고 밖으로 나가 세단 운전석으로 걸어갔다. 밤바람에 이가 덜덜거렸다.

소나타 운전석의 창문이 스르르 내려갔다. 안에는 남자 혼자 타고 있었다. 짧게 깎은 머리에 짙은 눈썹과 커다란 뿔테 안경, 거기다 뺨과 턱을 덮은 검은 수염까지, 꽤나 복잡한 얼굴이었다. 내비게이션도 켜지 않고 운전하고 있던 남자는 태수와 눈을 마주치지 않으려는 듯 정면만 바라보았다.

뭡니까?

선생님, 어디 가시는지 몰라도 길을 잘못 드신 것 같습니더.

무슨 말입니까?

남자는 서울말을 썼다.

이쪽 길로 가시면 천경호로 이어집니다. 산꼭대기의 천경호까지 올라가서는 길이 끊어지고요. 조금만 더 가면 길이 좁아져서 유턴도 못합니다. 어쩔 수 없이 산꼭대기까지 올라가서 차를 돌려야 할 겁니다.

그런가요?

네. 양산으로 넘어가시는 길이라면 조금 더 가서 왼쪽으로 빠지셔야 합니다. 외지 사람들이 종종 길을 잘못 들어서죠. 요새는 내비게이션이 있어서 좀 낫긴 하지만.

고마워요. 하마터면 엉뚱한 길로 갈 뻔했네요.

술 드신 건 아니죠?

아닙니다.

태수는 허리를 숙였다. 술 냄새는 없었다.

태수는 눈 쌓인 아스팔트를 걸어 자신의 모하비로 돌아왔다. 후진과 전진을 두어 번 반복해 차를 돌렸다. 내려오면서 사이드미러를 보니 소나타도 앞뒤로 움직여가며 차를 돌리고 있었다. 태수는 소나타가 따라올 때까지 일부러 천천히 운전했다. 갈림길에서 태수는 오른쪽 읍내 방향으로, 소나타는 왼쪽 외곽 방향으로 갈라졌다. 사이드미러 속 소나타의 붉은 미등이 천천히 멀어지다가 모퉁이를 돌아 사라졌다.

태수는 읍내까지 느긋하게 운전했다. 차창 밖으로 비닐하우스 불빛이 넘실대는 들판이 흘렀다. 굽이진 산길을 따라 이따금 비틀거리며 지나가는 자동차들을 보며 태수는 길과 운명과 인생에 대해 생각했다. 다들 어디로 가는지도 모르고 길을 가지만 잘못된 길로 가는 것만큼은 틀림없다는 생각이 들었다. 태수는 쓴웃음을 흘렸다. 길을 멀리 내다보며 운전하기엔 오늘 밤 어둠이 너무 짙을 뿐이지.

깨진 가로등과 뿌리째 뽑힌 소나무 그리고 낙석주의 표지판들이 얼어붙은 길 양쪽을 박음질하듯 스쳐갔다. 태수는 라디오의 음량 버튼을 오른쪽으로 돌렸다. 문틈으로 스며든 값싼 전파가 스피커를 통해 해묵은 가요들을 뱉어냈다. 진창으로 변한 논길을 비틀대며 걷는 주정뱅이의 흥얼거림처럼, 나직한 노랫소리가 차 안에 흘렀다.

자정이 넘어서야 집에 도착했다. 태수는 전깃줄이 멋대로 뻗어 있는 전신주 옆에 차를 바짝 붙여 세웠다. 운전석에서 내린 후 뒷좌석 바닥을 살펴보니 차갑게 식은 치킨이 그대로 놓여 있었다. 뒷좌석 문을 열고 치킨 박스를 꺼내든 태수는 좁은 골목길을 걸었다. 얼어붙은 눈을 밟을 때마다 뽀드득 소리가 났다.

주머니에서 열쇠를 꺼내 녹색 페인트를 칠한 철문 구멍에 끼우고 돌리자 철컥 소리가 나며 철제 대문이 저절로 벌어졌다. 태수는 문을 마저 밀고 천천히 마당으로 들어갔다. 갈라진 시멘트 바닥과 장판을 덧입힌 나무 평상에 눈이 덮여 있었고, 빨랫줄에 걸어놓은 청바지와 수건은 눈을 맞아 축축했다. 태수는 빨래를 걷어 옆구리에 끼고 부엌으로 통하는 문을 발로 차서 밀었다. 집 안도 추웠다. 입김을 뿜으며 출입문 옆의 토글스위치를 잦히자 천장에 달린 노란 백열등에 불이 들어왔다. 아궁이가 있던 자리를 시멘트로 발라 메워버린 낡은 집이었다. 어슷하게 기울어진 스테인리스 개수대의 수도꼭지에서는 얼지 말라고 틀어놓은 물이 또닥또닥 흘렀다.

태수는 안방으로 통하는 나무 미닫이문을 열고 문틈으로 팔을 넣어 벽에 붙은 난방 버튼을 눌렀다. 웅웅거리며 보일러 돌아가는 소리가 들려왔다. 신발을 벗고 안방으로 들어가 불을 켜자 형광등이 몇 번 깜빡거린 후 밝은 빛을 뿜었다. 불빛 아래로 노란 장판과 바닥에 깔린 차렵이불, 앉은뱅이책상, 부직포로 만든 간이 옷장, 칠이 벗겨진 나무 서랍장과 그 위에 놓인 텔레비전이 모습을 드러냈다. 태수는 빨래를 구석에 던져놓고 리모컨으로 텔레비전을 켰다. 그러고는 다시 부엌으로 나와 냉장고 옆에 있는 전자레인지에 치킨을 넣고 돌렸다. 냉장고 문을 열어 보니 맥주가 남아 있었다.

태수는 새벽까지 텔레비전을 보며 치킨을 안주 삼아 맥주를 마셨다. 화면 속에서는 수컷 기린들이 암컷을 차지하기 위해 긴 목을 휘두르며 서로 싸워댔다. 찌그러진 맥주 캔과 크고 작은 닭 뼈, 두루마리 휴지, 커피 자국이 말라붙은 물컵 사이에서 태수는 손가락 끝에 붉은 양념장을 묻히고 입가에 아몬드 조각을 붙인 채 반쯤 취해 잠들었다. 흙먼지가 뿌옇게 날리면서 젊은 수컷 기린의 긴 무릎이 풀썩 꺾이던 다큐멘터리 속 장면이 밤새 태수의 머릿속에서 되풀이되었다.

일요일

5

푸르스름한 하늘에 부들솜 같은 구름이 몇 점 걸려 있었다. 하루 사이 날은 벗개어 논두렁 군데군데 쌓인 눈을 제외하면 아스팔트는 바짝 말라 있었다. 경찰서 마당의 눈도 아침 일찍 의경들이 쓸어 놓은 덕에 담벼락을 따라 흙 묻은 눈이 쌓여 있을 뿐 경내는 멀끔했다.

태수는 차를 운전해 경찰서 마당을 가로질렀다. 그러는 동안 본관 앞 게양대에 걸린 하얀 태극기와 초록색 새마을기가 잠시 펄럭이다가 다시 축 늘어졌다. 건물 뒤편으로 돌아간 태수는 차를 주차장에 세웠다. 덜 마른 청바지 샅의 축축함을 느끼며 어기적어기적 차에서 내리니 뺨을 스치는 아침 공기가 꽤 차가웠다. 하지만 경찰서 뒷마당에 드리운 햇살만큼은 혀로 핥을 수 있을 만큼 선명했다.

진 경장님, 오늘 근무에요?

돌아보니 밤샘 근무를 마친 유지나 경장이 졸린 눈을 거슴츠레 뜨고 경찰서 뒷문으로 걸어 나오고 있었다. 노란 파카를 입은 지나의 어깨에는 나무 막대에 둘둘 말린 현수막이 걸쳐져 있었다.

아뇨.

근무도 아닌데 왜 나오셨어요? 일요일이잖아요.

심심해서요. 날이 좋잖아요. 세차나 할까 하고.

그러게요. 오늘은 날이 좋네요.

지나는 손차양을 하며 해를 바라보더니 코로 숨을 한 번 들이마셨다. 태수는 지나의 어깨에 있는 물건을 손가락으로 가리켰다.

그거는 뭡니까?

현수막이요. 뺑소니 사건 목격자라도 찾아볼까 싶어서.

저번에 그 할머니 사건입니까?

네.

시시티브이에도 단서가 전혀 안 나옵니까?

네. 이 동네 시시티브이 달린 도로가 얼마나 된다고요.

혼자 달 수 있겠어요? 제가 도와드릴까요?

아뇨. 괜찮아요.

혼자 달기 힘들 텐데.

저는 이거 파출소에 갖다주기만 하면 돼요. 파출소장님이 알아서 잘 보이는 데 달아준다고 하더라고요.

파출소까지 태워다 드릴까요?

아뇨. 제 차로 가면 돼요.

태수는 문득 인기척을 느끼고 경찰서 뒷문 쪽을 돌아보았다. 보급품이 든 박스를 옮기고 있던 솔잎대강이 의경 두 명이 이쪽을 쳐다보며 킬킬거리고 있었다. 지나가 날카로운 눈빛을 쏘아 보내자 녀석들은 서둘러 건물 안으로 사라졌다.

뭐 필요한 거 있으면 언제든 말씀하세요.

지나가 뚜벅뚜벅 걸어 태수의 곁으로 다가왔다. 태수는 주위를 한번 둘러보았다. 아무도 보는 사람은 없었다. 지나가 고개를 바짝 쳐들며 태수를 노려보았다.

진 경장님, 언제 전출 가실 건네요?

아직도 그 이야깁니꺼?

내 자리를 빼앗아 갔으면 도로 돌려줘야지요. 도대체 이 촌구석에서 뭐 합니꺼? 되지도 않는 사투리 흉내나 내고.

이거 텃세가 너무 심한 거 아닙니꺼?

부산이든 서울이든 원래 있던 곳으로 빨리 돌아가이소.

나는 여기가 좋은데.

노인네들만 득시글거리는 촌 동네가 좋기는 뭐가 좋습니꺼?

태수는 지나의 말을 듣고 경찰서 부지 주위를 쭉 훑어보았다. 녹슨 철제 담장 너머로 밤새 하얗게 세어버린 세상이 사방으로 펼쳐져 있었다. 휑한 논밭에는 눈 위에 찍힌 개 발자국이 선명했고, 논두렁 너머 하늘과 땅의 경계선에는 고장을 에워싼 굴곡진 산등성이가 핏기 하나 없이 드러누워 있었다.

태수는 청바지 뒷주머니에 양손을 찌르며 비스듬히 서서 지나의 발밑 그림자를 내려다보았다.

지나 씨, 형사 생활이라는 게 지나 씨가 생각하는 것처럼 그렇게 낭만적인 게 아닙니더. 이 생활이라는 게…….

아이고, 형사계 근무 아직 일 년도 안 해놓고 뭐 그리 똥폼을 잡습니꺼? 그라고 말인데, 지나 씨라고 부르지 마이소. 내가 선배인 거 잊어버렸습니꺼?

그래도 내가 나이가 훨씬 많은데……. 나는 순경 공채 출신도 아니고.

아무튼.

지나는 몸을 휙 돌려 자신의 흰색 사륜구동 픽업트럭으로 걸어가 짐칸에 현수막을 던져 넣었다. 차는 수동변속기가 달린 쌍용 코란도 신형 모델로, 사막도 가로지를 수 있을 만큼 튼튼했다. 태수는 그 자리에 서서 지나의 픽업이 거친 배기음과 찬바람을 날리며 경찰서를 떠나는 모습을 물끄러미 바라보았다.

경찰서 뒷문에서 사람 그림자가 나타났다. 뒷머리가 짜부라진 손강모 경사가 부어오른 눈두덩을 손바닥으로 문지르며 배치작배치작 걸어 나왔다. 강모는 두툼한 손으로 태수의 어깨를 두어 번 툭툭 다독였다.

유 경장이 저 성깔머리만 아니면 참 괜찮은데.

다 들었습니꺼?

일부러 들은 건 아니고, 그냥 들리더라.

제가 말씀드렸다 아닙니꺼. 유 경장은 저 싫어한다니까요.

그래도 좋은 시도였다.

강모는 하품을 하며 양팔을 공중으로 뻗어 기지개를 켰다. 어디선가 파리 한 마리가 날아와 강모의 머리 위를 렘니스케이트 모양으로 돌다가 사라졌다.

어제는 잘 들어갔나? 석구 글마가 좀 이상하지?

뭐, 이상할 것까지는 없고요.

글마 집에 가봤나?

집 앞까지만 태워다 주고 바로 돌아왔습니더.

그라믄 무덤은 못 봤겠네.

무덤이요?

글마 집 바로 뒤에 저거 부모님하고 친형 무덤이 있다. 그래서 글마가 혼자 그 외진 데 산다.

특이하네요.

효심이 깊지.

강모는 새끼손톱 끝으로 윗니를 긁고는 바닥에 침을 탁 뱉었다.

태수 니도 낚시나 같이 갈래?

진짜 가시려고요? 안 춥겠습니꺼?

무령에 눈이 이리 많이 온 게 참 오랜만이다. 여기가 원래 따뜻한 동네라 눈이 잘 안 오거든. 눈 쌓인 천경호에서 조용히 낚싯대를 드리울 기회가 별로 없다. 이 좋은 기회를 우째 놓칠 수 있겠노.

그나저나 거기 낚시 금지 구역 아닙니꺼?

보는 사람도 없는데, 뭐. 거기 가면 내 전용 자리가 딱 있다. 사람들 눈에 절대 안 띄는 곳. 할 일 없으면 같이 가자.

저는 됐습니더. 혼자 다녀오이소.

나중에 석구 집에 매운탕 먹으러 오든지.

봐서요.

강모는 파카 주머니에 손을 찌르고 느긋하게 경찰서 정문 쪽으로 걸어갔다.

태수는 겉면에 가래침이 말라붙은 철제 쓰레기통을 지나 경찰서 뒷문으로 들어갔다. 텅 빈 복도를 걸어 형사과 철문을 밀고 들어가니 사건 서류가 쌓인 책상 앞에 앉은 김한수 경감이 보였다. 희끗한 머리와 휜 코뼈, 늘어진 귓불. 아직 쓰러지지 않은 시골 형사. 김 경감의 파트너인 박남호 경사는 철제 캐비닛을 열어 서류철을 뒤지고 있었는데, 박 경사의 오른쪽 귀에는 늘 그렇듯 한라산 담배 한 개비가 끼워져 있었다. 두 사람이 태수를 발견하고 손을 들어 보였다. 얼굴에 검은 점이 수두룩한 김 경감이 돋보기안경을 벗어 서류 위에 내려놓았다.

일요일에 뭐 하러 나왔노?

할 일도 없고 해서요. 세차나 좀 할까 싶어서 왔습니더.

마침 잘 왔다, 하고 박 경사가 말했다. 저번 여름에 지방청에서 보내준 자료, 그거 못 봤나?

어떤 자료 말씀이십니꺼?

그, 왜. 아편 비스무리한 거. 중국에서 밀수돼 들어온다는 거.

아, 그…… 뭐였더라? 맞다! 펜타닐.

그래, 맞다. 펜타닐. 그거 자료가 어디 있었는데.

그때 제가 여기 어디 놔뒀던 것 같은데.

태수는 캐비닛 한쪽 문을 열고 서류철을 뒤지기 시작했다. 이윽고 스테이플러로 철한 얄팍한 공문 하나를 찾아내었다.

여기 있습니더.

그래. 보자.

박 경사가 태수에게서 공문을 받아들었다. 김 경감도 자리에서 일어나 박 경사와 태수 쪽으로 걸어왔다. 박 경사가 흑백 공문의 구겨진 앞표지를 손바닥으로 편 다음 천천히 한 장씩 뒤로 넘기다가 이내 사진 하나를 찾아내 손가락으로 가리켰다.

여기 있네. 펜타닐 패치.

김 경감이 책상 위에 있던 증거수집용 비닐 봉투를 들고 와서 공문의 사진 옆에 놓았다. 얼핏 빈 봉투처럼 보였지만 자세히 보니 안에 네모난 투명 비닐 조각이 하나 들어 있었다. 김 경감이 비닐 봉투 안의 실물을 공문에 인쇄된 흐릿한 형상과 비교해 보며 인상을 썼다.

이게 이건가?

맞는 것 같은데요, 하고 태수가 대답했다. 그런데 이게 어디서 났습니꺼?

이게 지금 무렵에 제법 돌아다니고 있다는데, 아무래도 공급책이 있는 것 같단 말이야.

김 경감이 비닐 봉투를 팔랑거리며 입을 짝 다셨다.

공급책이요?

응. 이게 요만해도 진통 효과가 아편의 몇 배라더라? 아무튼 효과가 직방이라고 하더구만. 저기 산 중턱에 암자 같은 데 가면 죽어가는 말기 암 환자들 받는 그런 데 있잖아. 병 낫게 해준다면서 탕약 달여 먹이고 그러는 곳들. 언제부턴가 몰래 진통제를 쓴다더라고. 그러니까 환자들이 오지. 일단 안 아프니까. 문제는 이런 아편 계열 진통제는 처방전이 없으면 이게 마약이거든.

그러면 이거는 밀수되어서 들어오는 겁니까?

중국에서 이거를 막 만든다더라고. 이런 패치도 있고 무슨 연고 같은 형태도 있고. 부산항으로 들어오는 루트가 있나 봐. 이게 요새 무렵에 제법 나돈다는 걸 보면 그냥 각자 재주껏 구하는 게 아니라 아예 전문 업자가 하나 붙은 것 같단 말이지.

업자요?

응. 공급책 말이다.

그러면 우째 잡습니꺼?

우째 잡긴. 발로 뛰어야지.

박 경사가 담뱃진에 절어 누렇게 변한 송곳니를 드러내며 씩 웃었다.

모름지기 수사라는 것은 머리가 아니라 가슴으로 하는 기다.

6

서쪽 산허리에 붉은 해가 걸리자 소읍 전체가 붉은빛으로 물들었다. 낮과 밤의 전쟁터, 핏빛이었다. 진녹색 우레탄 방수 페인트를 바른 경찰서 옥상에 태수의 긴 그림자가 드리웠고, 하늘 위로는 희미하게 깔린 어둠과 새빨간 노을이 바림질하듯 섞였다.

경찰서 옥상 한가운데에는 광역 무전 안테나가 달린 철탑이 솟아 있었다. 노을을 머금은 큼직한 접시 안테나가 죽음의 속삭임을 잡아내려는 듯 어둠의 서막을 향해 귀를 세웠고, 태수는 닿지 않는 연락을 기다리는 사람처럼 바람을 정면으로 맞으며 그 아래에 섰다. 철탑의 촘촘한 격자무늬 그림자가 포획용 그물처럼 태수의 머리 위에 드리웠다. 태수는 코트의 깃을 세우고 어깨를 움츠리며 주위를 둘러보았다. 옥상 가장자리의 빨랫줄에는 의경들의 검은 기동복이 걸려 나풀댔고, 난간에는 말끔하게 세탁한 흰 운동화 세 짝이 가지런히 놓여 있었다.

이윽고 철문이 찌걱거리는 소리가 나더니 운동복을 입은 의경반 최명재 수경이 플라스틱 슬리퍼를 질질 끌며 나타났다. 최 수경은 사슴이 그려진 두툼한 양말을 신고 있었다.

진 경장님, 여기서 뭐 하십니까?

그냥 있다. 노을이 예뻐서.

최 수경은 호주머니에서 담배와 라이터를 꺼냈다.

한 대 피우시렵니까?

담배 끊었다.

최 수경은 가운데가 살짝 찌그러진 담배를 손으로 곧게 편 다음 입에 물었다. 라이터의 불꽃이 최 수경의 여드름 가득한 얼굴을 환히 밝혔다.

제대 앞두니까 좋나?

글쎄요. 좋을 줄 알았는데 잘 모르겠습니다. 막막하고요.

나가서 할 일 없나?

없습니다. 할 줄 아는 것도 없고.

공무원 시험 준비라도 하지, 왜?

저는 대가리가 나빠서요. 진 경장님처럼 머리가 좋으면 경찰공무원 시험이나 칠 텐데.

태수는 자신의 양쪽 손바닥을 펼쳐 물끄러미 내려다보았다. 오랜 세월 총을 잡은 탓에 굳은살이 곳곳에 박여 있었다.

나도 머리 나쁘다.

에이, 머리가 나쁜데 어떻게 경찰이 됩니까?

경찰특공대로 들어갔거든. 몸으로 경찰 된 거지. 그런데 거기서도 승진 시험 떨어지는 바람에 결국 이쪽으로 날려왔다.

그래도 그게 어딥니까? 저는 운동도 못하는데.

최 수경의 양쪽 콧구멍에서 두 줄기 연기가 길게 뿜어져 나왔다.

진 경장님, 제가 이야기 하나 해드릴까요?

해봐라.

제가 상경 달고 휴가 나갔을 때 있었던 일입니다.

최 수경은 검지로 담배를 툭툭 쳐서 재를 떨어뜨렸다.

친구들하고 창원 시내에서 한잔했지 말입니다. 족발 대 자 시켜놓고 넷이서 소주 다섯 병 마셨으니까 많이 마신 건 아니었습니다. 축구 이야기나 하면서 서로 욕이나 좀 해댔지, 아직 정치 이야기는 시작도 안 했거든요. 아무튼 알딸딸한 상태에서 이차 가려고 술집에서 나왔습니다. 애들이랑 같이 길을 걷고 있었는데, 도로 맞은편에 노래방 간판이 보이더라고요. 그걸 보니까 갑자기 노래방에 가고 싶은 겁니다. 왜, 그럴 때 있잖습니까. 그냥 그러고 싶을 때.

태수는 점잖게 고개를 끄덕였다.

아무튼 그래서 애들한테 그랬습니다. 야, 노래방 가자! 그러고는 대답도 안 듣고 혼자 도로를 건넜지 말입니다. 그냥 혼자 갔습니다. 손을 들어서 지나가는 차들을 다 세우고 길을 건넜지 말입니다. 경찰 제복 입고 있을 때는 왜 그렇잖습니까. 손만 들면 지나가는 차가 다들 알아서 서는 거 말입니다. 그게 습관이 된 겁니다. 길을 다 건너고 나서 정신을 차렸는데, 제가 경찰복을 안 입고 있더라고요. 한마디로 그냥 대놓고 무단 횡단을 한 겁니다.

최 수경은 담배를 한 번 빨아들였다.

그런데 더 웃긴 게 뭔지 아십니까?

뭔데?

아무도 뭐라고 하는 사람이 없었습니다. 친구들은 건너편에서 그냥 멍하게 보고만 있고, 멈췄던 차들은 다시 제 갈 길 가더라고요. 제가 너무 자연스럽게 그렇게 하니까 아마 다들 사복 경찰이나 뭐 그런 줄 알았던 것 같습니다.

최 수경은 고개를 비스듬히 들고 태수를 쳐다보았다. 최 수경의 입에서 희미한 연기가 새어 나왔다.

그때 제가 뭘 느꼈는지 아십니까?

경찰이 되어야겠다……. 뭐, 그런 거?

뭘 하든 자연스럽게 하는 게 중요하다는 걸 깨달았지 말입니다.

최 수경이 이를 드러내며 웃었다.

기온이 떨어지면서 코안의 털이 딱딱해졌다. 곧 별에도 성에꽃이 필 것 같았다. 태수는 최 수경의 어깨를 툭 쳤다.

나는 먼저 간다. 저거 빨래 걷어라.

네. 들어가십시오. 충성!

최 수경이 태수의 등 뒤로 성의 없이 경례를 붙였다.

태수는 어둑한 계단을 걸어 내려왔다. 복도 창문마다 붉은 노을이 화염처럼 들어찼다. 일 층으로 내려와 형사계로 들어가니 당직인 김한수 경감이 책상에 앉아 연두색 멜라민 그릇에 담긴 짜장면을 나무젓가락으로 비비고 있었다.

어? 태수 니 아직 안 가고 있었나? 니 있는 줄 알았으면 짜장면 시킬 때 같이 시킬걸.

아닙니더. 저는 양수발전소에 좀 다녀오려고요.

양수발전소?

손 선배가 매운탕 먹으러 오라고 했거든요.

강모 글마 또 거기 낚시 갔나?

네.

새끼. 팔자 좋다.

그라믄 내일 뵙겠습니더.

그래. 운전 조심하고.

김 경감은 검은 소스가 묻은 면발을 들어 입에 넣고 후루룩 소리를 내며 빨아들였다. 책상 한쪽에 놓인 휴대폰에서는 드라마가 흘러나오고 있었다.

태수는 손가락에 열쇠고리를 끼운 채 손 안에서 차 키를 대롱거리며 건물을 빠져나왔다. 뒷마당에 주차된 모하비는 낮에 세차를 하면서 타이어에 묻은 진흙까지 샅샅이 씻어낸 덕에 공장에서 갓 나온 차처럼 멀끔했다. 차 키에 붙은 작은 버튼을 누르자 짧은 신호음과 함께 붉은 미등이 깜빡였고, 동시에 잠금장치 풀리는 소리가 들렸다. 태수는 운전석에 올라 시동을 걸었다.

어둠은 빨리 내렸다. 태수는 읍내 대형 교회의 붉은 네온 십자가를 보며 교외 방향으로 차를 돌려 어제 갔던 길을 따라 남쪽으로 달렸다.

양수발전소가 소재한 기천면 초입에 들어서자 붉은 벽돌로 지은 기천파출소가 눈에 들어왔다. 진흙이 덕지덕지한 사륜구동 픽업들이 제멋대로 늘어서서 파출소 앞 도로를 반쯤 막고 있었다. 그 주위로 털모자와 두꺼운 외투와 군용 부츠로 무장한 남자들이 감탕발을 광폭 타이어에 올린 채 농담을 주고받으며 담배를 태우고 있었다.

태수는 파출소 앞에 차를 세웠다. 기천파출소장 손정길 경감이 차에서 내리는 태수를 발견하고는 왼쪽 눈썹을 위로 올렸다. 머리가 하얗게 센 손 경감은 곧 은퇴를 앞둔 사람답게 만사무심한 얼굴이었다.

태수는 차에서 내리며 손 경감에게 허리를 숙여 인사했다.

소장님, 잘 계셨지요?

진 경장이 여기 우짠 일이고?

양수발전소 쪽에 볼일이 있어서 지나가는 길입니더.

파출소 앞에 모인 남자들은 태수를 흘끗 돌아보았다가 이내 자기들끼리 나누던 잡담으로 되돌아갔다. 멧돼지가 파헤친 흙, 고라니의 흉흉한 울음소리, 청둥오리의 꽁지깃, 구경 오 밀리 공기총과 오점오 밀리 공기총의 차이, 풀 초크 산탄총 따위에 관한 이야기였다. 텁석나룻이 거뭇한 사내가 펌프액션식 산탄총을 어깨에서 내려 모서리가 움푹 팬 픽업트럭 적재함에 걸쳐두었다. 검은 총신에 파출소 간판 조명이 반사되어 윤기가 흘렀다.

소장님, 총기 입고하느라고 고생이 많으시네요.

하필 올해 무령이 순환 수렵장으로 딱 지정이 되어 가지고……. 내년이 정년퇴직인데.

입이 부루퉁한 손 경감은 고개를 절레절레 흔들며 말을 이었다.

고마 외지에서 온 엽사들 총은 본서에서만 받아주는 걸로 하면 될 걸 꼭 파출소까지 동원해서 이래 고생을 시킨다.

지역 경제 활성화를 위해 서장님께서 시키시는데, 뭐 우짜겠습니꺼?

애저녁에 죽은 지역 경제가 엽사들 몇 명 온다고 살아나나? 개가 웃을 소리지.

남자들이 한 사람씩 번갈아 가며 자신의 총기를 들고 파출소 안으로 들어가 영치 절차를 마친 후 밖으로 나왔다. 사나이들은 거친 손으로 악수를 해대며 보리밭, 들국화, 연못, 물보라 따위의 상호를 들먹였는데, 읍내 방석집 골목의 빨간색, 보라색, 노란색으로 빛나는 아크릴 간판에는 그런 글자들이 즐비했다.

태수는 도로를 건너 지역 농협에서 운영하는 마트로 향했다. 조립식 자재로 지은 단층 건물은 전면이 몽땅 유리로 되어 있어 마트 안에서 쇼핑하는 손님들의 움직임이 수족관 속 물고기처럼 그대로 들여다보였다. 태수는 마트 간판이 드리운 초록색 불빛 아래서서 손강모 경사에게 전화를 걸었다. 신호음이 두어 번 울린 다음 강모의 목소리가 흘러나왔다.

어, 태수야. 우짠 일이고?

저 지금 기천파출소 앞에 와 있습니더. 뭐 좀 사갈까요?

응? 여기 온다꼬?

매운탕 먹으러 오라면서요. 술이나……. 아니면 삼겹살이라도 좀 사갈까요?

지금 오면 안 되는데.

왜요?

아니다. 차라리 잘됐다. 니 그라믄 여기 올라오지 말고 양수발전소 주차장 있는 그 앞에 차 좀 대고 기다리거라.

네? 왜요? 무슨 일 있습니꺼?

별거 아니고, 일단 길 따라 올라오지 말고 큰 도로에서 길 갈라지는 그 어디짬치 차 대고 좀 기다리고 있어라. 내가 금방 내려갈게.

알겠습니더.

절대 길 위로 차 끌고 올라오면 안 된다. 잘못하면 오도 가도 못하게 돼뿐다.

네.

태수는 전화를 끊고 코트 주머니에 휴대폰을 집어넣은 다음 마른손을 비비며 다시 차로 돌아가 시동을 걸었다. 파출소장이 손을 들어 보이자 태수는 창문 밖으로 고개를 내밀어 인사했다.

차는 후진했다가 도로를 따라 양수발전소 쪽으로 나아갔다. 변색된 플라스틱 간판이 달린 가게들과 허물어져 가는 단층 가옥들이 늘어선 짤막한 거리가 끝나자 길 양옆으로 논밭이 펼쳐졌다. 좁은 도로가 점이 되어 사라지는 소실점 너머에는 멧부리 아래 흘러

내린 설산의 능선이 마치 겹치고 겹친 바리케이드처럼 세상의 끝을 가로막았다.

도로변을 따라 듬성듬성 심긴 활엽수의 그림자가 차 앞유리를 스치고 지나갔다. 꿈틀대듯 자라난 나뭇가지 끝에서는 수만 개의 작고 앙상한 손이 어둠을 향해 손가락을 뻗었고, 밤하늘의 별은 닿을 수 없는 저 먼 곳에서 선명하게 빛났다. 마주 보는 두 개의 거울 사이에서 무한히 직진하듯 비슷한 풍경이 반복되는 바람에 태수는 만화경을 들여다보는 아이처럼 멍한 얼굴로 운전했다. 그러다가 털신을 신은 노인이 흑단목 지팡이를 짚고 길섶을 따라 절뚝거리며 걸어가는 모습을 보았다. 다음 순간, 우주의 균형이 무너지듯 길이 왼쪽으로 굽었고, 구렁진 터에 자리 잡은 낡은 집들이 나타났다. 중경천 위를 지나는 콘크리트 다리에는 짐칸 철판이 벌겋게 녹슨 트럭이 버려져 있었다. 태수는 다리를 지나 계속 달리다가 양수발전소 초입으로 길이 갈라지는 지점에 다다라 차를 세웠다. 그러고는 차에 시동을 걸어둔 채 강모에게 전화를 걸었다.

선배님, 저 태숩니더.

어, 도착했나?

네. 여기 길 갈라지는 곳에 차 대고 있습니더.

한 오 분만 있어라. 지금 가고 있다.

태수는 라디오를 틀었다. 통기타 소리가 요란하게 울리더니 요절한 포크 가수의 옛 목소리가 흘러나왔다. 태수는 운전석 시트를 뒤로 젖히고 몸을 뉘였다. 육기통 디젤 엔진의 거친 진동이 느껴졌다. 눈을 감고 노래에 취했다. 바람이 불어오는 곳.

문득 차창을 두드리는 소리에 태수는 눈을 떴다. 상체를 일으키고 창문을 여니 두꺼운 외투를 껴입은 강모가 콧김을 뿜으며 밖에서 있었다. 그리고 강모 옆에는 젊고 아담한 여자가 서서 검붉은 체크무늬 담요로 어깨를 감싼 채 바들바들 떨고 있었다. 여자의 눈가에는 마스카라가 번져 있었다. 투명한 피부에 작고 빨간 코. 얼어붙은 실핏줄이 여자의 양쪽 뺨에 빨간 동그라미를 그렸다.

7

회색 트위드 원피스를 입은 여자는 조수석에 앉아 물끄러미 앞만 바라보았다. 중경호에서 피어난 습기와 깊은 어둠이 주위를 휘감았고, 잘게 흩뿌려진 빛의 모래알이 차가운 하늘을 뒤덮고 있었다. 차에서 열 걸음쯤 떨어진 곳에 서 있는 태수와 강모, 두 사람의 측면이 전조등 불빛을 받아 노랗게 물들었다. 마주 서서 이야기를 나누는 동안 두 사람의 코에서는 성난 황소의 콧김처럼 증기가 뿜어져 나왔다. 태수는 코트 주머니에 손을 찌르고 강모의 이야기를 마저 들었다.

차가 완전히 빠졌더라고. 일단 니가 읍내까지 좀 데려다줘라. 많이 놀랐을 거다.

차는 어쩌고요?

석구 차에 줄 달아서 한번 끌어내 봐야지. 정 안 되면 내일 견인차 부르는 수밖에……. 차 빼내면 내가 운전해서 갖다 준다고 말해놨다.

태수는 고개를 슬쩍 돌려 차 안에 앉은 여자를 곁눈질했다.

음주죠?

니는 그냥 모르는 척하고 있어라. 군수 딸인데 봐줘야지 우짜겠노. 현주는 나도 어렸을 때부터 봐서 잘 안다.

태수는 운동화 발끝으로 돌멩이를 툭 찼다. 뱅글뱅글 돌아가는 흰 줄무늬가 박힌 검은 편마암이 데굴데굴 굴러 논두렁 아래로 사라졌다. 어디선가 부엉이 우는 소리가 들렸다.

강모가 태수를 비스듬히 올려다보며 한쪽 입꼬리를 올렸다.

왜? 나중에 탈 날까 봐?

아닙니더.

그냥 내가 시키는 대로 해라. 어떻게 보면 니한테도 좋은 일이다.

저한테 좋을 게 뭐가 있습니꺼?

태수 니가 무령에 얼마나 오래 있을지 나도 모른다만, 한동안은 여기 있을 거 아니가?

어지간하면 여기서 살 겁니더. 딴 데 갈 곳도 없고요.

지역 사회의 평화를 유지하려면 융통성도 있어야 된다. 니 지금 서장이 우째 그 자리까지 올라갔는지 모르제?

태수는 입을 삐죽 내밀고 고개를 저었다.

그런 게 있다. 다음에 말해줄게.

강모는 쓴웃음을 흘리며 태수의 등을 툭 쳤다.

일단 현주부터 빨리 집에 데려다주거라. 군수 사택 어딘지 알제?

네.

태수는 천천히 차로 걸어가 운전석에 올라탔다. 조수석에 앉은 현주는 말없이 고개만 푹 숙였고, 헤드라이트 불빛은 차 앞 흙 비탈에 더러운 동전 색깔의 동그라미를 그렸다. 태수는 후진 기어를 넣었다.

차는 인적 드문 도로를 거슬러 읍내 방향으로 달렸다. 기전파출소와 일대의 자잘한 단층 건물들이 차창을 스쳤고, 곧이어 논밭 사이로 쭉 뻗은 지방도에 접어들었다. 옆자리의 현주는 말이 없었다. 태수는 현주의 무릎을 덮은 담요 안에서 손이 꼼지락거리는 모습을 곁눈으로 살폈다. 옅은 향수 냄새가 태수의 코끝에 와 닿았다. 비에 젖은 숲에서 맡을 수 있는 향기였다. 디젤 엔진의 폭음에 묻혀 숨소리는 들리지 않았지만, 태수는 여자의 숨결을 느낄 수 있었다. 불규칙한 호흡에 알코올이 섞여 있었다.

차 좀 세워주세요.

현주가 턱을 목에 갖다 붙이며 이를 악물었다. 태수는 농로로 접어드는 길목에 차를 세웠다. 현주는 담요를 조수석 바닥에 내팽개치며 문을 열고 밖으로 나가 논두렁으로 뛰어갔다. 태수는 현주가 흙바닥에 손을 짚고 엎드려 입으로 누런 액체를 토해 내는 모습을 바라보았다. 두꺼운 원피스의 치맛자락이 바람에 날렸고, 굽이 높은 가죽 부츠를 신은 두 다리가 덜덜 떨렸다. 태수는 차에서 내려 조수석으로 돌아갔다. 글러브 박스를 열어 보니 주유소에서 사은

품으로 받은 거칠거칠한 휴지와 생수병이 들어 있었다. 태수는 휴지와 물을 꺼내 들고 조수석 문을 닫은 다음 현주에게 걸어갔다. 현주는 꺽꺽 소리를 몇 번 내더니 여러 번 침을 모아 뱉었다.

등 좀 두드려 드릴까요?

태수의 물음에 현주는 팔을 휘저으며 뭐라고 웅얼거렸다. 욕을 한 것 같기도 했다. 태수가 휴지와 물을 내밀자 현주는 비틀거리며 일어나 휴지를 받아 들었다. 눈물과 콧물로 범벅이 된 현주의 얼굴이 달빛을 받아 또렷이 보였다. 현주는 휴지를 뭉텅뭉텅 뽑아 입 주위를 닦은 다음 논에 던졌다. 다시 휴지를 뽑아 얼굴을 닦고 맹물로 입을 가시고는 바닥에 뿜었다. 논두렁 아래 막 게워낸 토사물에서 모락모락 김이 피어올랐다. 현주의 검은 스타킹 무릎과 소매 끝에는 지저분하게 흙이 묻었고, 원피스의 하얀 옷깃에도 누런 얼룩이 남았다.

현주는 차가운 밤공기를 몇 번 깊게 들이마신 다음 눈을 부릅떴다. 태수는 낯선 사람을 만난 고양이처럼 약간 거리를 두고 현주를 지켜보았다. 멀리서 소 우는 소리가 들렸다. 도로 끝에서 차의 불빛이 나타나자 두 사람의 흐릿한 그림자가 발아래로 길게 늘어졌다. 엔진 소리가 커지면서 그림자는 순식간에 짧아졌고, 이내 쌩하는 바람 소리와 함께 어둠 속으로 사라졌다. 태수는 소리가 달아난 쪽을 돌아보았다. 도로 저 끝에 붉은 미등만이 깜빡이다가 곧 사라졌다. 태수는 다시 현주를 바라보았다. 현주는 콧물을 들이마신 다음 양 뺨에 바람을 불어넣었다. 밤공기 사이로 숨이 길게 뿜어져 나왔다.

미안해요. 멀미가 좀 나서.

차가 디젤이라. 승차감이 별로지요?

현주가 킬킬거리기 시작했다. 태수는 발로 흙바닥을 긁었다.

무령이 고향은 아닌가 봐요?

왜요? 말투가 달라서요?

사투리가 영 엉성한데요. 못 보던 얼굴이고.

태수는 입술을 모아 바람을 불어냈다. 고요한 달빛 아래 휘 소리가 가늘게 흘렀다.

정붙이고 살면 거기가 고향이지요. 그나저나 안 춥습니꺼?

춥네요.

들어갑시더.

검은 모하비는 어둠 속에 움츠린 채 상처 입은 짐승처럼 앓는 소리를 흘리고 있었다. 두 사람은 터벅터벅 걸어 차로 돌아갔다. 조수석에 오르는 현주의 부츠 발끝에는 진흙이 노란 크림처럼 발려 있었다. 운전석에 올라탄 태수는 파킹 브레이크를 풀지 않고 잠시 기다렸다. 현주는 조수석 창문을 열고 코를 내밀어 찬 공기를 들이쉬었다. 운전대를 잡은 태수의 손가락이 꼼지락거렸다.

출발해도 되겠습니꺼?

태수는 고개를 비스듬히 틀어 현주를 돌아보았다. 그 순간 현주가 흐느끼기 시작했다. 입술을 안으로 말아 물고 서럽게 울음을 참나 했더니 아예 소리 내어 울기 시작했다. 입이 비틀어지고 미간에

금이 가면서 눈물과 콧물이 한꺼번에 흘러 얼굴을 적셨다. 하얀 휴지를 움켜쥔 현주의 손이 부들부들 떨렸다. 태수는 등받이에 몸을 기댄 채 조용히 기다렸다. 얼마쯤 울고 난 다음 현주가 숨을 가다듬고 휴지로 얼굴을 닦았다. 마스카라가 번져 눈꼬리 옆에 길고 검은 선이 생겼다.

출발해요.

태수는 기어 스틱을 당긴 다음 천천히 핸들을 돌려 도로로 진입했다. 턱을 오를 때 한 번 덜컹였지만, 이후로는 검은 아스팔트 위를 미끄러지듯 운전했다. 태수는 조수석의 현주를 계속 살폈다. 더 이상 울지는 않았다. 발치의 작은 핸드백에서 거울을 꺼낸 다음 실내등을 켜고 얼굴을 살피기도 했다.

차는 산을 끼고 돌기 시작했다. 바위를 깎은 비탈면에는 우그러진 낙석방지망이 덮여 있었고, 반대 차선에서 오는 승용차 불빛은 산모퉁이에 가려 사라졌다가 굽이진 길에 다시 나타났다. 검은 숲에서 새가 날아오르자 소나무 가지가 흔들렸다. 태수는 원심력이 전혀 느껴지지 않을 만큼 천천히 코너를 돌았다. 외딴 물류 창고의 얼룩진 외벽이 차창을 스치고 나자 멀리 읍내의 야경이 내려다보였다. 한 줌의 노란 불빛들이 웅덩이에 고인 영혼처럼 흐릿하게 빛나고 있었다.

형사님은 집이 어디에요?

작물시험장 근처에 있습니더.

잠깐 들렀다가 가면 안 돼요?

우리 집에요?

너무 더러워서……. 세수라도 좀 하게요.

현주는 그렇게 중얼거리며 자신의 소맷부리에 묻은 흙을 손으로 문질렀다.

태수는 핸들을 두 손으로 꼭 잡고 한참 고민했다. 양심을 가진 좀도둑처럼 가슴이 두근거리기 시작했다. 창밖으로 읍내 교회의 붉은 십자가가 눈에 들어오자 태수는 자꾸만 그쪽을 흘끗거렸다. 마치 누군가 거기에 인생의 정답을 몰래 적어두기라도 한 듯이.

안 돼요?

집이 엄청 더러운데…….

물은 나올 거 아니에요.

물은 나오죠.

잠깐만 들렀다가 가요.

집이 진짜 더러운데…….

부탁 좀 할게요.

그랍시더.

읍내 초입에 자리한 지역 마트 주차장에는 차가 제법 들어차 있었다. 태수는 작물시험장 담벼락을 따라가다가 좁은 골목으로 접어들었다. 검은 전선 가닥이 늘어진 전봇대 아래 연탄재가 쌓여 있었고, 일 없는 노인네들이 부지런히 모아놓은 판지들도 눈에 띄었다. 태수는 현주를 먼저 차에서 내리게 한 후 붉은 스프레이로 알 수 없는 글자를 휘갈겨놓은 콘크리트 담벼락에 바짝 붙여 주차했다. 시동을 끄고 차에서 내린 태수는 담요로 몸을 감싸고 가로등 아래 서 있는 현주를 바라보았다. 노란 나트륨등 불빛이 현주의 이마에 난 고운 잔털에 얽혀 가늘게 빛났다. 그리고 담장 위에는 깨진 유리병 조각이 촘촘히 박혀 있었다.

태수는 열쇠를 들고 칠이 반쯤 벗겨진 녹색 철문을 가리켰다.

여깁니더.

현주가 이를 딱딱 맞부딪히며 고개를 끄덕였다. 어디선가 쿨럭거리는 노인의 기침 소리가 희미하게 들려왔다. 태수는 문에 열쇠를 꽂고 돌렸다. 벌어진 문을 안으로 밀자 녹슨 문돌쩌귀에서 찢어지는 듯한 금속 마찰음이 났다. 두 사람은 마당 안으로 들어섰다.

8

태수는 보일러의 난방 버튼을 누른 다음 형광등을 켜고 장판 바닥에 손을 짚어보았다. 보일러를 외출 모드로 해둔 덕에 냉골은 아니었지만, 한동안 제대로 쓸지 않은 탓에 까끌까끌한 모래 감촉이 손바닥에 느껴졌다. 태수는 부엌 어귀에 서 있는 현주를 돌아보았다. 천장에 달린 알전구가 현주의 눈두덩과 인중에 그림자를 드리웠다. 현주는 고개를 들어 싱크대 위 찬장의 어긋난 문짝을 쳐다보았다. 벽면은 페인트가 일어나 우둘투둘했고, 벽과 반자가 맞닿은 자리에는 먼지 묻은 거미줄이 늘어져 있었다.

좀 더럽지요?

혼자 사시나 봐요.

네. 추운데 일단 방으로 들어오이소. 물은 한 십 분 있어야 따뜻해집니더.

태수는 운동화를 벗고 방 안으로 들어간 다음 널브러진 치킨 박스와 맥주 캔을 구석으로 밀어내 대충 정리했다. 현주는 부츠를 벗고 안으로 들어오면서 코를 킁킁거렸다. 개어놓지 않은 솜이불에서 쉬척지근한 냄새가 피어올랐다. 현주는 이불 위에 다리를 한쪽으로 모아 앉았다. 검은 스타킹 무릎에 올이 나가 있었다. 현주는 지친 표정으로 어깨에 감은 담요를 내려 치마 아래 다리를 가렸다.

혹시 두통약 같은 거 있어요?

아니요.

죄송한데, 아스피린 좀 사다 주시면 안 될까요? 돈은 드릴게요.

여기 계세요. 금방 사올게요.

벌떡 일어선 태수는 방 밖으로 나와 신발을 신은 다음 방 안의 현주를 돌아보며 말했다.

수도는 저 옆에 있습니더. 틀어 보고 따뜻한 물 나오면 씻으시면 됩니다. 냉장고에 물이랑 음료수도 있어요.

태수는 서둘러 나무 미닫이문을 닫고 현주를 방에 남겨 둔 채 부엌을 질러 마당으로 나왔다. 평상 위에 깔린 노란 장판에 눈이 쌓였다가 녹은 자리를 따라 해안선처럼 구불구불한 흙색 얼룩이 남아 있었다. 벽돌담 너머로 노란 가로등이 빛났다. 태수는 심장 소리를 들으며 고개를 들어 하늘을 올려다보았다. 심장이 두근거릴 때마다 별빛이 점멸했다. 저 많은 별들이 도대체 어디서 나타난 걸까?

태수는 대문을 열고 나가 문을 잠근 다음 으슥한 골목을 걸어 근처 편의점으로 향했다. 코트 주머니에 찌른 두 손에 땀이 찼다. 걸어가는 동안 강모에게 전화를 걸려고 휴대폰을 꺼냈다가 다시 주머니에 집어넣었다. 현주의 창백한 얼굴과 빨갛게 얼어붙은 코 그리고 떨리던 하얀 손이 자꾸 눈앞에 아른거렸다. 논두렁 아래 쏟아낸 토물에 섞인 붉은 건더기도 떠올랐다.

모퉁이를 돌아 큰길가로 나왔다. 오백 미터쯤 걸어가면 주유소가 있고 주유소 다음 골목으로 들어가면 심야에도 운영하는 편의점이 있었다. 태수는 큰 도로를 따라 곧게 뻗은 길을 총총히 걸었다. 자동차와 오토바이, 신호등과 가로등, 불 켜진 간판 아래 유리창. 밤을 꿰뚫는 수많은 광원에서 뿜어져 나온 어지러운 빛살들이 태수의 망막을 제멋대로 스쳤다. 태수는 죽음의 미행을 받는 사람처럼 돌아보고 또 돌아보며 걸었다.

태수는 편의점에서 여덟 알들이 타이레놀 한 통을 샀다. 계산대 옆에 놓인 온장고에서 유리병에 든 꿀물도 두 개 집어 들었다.

코트 양쪽 주머니에 따뜻한 꿀물을 하나씩 넣고 집으로 돌아왔다. 태수는 조심스럽게 열쇠로 대문을 따고 들어가 작은 마당을 가로질러 부엌으로 갔다. 아무 소리도 들리지 않았다. 조용히 방문을 옆으로 밀었다. 현주가 솜이불을 머리끝까지 꽁꽁 덮어쓰고 누워 있었다. 이불 끄트머리로 검은 발 두 개가 토끼 귀처럼 나란히 삐져나와 있었다. 방바닥을 손으로 짚어 보니 온돌에 불이 들어와 따뜻했다. 태수는 신발을 벗고 방으로 들어가 문을 닫은 다음 현주의 머리맡에 약 상자와 꿀물 두 병을 가만히 내려놓았다. 현주는 잠든 사람처럼 기척이 없었다.

현주 씨.

태수가 작은 소리로 불렀지만 이불은 움직이지 않았다.

현주 씨, 두통약 사왔어요.

현주가 이불을 덮어쓴 채 뒤척였다.

조금만 잘게요. 너무 피곤해서 그래요.

현주는 이불 안에서 그렇게 웅얼거리고는 다시 솜이불 자락을 꼭 틀어쥐었다. 두꺼운 고치 안으로 기어들어 세상 모든 첨물로부터 여린 속살을 지키고 싶어 하는 애벌레처럼……. 우는 소리는 들리지 않았다.

태수는 조용히 붙박이장 문짝에 등을 기대고 앉았다. 가만히 귀를 기울이니 끝이 보라색으로 물든 형광등에서 찌르르 소리가 났다. 태수는 양팔을 무릎에 걸친 채 눈을 감았다. 밤바람에 얼었던 피부가 녹으면서 얼굴에 열이 났다. 오늘 밤 이 좁고 낡은 방의 벽이 무너지지 않는다면 그것 역시 하나의 기적일 거라는 생각이 들었다. 문득 아파트 옥상에서 다친 새를 주운 아이가 떠올랐다. 새는 죽거나 날아간다.

긴 시간, 작은 방은 고요하고 검은 밤 속으로 천천히 가라앉았다. 태수는 반쯤 잠들었다가 호주머니에서 울리는 진동을 느끼고 눈을 떴다. 강모의 전화였다. 태수는 가만히 방을 빠져나가 부엌으로 나왔다. 웅웅거리는 보일러 소리가 잠기운이 가시지 않은 머릿속을 휘저어 댔다. 비틀거리며 마당으로 나오니 차가운 밤공기에 정신이 번쩍 들었다. 깨진 접시 같은 달이 하늘 한복판에 걸려 있었다. 휴대폰 액정에 표시된 시간은 11:43이었다. 태수는 전화를 받았다.

니 인마, 지금 어디고?

집입니더.

현주는? 니 현주 집에 안 데려다줬나?

그게 말입니더. 잠깐만 씻고 간다고 해서 저희 집에 잠시 들렀는데, 현주 씨가 그만 잠이 들어버렸습니더.

뭐?

무슨 일이 있는 건 아니고요. 두통약을 좀 사다달라고 해서 편의점에 다녀왔는데, 그새 잠이 들어 있더라고요.

그라믄 깨워야지.

너무 피곤해하는 것 같아서.

지금도 니네 집에서 자고 있나?

네. 깨울까요?

일단 있어 봐라. 군수님한테 내가 전화 한번 해볼게.

참, 차는 어떻게 됐습니꺼?

꺼냈다. 그런데 꺼내고 보니까 석구랑 나랑 둘 다 술을 마셨더라고. 허허. 괜찮다. 내일 내가 출근하면서 갖다 놓으면 된다.

아무튼 잘됐네요.

진짜 별일 없지?

네. 별일 있을 게 뭐 있습니꺼?

내가 조금 있다가 다시 전화할게.

태수는 전화를 끊고 평상에 걸터앉았다. 궁둥이에 차고 눅눅한 장판이 닿았다. 태수는 담벼락 너머 검은 하늘에 걸린 붉은 십자가를 바라보았다. 그런 다음 숨을 깊게 들이쉬고 하늘을 올려다보았다. 자정을 넘어 동트는 소멸로 향하는 달과 별의 긴 여행. 태수는 검은 장막 너머에서 어떤 신성하고도 복잡한 기계 장치의 손잡이를 돌리고 있는 거인을 떠올렸다. 눈 대신 꽃을 뿌리고, 총알 대신 개구리를 쏘고, 구름 대신 화염이 일고, 중경호가 통째로 떠올라 천경호에 물을 쏟아붓는 모습을 상상했다. 어느새 바닷물이 온통 포도주로 변해 넘실거렸고, 거대한 그림자는 취해 비틀거리며 모래사장에 아무렇게나 발자국을 남겼다.

태수는 다시 붉은 십자가를 바라보았다. 옛 기억이 떠올랐다. 태수는 여덟 살 때 교회 장기자랑에서 합기도 도복을 입고 뒤로 공중제비를 연속 일곱 번 돌았다. 엘비스 프레슬리처럼 구레나룻을 기른 젊은 목사는 태수에게 달란트를 한 개밖에 주지 않았는데, 노란 나비넥타이를 매고 피아노를 친 아이는 달란트를 두 개나 받았다. 그다음부터 교회에 발길을 끊었다.

다시 휴대폰의 진동이 울렸다.

네, 선배님.

태수야, 아직 그대로 집에 있나?

네.

군수님한테 전화하니까 사람을 보낸다 카더라. 고마 거기서 기다리고 있어라.

네, 알겠습니다. 걱정 마이소.

태수는 전화를 끊고 다시 집 안으로 들어갔다. 방문을 살짝 열고 현주를 살폈다. 죽은 사람처럼 조용했지만 연두색 홑청이 호흡에 맞춰 약간씩 오르락내리락했다. 태수는 살그머니 방 안으로 들어가 현주 곁에 앉았다.

현주 씨, 괜찮아요?

대답이 없었다. 교체할 때가 된 형광등이 한 번 끔뻑하며 죽었다가 살아났다.

현주 씨, 아버님이 사람을 보낸답니다. 조금 있으면 온대요.

네. 그때까지 조금만 잘게요.

그렇게 말하고 현주는 다시 두터운 침묵 속으로 몸을 파묻었다. 태수는 자리에 앉아 차갑게 얼어붙은 두 손을 바닥에 대고 녹였다.

자정을 약간 넘은 시각, 엔진 소리가 들렸다. 태수는 밖으로 나왔다. 부엌문을 여니 양복에 코트를 걸친 작달막한 남자가 대문을 밀고 마당 안으로 들어오는 모습이 보였다. 정보과장 신철수 경감이었다. 그 뒤를 따라 검은 오리털 파카를 입고 운동화를 신은 중늙은이가 걸어 들어왔다. 무령경찰서장 신장수 총경이었다. 태수는 깜짝 놀라 손날을 이마로 가져갔다. 귀가에 흰머리가 성성한 서장이 고개를 살짝 끄덕여 보였다.

뒤이어 나머지 한 사람이 비좁은 마당 안으로 들어왔다. 직접 만난 적은 없지만 싸구려 액자에 담긴 기념사진과 지역신문에서 자주 본 남자였다. 무령군수 박칠구. 길쭉한 두상에 파리한 낯빛, 얄팍한 입술. 코 양옆으로는 끌로 살짝 찢은 것처럼 깊은 골이 패어 있었다. 딸을 찾는 아버지의 얼굴은 근육이 모두 마비된 것처럼 보였다.

현주 안에 있나?

네. 자고 있습니더.

군수는 부엌을 통해 딸이 있는 방으로 들어갔다. 그러자 정보과장 신 경감이 고갯짓을 해서 태수를 불러냈다. 태수와 과장 그리고 서장은 대문을 넘어 골목으로 나갔다. 좁은 골목에 검은색 지프 그랜드 체로키가 육중한 보닛을 밀어넣은 채 주차되어 있었고, 그 뒤에 검은 벤츠 한 대가 서 있었다. 골목의 쓰레기 더미를 헤집던 고양이가 인기척에 놀라 차 밑으로 기어들었다.

가로등 아래 세 남자가 마주 섰다. 서장은 짜증스러운 얼굴로 파카 주머니에 손을 찌른 채 입김을 뿜었고, 신 경감은 가죽 장갑을 낀 손을 맞잡은 채 의심스러운 눈길로 태수를 쳐다보았다. 태수는 고개를 쭉 내밀고 땅을 바라보았다.

이렇게 거창하게 오실 줄은 몰랐습니더.

진 경장.

네, 과장님. 말씀하십시오.

자네도 이해를 하겠지만, 오늘 무슨 일이 있었든지 간에 아무 일도 없었던 기다.

네, 알겠습니더.

니가 다 잊어버리면 앞으로 다 잘 될 끼다. 사회생활이라는 게 그런 거다.

신 경감이 장갑 낀 손을 자신의 머리 높이까지 들어 올려 태수의 어깨를 툭툭 두드렸다. 신 경감의 반들반들하게 닦인 가죽 구두에 윤기가 흘렀다.

진태수 경장.

네, 서장님.

오늘은 너무 늦었고, 내일 출근하자마자 내 방으로 오게.

알겠습니더.

이거 잘못하면 오해 살 수도 있는 일인 거 알지?

태수가 퍼뜩 고개를 들었다.

무슨 오해 말입니꺼?

남자 여자 문제가 있잖나. 납치 비슷하게 보이면…….

서장님도 참! 현주 씨한테 한번 물어보이소. 제가 오자고 한 게 아닙니더.

말이 그렇다는 기다. 까딱 잘못하면 복잡한 문제가 될 수도 있다는 그런 말이다.

서장이 바닥에 가래침을 탁 뱉었다.

그런데 니 왜 그래 눈을 똑바로 뜨노?

아닙니더.

자세한 이야기는 내일 하자.

서장이 운동화 신은 발로 전신주를 툭 찼다.

저기 나오네.

현주가 아버지와 나란히 대문으로 걸어 나왔다. 담요를 덮은 현주의 어깨를 군수가 포근히 감싸 안고 있었다. 현주는 태수를 바라보며 고개를 한 번 끄덕여 보였다. 부녀는 말없이 걸어 뒤쪽의 벤츠로 향했다. 갑작스레 골목으로 바람이 불어 검은 비닐봉지 하나가 공중으로 날아올랐다. 얼룩덜룩한 새끼 고양이가 벤츠 아래에서 기어 나와 꼬리를 낮춘 채 세 남자를 똑바로 쳐다보았다. 고양이의 두 눈동자가 담벼락 그늘 속에서 노랗게 빛났다. 벤츠의 묵직한 엔진음이 들리자 고양이는 재빨리 몸을 돌려 사라졌다.

서장과 정보과장마저 지프를 타고 떠나자 휑한 골목에 태수만이 남았다. 태수는 집으로 들어가 녹슨 대문을 닫아걸고 안방으로 가서 나무문을 열었다. 방 안에는 현주가 덮고 있던 이불이 멋대로 구겨져 있었다. 태수는 한 여자가 머물던 자리를 잠시 내려다보았다. 솜이불의 하얀 안감에 희미한 붉은 자국이 남아 있었다. 태수는 몸을 떨며 안으로 들어갔다. 문 옆 바닥에 타이레놀 상자가 놓여 있었다. 꿀물 두 병은 사라졌다.

태수는 장롱문을 열어 낡은 군용 담요를 꺼냈다. 현주가 누웠던 자리를 건드리지 않은 채 맨바닥에 모포를 깔고 누운 다음 담요 반쪽을 들어 자신의 몸 위에 덮었다. 현주가 그랬던 것처럼 담요로 몸을 말아보았다. 따뜻했다. 담요를 머리끝까지 덮어쓰자 거친 혼방사 보풀이 뺨에 닿아 까끌거렸다. 이윽고 더운 숨이 담요 안에 들어차면서 얼굴이 촉촉해졌다. 태수는 작은 소리로 웅얼거렸다.

한 병은 내 건데…….

월요일

9

새벽 네 시 무렵 태수는 깊고 단단한 발기를 느끼며 눈을 떴다. 형광등 불빛이 가늘게 떨렸다. 방문을 열고 부엌으로 나가자 얼음장 같은 냉기가 얼굴에 훅 끼쳤다. 태수는 싱크대에 붙은 수도꼭지를 틀어 잠시 붉은 녹물을 흘려보낸 후 살갗이 얼어붙는 듯한 냉수로 세수를 마쳤다. 그러고는 벌게진 얼굴로 턱에 물방울을 뚝뚝 흘리며 방으로 들어갔다. 손때가 타 거무스름해진 벽지 위에 작은 거울이 걸려 있었고, 거울 아래 서랍장에는 정사각형으로 접은 수건이 들어 있었다. 태수는 군데군데 희뿌연 얼룩이 묻은 거울 표면에 자신의 얼굴을 비추어 한참을 들여다보았다. 젖은 앞머리가 이마에 착 달라붙어 있어서 그런지 꼭 낯선 남자의 얼굴 같았다. 태수는 수건으로 얼굴을 닦고 운동복으로 갈아입은 다음 마른 수건 하나를 목에 감았다.

차갑고 어두운 골목으로 나오자 입과 코에서 하얀 수증기가 뿜어져 나왔다. 태수는 간단한 스트레칭을 마치고 곧바로 달리기 시작했다. 골목을 빠져나와 큰길 보도를 따라 계속 달렸다. 거리에는 사람도 차도 없었다. 별과 가로등만이 서로를 비추고 있었다. 불 꺼진 주유소의 희미한 유증기 냄새와 논두렁의 흙냄새가 축축한 겨울 공기 속으로 시취처럼 녹아들었다. 태수는 어깨를 펴고 팔과 다리를 번갈아 움직이며 세차게 달렸다. 운동화 바닥이 지면을 규칙적으로 밀어내자 읍내 외곽을 따라 직선으로 이어진 길이 요동치며 흘러갔다. 숨이 차오르고 땀이 솟았다. 호흡은 빠르면서도 안정적이었다.

태수는 삼거리에서 군청 방향으로 계속 달렸다. 군청 부지의 정원은 깔끔하게 조성되어 있었다. 둥치에 볏짚이엉을 두른 조경수 사이로 너른 잔디밭이 보였고, 그 너머로 멋들어진 신축 청사가 나타났다. 태수는 군청을 지나쳐 얕은 오르막길을 뛰었다. 보도와 군청 부지의 경계를 이루는 사철나무 담장을 왼쪽에 끼고 한참 달리자 군립 운동장으로 향하는 포장도로가 보였다. 일대의 가로등은 낮처럼 주위를 밝히고 있었다.

포장도로를 따라 계속 달리다가 건물을 올리려고 터를 닦아 놓은 자리를 지나쳤다. 피브이시 패널로 만든 가설 울타리의 벌어진 틈으로 철근과 목재가 흉하게 쌓여 있는 모습이 얼핏 보였다. 뿌리가 콘크리트 포장을 뚫고 나온 커다란 떡갈나무를 지나 오른쪽 가파른 길로 접어들자 돌을 쌓아 옹벽을 올린 군수 사택이 나타났다. 태수는 대문과 외벽 위쪽에 달린 시시티브이를 의식하며 고개를 약간 옆으로 돌린 채 속도를 줄이지 않고 계속 달렸다. 사택 정원에 켜진 둥근 조명이 보였지만, 창문에는 모두 불이 꺼져 있었다.

태수는 언덕을 한참 올라간 다음 큰 도로로 통하는 좁은 골목길로 내려갔다. 가파른 시멘트 계단이 구불구불 이어졌고, 이내 가로등 없는 외진 골목으로 접어들자 차가운 어둠이 발아래 그림자를 삼켰다. 큰길까지 뛰어 내려온 태수는 가로등 아래 멈추어 잠시 호흡을 가다듬었다. 이마에 흐른 땀은 순식간에 차가워졌다. 태수는 목에 두른 수건을 벗어 땀을 닦았다.

집으로 돌아온 태수는 땀에 젖은 운동복을 벗어 빨래 바구니에 던졌다. 벌거벗은 채 부엌으로 나오니 몸 전체에서 모락모락 김이 피어올랐다. 태수는 부엌 한쪽에 직접 타일을 발라 만든 샤워실로 들어가 꽃무늬 비닐 커튼을 쳤다. 더운물을 틀고 머리를 샤워기 아래로 들이밀자 정수리부터 발끝까지 물이 흘러내렸다. 안 그래도 비눗물이 말라붙어 얼룩덜룩한 거울에 뿌연 습기까지 차는 바람에 손끝의 감각만으로 면도를 마쳤다.

구멍 난 수건으로 머리를 말리며 방으로 들어간 태수는 옷장에서 한 벌뿐인 군청색 겨울 양복을 꺼냈다. 꽤 오래 신지 않은 검은 가죽 구두도 신발장에서 꺼냈다. 그러고는 신발 안쪽에 구겨 넣어 둔 신문지를 빼내고 구둣솔에 구두약을 묻혀 정성스럽게 구두를 닦았다. 태수는 날짜 지난 지방지를 펼쳐놓고 손톱깎이로 반듯하게 손톱을 깎은 다음 초승달 모양의 손톱 조각들을 잘 모아서 쓰레기통에 버렸다.

오전 아홉 시 정각, 서장 집무실 문을 열고 들어갔을 때 태수는 꽤 번주그레한 모습이었다. 백팔십오 센티미터의 훤칠한 키에 딱 벌어진 어깨, 깔끔하게 면도한 턱, 생기 도는 눈, 반짝반짝 윤나는 구두코, 플레인 노트 방식으로 매듭지은 담녹색 스트라이프 타이, 일자로 떨어지는 정장 바지의 주름. 신장수 총경은 마호가니 책상 뒤에 앉아 자기 꼬리를 쫓는 개처럼 고개를 한쪽으로 꺾어 근무복 견장에 수놓인 네 송이 무궁화에 혹여 때가 타지나 않았는지 살펴보고 있었다. 태수가 뚜벅뚜벅 안으로 걸어 들어와 발뒤꿈치를 모으고 경례를 붙이자 서장이 입을 딱 벌렸다.

니 어디 가나?

아무래도 서장님을 독대하는 자리이고 하니까 옷차림도 좀 신경을 쓰고…….

별 지랄을 다 한다.

서장은 자리에서 일어나 책상을 돌아 나온 다음 책상 위에 오른쪽 엉덩이를 비스듬히 걸쳤다. 서장의 오른발 끝에서 슬리퍼가 대롱거렸고, 베니션 블라인드 사이를 비집고 들어온 오전 햇살은 서장의 허벅지 위에 줄무늬를 그렸다.

어젯밤에 정확하게 무슨 일이 있었는지 처음부터 차근차근 이야기해봐라.

어젯밤이요?

그래. 군수 딸내미 현주 말이다.

현주요?

그래.

무슨 말씀을 하시는지 잘 모르겠습니더.

서장은 허연 가닥이 돋아난 두 눈썹을 층지게 일그러뜨리며 태수를 노려보았다.

진태수, 니 지금 뭐 하자는 짓이고?

서장님께서 아시는지 모르겠습니다만 제가 기억력이 좀 나쁩니더.

그래서?

어젯밤에 무슨 일이 있었는지 도통 기억이 안 납니더.

서장이 매서운 눈초리를 풀고 배를 들썩이며 웃기 시작했다. 서장의 오른발에서 슬리퍼가 바닥으로 떨어졌고, 낄낄대는 웃음소리가 집무실에 울려 퍼졌다. 서장은 태수에게 다가와 어깨에 팔을 둘렀다.

이거 영 꼴통인 줄 알았더니만.

서장은 태수의 어깨를 두른 팔에 힘을 주어 두 사람의 머리를 가까이 붙였다. 서장의 입에서 풍기는 은단 냄새가 태수의 코에 닿았다. 서장은 태수를 풀어준 다음 엉덩이를 한 번 툭 쳤다.

일은 할 만하나?

열심히 배우고 있습니더.

서장은 집무실 한가운데 놓인 가죽 소파에 앉으라고 손짓했다. 태수는 코트 앞섶의 단추를 풀고 소파에 앉았다. 서장은 상석에 앉아 인터폰을 눌러 커피를 두 잔 가져오라고 지시했다. 유리가 깔린 테이블 위에는 티 한 점 없이 깨끗하게 닦인 검은 베이클라이트 재떨이가 놓여 있었는데, 재떨이 홈에는 궐련 모양의 전자담배가 걸쳐져 있었다. 서장이 전자담배를 들어 입에 물고 뺨이 홀쭉해지도록 빨아 당기자 담배 끄트머리에 붙은 발광 다이오드가 초록빛으로 달아올랐다. 서장이 입에서 니코틴 증기를 뿜으며 나른한 눈으로 태수를 바라보았다.

박칠구 군수하고 내하고 불알동무인 건 알고 있지?

들어서 아는 거지요, 뭐.

태수 니 무령에 계속 있을 끼가?

그럴 생각입니더.

나도 이제 몇 년 안 있으면 은퇴다.

서장은 회한에 젖은 표정으로 창가에 놓인 테라코타 화분을 향해 시선을 돌렸다. 복륜 난초의 노란 띠를 두른 어린 이파리가 방향 없이 제멋대로 뻗어 있었다. 태수는 서장의 입안에서 뭉클거리는 담배 연기를 바라보았다.

은퇴할 때까지는 내가 여기 서장으로 계속 안 있겠나. 진 경장, 일하다가 힘든 거 있으면 언제든지 내한테 말해라.

말씀만이라도 감사합니더.

니가 적응을 잘하는 것 같아서 내가 보기가 참 좋다. 니 처음 여기 올 때 전부 다 그랬다. 글마 그거 얼마 안 있어서 사고 친다고. 처음에는 나도 니를 형사계에 넣을 생각은 없었지. 그런데 손 소장이 파출소로 나가면서 니를 대신 넣으라고 하더라.

태수는 고개를 주억거렸다. 기천파출소장 손정길 경감의 뭉툭

한 코와 주름진 뺨이 떠올랐다. 평생 범인의 그림자를 쫓느라 지칠 대로 지친 남자. 파출소 접이 의자에 앉아 일간지의 부고란을 손톱 끝으로 긁어 읽으며 은퇴를 기다리는 늙은이.

문이 열리고 비서실 최 순경이 금박을 두른 본차이나 탁잔 두 개에 커피를 담아왔다. 태수는 잔에 찰랑거리는 짙은 갈색 커피를 후후 불어 마셨다. 최 순경이 문을 닫고 나가자 서장이 눈을 위로 뜨며 태수를 쳐다보았다.

그때 손 소장하고 둘이 술 마시면서 무슨 이야기를 했노?

별 이야기 없었습니더.

그래도 무슨 이야기가 있었을 거 아니가?

그냥 머리가 나쁘면 몸으로 때우라고 하시더라고요.

킬킬거리는 서장의 이빨 사이로 전자담배 연기가 새어 나왔다. 서장은 담배를 재떨이 홈에 걸쳐 놓고 잔을 들어 커피를 한 모금 삼켰다.

니가 머리가 나쁜 놈은 아니잖아.

좋지도 않습니더.

머리는 그만하면 좋네. 그냥 화가 많은 성질인 거지. 그게 탈을 부르는 거다. 화를 죽이고 물 흐르듯이 사는 법을 배우면 된다. 그라믄 다 잘 될 거다.

태수는 반쯤 비운 커피잔을 받침 위에 내려놓았다.

가보겠습니더.

그래.

두 사람은 자리에서 일어났다. 태수가 문간에 서서 경례를 붙이자 서장이 그만두라는 듯 공중에 손을 까딱했다. 태수는 어수룩하게 웃으며 서장실을 빠져나왔다. 그러고는 천천히 복도를 걸으며 과연 물 흐르듯이 사는 법이 무엇일지에 대해 생각했다. 어딘가에 뛰어들어 헤엄이라도 쳐야 하는 거라면 그곳이 어디일지도 궁금했다.

10

무령군 기천면 지산리 진태마을 안쪽의 약수터 근처에는 오래된 돌담집이 있다. 그 집에 혼자 사는 공복남 씨는 올해 예순으로 여태 장가를 가지 못했다. 공 씨는 일곱 살 때 성홍열을 심하게 앓았는데, 한 달 넘게 끙끙거린 다음부터 작은 소리가 잘 들리지 않았다. 공 씨네 식구들은 일 년 가까이 그 사실을 몰랐다. 아이는 배가 고프면 길가에 앉아 욋가지로 흙을 팠고, 틈틈이 장작가리 쌓는 일을 돕고 여물도 삶았지만, 학교는 가지 않았다. 산을 넘어가야 학교가 나오는데다가 딱히 뭔가를 읽을 필요도 없었기 때문이다. 공 씨가 열두 살 되던 해, 원체 술을 즐기던 공 씨의 아버지는 천곽이 점차 누레지더니 숫제 안방에 드러누워 숨을 헐떡이기 시작했다. 염소수염 의원이 솜두루마기를 여미고 고무신을 신은 채 산길을 타박타박 걸어 왕진을 왔다. 복수가 차서 배가 올챙이처럼 볼록해진 아버지를 내려다보며 의원은 사흘을 못 넘길 거라고 말했다. 공 씨는 문창호지에 뚫린 구멍으로 아버지가 죽는 모습을 보았다. 아버지가 세상을 향해 마지막으로 남긴 말을 공 씨는 아직 기억한다.

술 한 잔만 더 주거라.

이후 공 씨는 기회가 닿는 대로 읍내에 나가 막일을 찾았고, 어영부영 야간 중학교를 일 학년까지 다녔다. 얼굴에 수염이 나기 시작할 무렵, 종종 함께 막걸리를 훔쳐 마시던 무령 토박이 김용제를 따라 부산으로 가서 노가다판을 전전했다. 이후 공 씨는 육군에 입대해 만기 제대했다. 군역을 마치고 집으로 돌아왔을 때, 공 씨의 어머니는 암으로 인한 합병증으로 얼굴이 검게 변해 있었고, 이미 가망이 없는 상태였다. 그해 김장은 공 씨 혼자 담갔다. 어머니는 어느 날 밤 혼자 장독 뚜껑을 열어 보다가 정신을 잃고 쓰러져 김장독에 얼굴을 박았다. 어머니의 시신에서 김치 냄새가 빠지지 않았다. 공 씨에게는 돌담집 하나만이 남았다. 공 씨는 혼자서 곡괭이와 삽만 들고 집 뒤 산자락을 일구어 반 마지기가량 밭을 만들었다. 그 과정에서 손톱이 두 번이나 빠졌다. 공 씨는 휴거와 구제금융, 가뭄과 태풍을 묵묵히 견디어 마침내 희망도 절망도 없는 마흔줄에 접어들었다.

어느 여름날 오후, 오토바이를 타고 온 우체부는 숙취에 시달리는 공 씨에게 편지 봉투를 하나 건네주고 삐뚤빼뚤한 서명을 받아 갔다. 공 씨는 법원에서 날아온 소장 덕에 자신의 땅이 이미 다른 사람 명의로 넘어가 있음을 알게 되었다. 돋보기를 들고 등기부를 한참 들여다보던 읍내 법무사의 말에 따르면, 그 땅은 원래 등기가 없었는데 특별조치법 때 임자 없는 땅으로 신고가 되어 소유자 명의가 누군가에게 넘어갔다고 한다. 공 씨는 그 말을 채 반도 알아듣지 못했지만, 어쨌든 여기저기 들쑤시며 알아보았다. 그 결과, 재작년에 풍으로 죽은 마을 이장 조광배가 허위 확인서에 지장을 널름 찍어주었음을 알게 되었다. 그 무렵 새 차를 뽑은 조 씨의 아들 조윤평은 아무것도 모른다고 잡아떼었다. 공 씨는 조 씨네 집에서 장도리로 장독대 뚜껑을 깨부수며 난동을 피운 죄로 경찰 조사를 받고 벌금 삼백만 원을 냈다. 이후 야밤에 몰래 조윤평의 차 타이어에 못질하는 것으로 분을 풀지 못한 공 씨는 호시탐탐 복수의 기회를 노리며 이십 년 가까이 이를 갈았다. 그러던 어느 날 조윤평의 맏아들이 읍내 예식장에서 결혼식을 올리기로 했다는 말이 들려왔다. 공 씨는 결혼식 전날 저녁 여섯 시경부터 혼자 술을 퍼마시기 시작해 다음 날 새벽까지 소주 다섯 병을 비웠다. 그리고 결혼식 당일 오전 네 시경, 공 씨는 예식장 주차장에 똥거름을 잔뜩 흩뿌려놓고 도망쳤다.

위의 사실은 진태수 경장이 월요일 오전 내내 형사과 사무실에서 피의자 공복남을 취조하며 알아낸 바이다.

즈그 아부지는 진작에 풍이 왔는데, 뭐. 맨 오늘내일했다. 손가락도 제대로 못 꿈적였다니까. 윤평이 글마가 저거 아부지 손가락 잡고 고마 찍은 기다. 내 말이 틀림없다.

그래도 어르신, 이십 년도 넘은 일 아닙니꺼. 지금 와서 그래 하시면 되겠습니꺼? 남의 잔칫날에.

태수는 가는귀먹은 복남이 제대로 들을 수 있게 큰소리로 말했다. 취조하는 내내 고함을 쳤더니 목이 칼칼했다. 공복남은 제대로 읽지도 못하는 경찰 조서에 붉은 지장을 간인하며 계속 중얼거렸다.

사람이 천벌 받을 짓을 하면 언제고 천벌을 받는 법이다.

끝까지 잘했다는 말입니꺼?

잘했다는 거는 아니지. 나도 미안하지.

미안할 짓을 왜 하셨습니꺼?

꼭 그래 할라꼬 한 건 아닌데, 하필 술이 한잔 들어가니까 욱하더라고.

아무튼 잘못했다 그 말이지요?

잘못했지.

복남이 마지막 지장을 찍고 나자 태수는 두루마리 휴지를 뜯어 복남에게 건네주었다. 조서는 사건 서류 사이에 대충 끼워두었다.

복남이 손가락에 묻은 붉은 인주를 휴지로 닦으며 물어왔다.

형사 양반, 벌금이 얼마나 나오겠노?

저도 모르겠습니더. 이런 사건이 전에 있었어야 말이지요.

복남은 지문이 거의 닳은 자신의 오른손 엄지를 내려다보며 비실비실 웃었다. 노인네의 까맣게 그은 얼굴에 펜화처럼 잔주름이 잔뜩 그려졌고, 떡니 빠진 자리에는 혀가 들락날락했다.

태수는 의자 등받이를 뒤로 젖혔다. 창턱 아래 라디에이터에서 바람이 빠지며 식식거리는 소리가 났다.

어르신, 가능하면 합의를 봐서 오이소.

합의를 해주겠나?

조윤평 씨하고 합의가 안 되면 예식장 쪽하고라도 합의를 보이소.

모르겠다. 요새 돈도 없고. 안 되면 감옥 가지, 뭐……. 감옥 가면 옷 주지, 밥 주지, 재워 주지. 밖에 있는 것보다 낫다더라.

태수는 한숨을 푹 내쉬며 책상 아래에서 박카스 한 병을 꺼내 복남에게 건넸다.

아무튼 조사 받느라 고생하셨습니더. 이거라도 좀 드이소.

가도 되나?

예. 가셔도 됩니더.

그라믄 이거는 집에 가서 먹어야겠다. 나는 이거 먹으면 머리가 핑 돌아서 한 번에 다 못 먹는다. 두 번 노나 먹는다.

복남은 박카스 병을 두 손으로 꼭 쥔 채 자리에서 일어났다. 태수는 떠나는 노인의 구부정한 뒷모습을 말없이 지켜보았다.

복남이 나간 지 얼마 되지 않아 형사과 철문이 열리더니 김한수 경감과 박남호 경사가 들어왔다. 김 경감은 목까지 끌어올린 오리털 파카의 가운데 지퍼를 내렸고, 얇은 외투 차림의 박 경사는 어깨를 떨며 얼른 전열기 곁으로 가서 손을 쬐었다.

책상에 앉아 있던 강모가 일어서며 물었다.

비번인데 왜들 나오셨습니꺼? 무슨 급한 일이라도 있습니꺼?

서장님 지시다. 형사일팀 다 집합하란다.

김 경감이 손목시계로 시간을 확인했다. 태수가 고개를 갸우뚱했다.

서장님요? 저 오전에 서장님 뵙고 왔는데, 별말씀 없으시던데요.

가보면 알겠지.

김 경감은 피곤한 표정으로 종이컵에 뜨거운 물을 받아 믹스 커피를 쏟아부은 다음 껍데기로 대충 휘저었다. 쓰레기통에 휙 던진 커피 봉지에서 커피 방울이 튀었다. 파란 플라스틱 쓰레기통 뚜껑과 그 뒤쪽 벽은 흙비 맞은 자국처럼 커피 얼룩이 잔뜩 말라붙어 있었다.

태수는 책상 뒤 창문의 블라인드를 올리고 밖을 내다보았다. 경찰서 앞마당에 햇볕이 내리쬐고 있었다. 검은 패딩 점퍼에 헤진 코르덴 바지를 입은 꾀죄죄한 복남이 종종걸음으로 정문을 빠져나가는 모습이 보였다. 곧이어 하얀 외제 스포츠카 한 대가 경찰서 정문 앞에 섰다. 운전석에 앉은 여자가 차창으로 고개를 내밀고 정문 입초에게 뭐라고 말하는 것 같더니 이내 의경이 크게 경례를 붙이고 차를 통과시켰다. 거친 배기음을 뿜으며 경내로 들어온 포르쉐는 대뜸 장애인 주차구역에 머리를 들이밀었다.

태수는 삐뚜름하게 주차된 승용차에서 내리는 검은 치마 정장 차림의 여자를 계속 주시했다. 호리호리하지만 단단한 체구였고, 나이는 삼십 대 중후반으로 보였는데, 검고 윤기 나는 머리카락을 배틀어 묶은 탓인지 선명한 눈초리가 매섭게 위를 향하고 있었다. 이내 여자가 숄더백을 메고 걷기 시작하자 종아리에 세로로 홈이 패면서 다리 근육이 보기 좋게 꿈틀거렸다.

십 분 뒤, 태수와 강모 그리고 비번인 한수와 남호까지 모두 서장실 앞에 모였다. 네 사람이 문을 열고 서장실로 들어서자 소파 상석에 앉아 있던 여자가 일어섰다. 정복을 갖춰 입은 서장은 정모를 손에 들고 책상 옆에 서 있다가 네 사람을 바라보았다. 서장이 둥근 정모의 윗부분을 손으로 문지르며 네 사람에게 문을 닫으라고 눈짓했다.

태수가 문을 닫는 걸 확인한 서장이 여자를 일행에게 소개했다.

이분은 창원지검 고유림 검사님이시다.

여자가 네 사람에게 가볍게 목례했다. 서장이 이번에는 고유림 검사에게 말했다.

이쪽은 저희 형사일팀입니더. 베테랑 형사들이고 확실히 믿을 수 있는 사람들입니더.

유림은 성큼성큼 앞으로 걸어 나와 선거 유세를 하는 사람처럼 네 사람과 일일이 악수를 나누고 통성명을 했다.

서장은 정모를 머리에 쓰고 출입문 옆 거울에 비춰보며 참수리 마크가 제대로 중앙에 위치하는지 확인했다. 그러고는 유림을 향해 입을 열었다.

그라믄 검사님, 제 방에서 일 보십시오. 저는 점심 약속이 있어서 그만 나가봐야 합니더.

배려 감사드립니다.

유림의 딱딱한 서울말이 타자기 소리처럼 공중에 찍혔다.

서장이 문을 열고 나가자 유림은 네 사람을 소파로 이끌었다. 상석에 유림이 앉고 네 사람이 양쪽 소파에 갈라져 앉았다. 유림의 오른쪽에 강모와 태수, 왼쪽에 한수와 남호였다.

형사계장인 한수가 무릎에 팔꿈치를 대고 몸을 앞으로 기울였다.

검사님, 무슨 일이십니까?

여러분의 도움이 좀 필요합니다.

어떤 도움을 말씀하시는지?

유림은 입술을 다물고 눈을 내리깔았다. 손깍지를 낀 유림의 양손이 배꼽 부근으로 내려오더니 위로 벌어지며 무언가를 떠받치는 듯한 모양을 만들었다.

단도직입적으로 말씀드리겠습니다. 현직 부장검사 한 사람이 사라졌습니다.

11

서장실 라디에이터에서 데워진 공기는 희미한 아지랑이가 되어 창가에 피어올랐고, 블라인드 틈을 뚫고 들어온 햇빛은 바닥에 계단 같은 무늬를 만들었다. 밖의 바람이 거세지자 웅웅거리며 창문이 떨었다. 실내는 온기로 후끈했고, 고유림 검사 역시 따뜻해 보이는 미소를 짓고 있었지만, 그래도 여전히 외부에서 온 손님이었다. 차가운 서울말.

먼저 확실히 해두겠습니다. 지금부터 제가 말씀드리는 사항은 모두 완전한 기밀입니다. 절대 외부로 새어나가서는 안 됩니다.

유림이 네 사람을 날카롭게 쏘아보며 종이 위에 자를 대고 칼질하듯 말했다. 김한수 경감의 입주름 아래 끝이 안으로 돌돌 말렸다.

그런 거는 걱정 마이소.

검찰총장까지 보고가 들어간 상태이며, 일단 현재로서는 어떤 범죄나 사고의 가능성은 배제하고 있습니다. 순수하게 황유석 부장검사의 소재를 파악하기 위한 탐문이며, 이를 위해 기밀이 유지될 수 있는 한도 내에서 가용 자원을 총동원할 것을 지시 받았습니다.

무슨 말이 그렇습니꺼?

강모의 목소리가 툭 튀어나왔다. 강모는 눈을 치켜떴다가 유림과 눈이 마주치자 황급히 시선을 내렸다.

아니, 그러니까 제 말은……. 범죄나 사고의 가능성이 있다는 말입니꺼 아니면 없다는 말입니꺼?

유림은 입술을 감쳐물고 잠시 고민했다. 유림의 고개가 한쪽으로 약간 기울었다가 무게 중심이 낮은 인형처럼 다시 제자리로 돌아왔다. 김 경감이 손바닥을 내보이며 어깨를 으쓱했다.

이해 좀 해주이소. 저희 직업이 형사다 아닙니꺼.

실종자 수색이라고 생각해주시면 감사하겠습니다.

실종 신고는 당연히 없겠지요?

이 사건은 아직 공식적인 사건이 아닙니다. 그리고 가능하면 공식적인 사건이 되지 않도록 만드는 것이 우리의 목표입니다.

경찰이 무슨 흥신소도 아니고, 하고 강모가 다시 혼잣말처럼 중얼거렸다.

손 경사, 니는 우째 말을 해도 그래 하노? 지금 검사님께서 먼 길 오셔서 좀 도와달라고 하는 판에. 서로 돕고 살아야지.

한수는 맞은편에 앉은 강모에게 타박하듯 말하고는 유림을 돌아보며 양쪽 입꼬리를 올렸다. 점액질 생물처럼 꿈틀거리는 노형사의 미소에도 유림의 표정은 더욱 딱딱하게 굳었다.

저희 검찰은 지금 여러분의 도움이 절실히 필요한 상황입니다.

검사님, 일단 자세한 이야기를 해보이소. 저희가 도울 수 있는 부분은 최선을 다해서 돕겠습니더.

형사계장인 한수가 좀 더 부드럽게 나오자 유림의 얼굴에도 어색한 미소가 떠올랐다. 유림은 숄더백에서 노란 마닐라 폴더를 꺼내 테이블 위에 펼쳤다. 그 안에는 남자의 얼굴 사진이 담긴 출력물이 여러 장 들어 있었는데, 유림은 그중 넉 장을 추려 테이블 위에 놓고 폴더를 다시 닫아 가방 안에 넣었다.

황유석 부장검사의 사진입니다. 오늘 오전 출근하지 않았고, 현재 연락이 닿지 않습니다.

유림이 내어놓은 종이에는 컬러 사진 두 개가 인쇄되어 있었다. 왼쪽은 검찰 공무원증에 담긴 증명사진이었고, 오른쪽은 등산복을 입고 희미하게 미소 짓는 얼굴이었다. 등산복 차림의 사진은 그다지 선명하지 않은 것으로 보아 작은 사진을 확대한 듯했지만, 그래도 가장 최근 얼굴을 담은 사진일 터였다. 태수는 테이블에 놓인 사진을 흘끗 내려다보았다. 짙은 눈썹에 매끄러운 피부 그리고 각진 턱. 임종의 순간 우연히 마주친다면 천사인지 저승사자인지 한눈에 분간하기는 힘들 것 같았다.

한수가 느릿하게 입을 뗐다.

검사님, 저희도 실종 사건 수사를 많이 합니더.

그런데요?

월요일 오전에는 누구나 회사에 나오기 싫은 법이지요. 이제 막 열두 시 지났는데, 이걸 실종이라고 볼 수 있을지……. 외람된 말씀이지만, 이분 집이나 직장 근처 사우나를 뒤져봐야 하는 일이 아닐는지요?

주말에도 연락 닿은 사람이 없었던 것으로 보아 계속 실종 상태였던 것 같습니다.

가족들은 뭐라고 합니까?

가족들은 모두 해외에 있습니다. 기러기 아빠였죠. 혼자 살았습니다.

남호가 종이 한 장을 자신의 앞으로 끌어당겨 찬찬히 살펴보며 물었다.

창원지검에 계신 분입니까?

아뇨. 서울중앙지검 소속입니다. 자택도 서초동입니다.

네 사람은 동시에 고개를 들어 유림을 쳐다보았다. 한수가 고개를 갸우뚱했다.

서울에서 사라진 사람을 여기서 찾는 이유라도 있습니까?

황 검사가 무령군으로 향했을 거라는 매우 신빙성 있는 근거가 있습니다.

어떤 근거인지요?

현재로서는 말씀드릴 수 없습니다.

네 사람은 하나같이 입을 다물고 눈만 끔벅거렸다.

이해해주십시오. 검찰로서는 아주 민감한 문제입니다.

그 순간 창가에서 탕, 하는 소리가 났고, 유림이 어깨를 움찔했다. 누군가 쇠막대로 금속을 후려치는 듯한 소리였다. 유림은 놀란 눈으로 뒤를 돌아보았다.

태수가 작은 소리로 사과하듯 말했다.

라디에이터 소립니더. 원래 저렇습니더.

한수가 소파 등받이에 몸을 묻고 숨을 길게 내쉬었다. 그러고는 뭔가를 생각하듯 약손가락 손톱으로 자신의 인중을 살짝 긁으며 입으로 짧은 쯧 소리를 냈다.

아는 게 있어야 탐문을 하든 뭘 하든 하지요.

일단 무령군 일대의 숙박업소 위주로 탐문해주세요. 객지에서 들어온 사람이나 차량에 대해서도 조사해주시고요. 황 검사 본인 차는 집에 그대로 있는 것으로 봐서 렌터카나 대중교통을 이용해 이동했을 겁니다.

무작정 알아서 찾아내라는 겁니꺼?

지금으로서는 이렇게 부탁드릴 수밖에 없습니다. 저도 개인적으로는 이런 식으로 말씀드리는 게 썩 내키지 않습니다만, 어쩔 수 없네요. 제 윗선에서 정보를 통제하고 있습니다. 도와주신다면 잊지 않겠습니다.

태수가 슬쩍 선배들의 눈치를 보며 고개를 디밀었다.

이 황 검사라는 분이 무령에 어떤 연고라도 있는 겁니까?

연고는 없습니다. 하지만 무령으로 왔을 가능성이 매우 큽니다. 당장은 밝힐 수 없지만, 정보가 있습니다.

단순 실종은 아닌 거군요.

태수가 확인 도장을 기다리는 사람처럼 유림을 똑바로 쳐다보았다. 잠시 뜸을 들이던 유림은 마지못해 네, 라고 짧게 답했다. 태수 옆에 앉은 강모가 팔짱을 낀 채 흥미롭다는 듯 눈을 빛뜨며 유림을 흘겨보았다. 강모의 왼팔 상박에 닿은 오른손 검지가 모스기 전송수의 그것처럼 빠르게 움직였다.

유림이 손목에 찬 작은 금시계를 들여다보았다.

자, 그럼 다들 최대한 빠르게 발로 뛰어주시겠어요?

네 사람은 사진이 인쇄된 종이를 한 장씩 손에 들고 자리에서 일어났다. 유림은 자신의 개인 휴대폰 번호가 적힌 명함을 한 장씩 나누어주었다.

특이사항이 있을 시에는 바로 저한테 전화를 주세요. 아무 때나 좋습니다. 이십사 시간 대기하고 있을 테니까요.

다섯 사람은 서장실을 빠져나가 일 층 로비에서 악수를 나누었다. 이윽고 유림은 문짝이 두 개 달린 스포츠카에 올라 빠르게 경찰서를 떠났다.

텅 빈 형사과 사무실로 돌아온 네 사람은 말없이 회의용 탁자에 둘러앉았다.

반장님, 짜장면이라도 시킬까요?

태수의 물음에 한수가 심각한 표정으로 말없이 고개를 저었다. 그러고는 손에 들린 종이를 테이블 위에 올려놓았다.

일단 업무 분담부터 하자.

남호와 강모 역시 손에 들고 있던 종이를 던지듯 탁자에 내려놓았다. 남호가 짜증스럽다는 듯 다리를 꼬았다.

비번인데 이게 무슨 꼴이고.

남호야, 나도 비번이다.

한수가 엄중한 목소리로 나직이 말하자 남호는 늘어진 자세를 고쳐 앉았다. 한수가 기도회를 주재하는 목사처럼 양손을 맞잡아 테이블 위에 올린 다음 세 사람을 온화한 표정으로 둘러보았다.

모두들 약간의 불쾌함이 있을 줄로 안다. 하지만 우리는 어쨌든 수사 업무를 하는 형사들이고, 따라서 검찰과 좋은 관계를 유지하지 않을 방도가 없다.

행님, 암만 그래도 이거는 경우가 아니지요. 무작정 길 가는 사람 붙들고 물어볼 겁니꺼?

미간을 한껏 구긴 남호가 다시 상체를 뒤로 젖히고 다리를 꼬았다. 강모도 흠흠 목청을 가다듬은 다음 매서운 눈초리로 덧붙였다.

그 말은 맞습니더. 실마리가 있어야 수사를 하지요.

너희들이 나를 몰라도 너무 모르는구나. 내가 방금 뭐라 카더노? 업무 분담을 하자고 했다.

알겠습니더. 그라믄 업무를 우째 나누시려고요?

내 생각에 이 업무는 태수가 맡는 게 좋겠다.

눈 깜짝할 사이 얼굴을 바꾸는 중국 변검술사처럼 남호와 강모의 얼굴이 갑자기 밝아졌다.

역시 행님입니더. 참 좋은 생각입니더.

태수를 제외한 세 사람이 동시에 의자에서 일어났다. 태수도 엉거주춤 따라 일어났다.

그래도 총동원하라고 했는데.

태수야, 여기는 삼급지서다. 우리가 동원할 수 있는 인원이 원래 참 적다.

한수는 출입구를 향해 성큼성큼 걸었고, 남호와 강모도 뒤를 따랐다. 태수가 제자리에 서서 멍청한 얼굴로 물었다.

다들 어디 가십니꺼?

할매국밥. 점심 묵어야지.

강모가 외투 주머니에 들어 있던 껌 종이를 꺼내 손으로 구긴 다음 쓰레기통에 툭 던졌다.

12

한수와 남호 그리고 강모와 태수, 네 사람은 둘씩 짝지어 보도를 걸었다. 겨울 하늘은 청명했고, 엷은 구름 사이로 한낮의 태양이 검은 아스팔트에 수직으로 빛살을 꽂았다. 네 남자는 발에 짧은 그림자를 달고 종종걸음을 했다. 많이 춥지는 않았지만 한 번씩 세찬 바람이 불었고, 그럴 때면 연석 틈에 쌓인 모래가 날리면서 차가운 금속을 갖다 댄 것처럼 뺨이 시렸다. 태수는 어깨를 움츠리고 코트의 깃을 세웠다. 나머지 세 명 역시 온몸의 근육을 움츠려 외투의 보온 속으로 최대한 파고들었다.

네 사람은 사차선 도로의 건널목 앞에 멈춰 섰다. 횡단보도는 칠을 한 지 오래되어 흰색 페인트가 드문드문 날아갔고, 건너편 신호등은 접속 불량으로 빨간불이 들어오지 않았다. 네 사람은 신호를 기다리며 맞은편 도롯가의 버려진 주유소를 바라보았다. 벌겋게 녹슨 주유기 두 대에서 뻗어 나온 검은 호스가 마치 죽은 뱀처럼 보였다. 주유소 건물 외벽은 페인트가 일어나 너덜너덜했고, 깨진 창문 아래에는 버려진 자전거와 누군가 던져놓은 앙상한 나뭇가지 그리고 썩어가는 판자가 나뒹굴었다. 땅에 묻은 주유 탱크를 파낼 돈도 없을 정도로 주인이 완벽하게 망하는 바람에 주유소는 몇 년째 방치되어 있었다.

남호가 백 미터쯤 떨어져 있는 편의점 간판으로 시선을 돌렸다.

참, 오늘 월요일이지. 로또 사야 하는데.

박 경사님도 로또 하십니꺼?

태수가 물었다.

재미로 하는 거지.

남호가 귀 뒤에 꽂힌 담배를 꺼내 입에 물고 추위를 견디는 펭귄처럼 몸을 웅크려 일회용 라이터의 부싯돌을 켰다. 다시 고개를 들자 남호의 입과 코에서 동시에 연기가 뿜어져 나왔다.

내 것도 주문해놔라. 편의점 들렀다 갈게.

요새 그거는 당첨금이 얼마나 되나?

한수가 남호에게 물었다.

그때그때 다릅니더. 초창기에는 많았는데, 요새는 별로 안 많습니더. 옛날에 어떤 경찰이 사백 억 당첨되고 그랬다 아닙니꺼.

경찰이?

나도 뉴스에서 봤습니더. 십 년도 더 됐는데……. 그 사람은 지금 우째 살고 있으려나.

남호가 고개를 들어 공중으로 흰 연기를 분수처럼 뿜어 올렸다. 담배 연기는 구름에 스미듯 사라졌다. 건널목 신호등에 파란불이 들어왔다. 태수가 손가락으로 건너편을 가리켰다.

신호 바뀌었습니더.

내 것도 시켜놔라.

한수는 그렇게 말하고 남호의 뒤를 따라 편의점으로 걸었다. 태수는 강모를 돌아보았다. 강모는 뭔가에 정신이 팔린 사람처럼 건널목의 흰 줄무늬만 멍하니 바라보고 있었다.

태수가 강모를 툭 쳤다.

선배님, 뭐 하십니꺼?

어?

불 바뀌었습니더.

강모는 입을 닫고 미간을 좁힌 채 청신호 속에 들어 있는 사람 모양의 작은 초록색 엘이디 불빛을 뚫어져라 쳐다보았다.

나는 어디 좀 갔다 올게. 깜빡한 게 있다.

강모가 경찰서 방향으로 몸을 돌려 급히 걸어가기 시작했다.

국밥 시켜놓을까요?

아니. 내 거는 시키지 마라.

태수는 편의점으로 걸어가는 두 남자의 뒷모습과 반대편으로 걸어가는 강모의 뒷모습을 번갈아 보았다. 파란불이 깜빡이기 시작했다. 태수는 어깨를 한 번 으쓱하고는 뛰듯이 길을 건넜다.

망한 주유소를 지나 좁은 골목으로 들어섰다. 붉은 벽돌로 지은 나지막한 빌라의 얼룩진 외벽이 이어졌고, 곧이어 작은 가게가 들어선 낡은 단층 건물들이 하나둘 나타났다. 부동산 사무실, 태양광

패널, 조립 컴퓨터. 죄다 반짝 흥했다가 곧 망한 가게들이었다. 유리문에 붙인 피브이시 시트는 볕에 삭아 버스러졌고, 맹꽁이자물쇠는 녹이 슬어 붉게 변해 있었다. 건물 사이로 보이는 좁은 시멘트 포장길은 논으로 이어졌다.

태수는 두 번째 골목에서 전봇대를 끼고 오른쪽으로 꺾어 들어갔다. 나지막한 지붕들 너머로 연기가 올라오지 않는 동네 목욕탕 굴뚝과 원불교 회당 꼭대기가 보였다. 태수는 슬레이트 지붕을 얹은 작은 단층 건물 앞에서 발걸음을 멈췄다. 건물 외벽에는 빗물이 흐른 자리를 따라 검은 얼룩이 져 있었고, 할매국밥이라는 글자가 적힌 노란 간판 아래에는 귀퉁이가 깨진 아크릴 팻말이 붙어 있었다. 아침 식사 됩니다.

태수는 건물 앞 공터에 깔린 자갈을 밟으며 다가갔다. 유리문 안에 불이 꺼져 있었고, 포개져 쌓인 초록색 플라스틱 의자 덩어리만이 훔쳐 갈 사람도 없다는 듯 덩그러니 문 앞에 놓여 있었다. 태수는 잠긴 문으로 다가가 유리에 손을 대고 그늘을 만들어 안을 들여다보았다. 안에는 아무도 없었다.

거기 오늘 장사 안 한다.

뒤에서 누군가의 목소리가 들려 태수는 고개를 돌렸다. 구겨진 초록색 새마을운동 모자를 쓰고 두툼한 솜바지를 입은 노인이 태수를 바라보며 서 있었다. 노인은 프레임과 짐받이가 까맣게 녹슨 짐자전거를 끌고 가던 중이었다.

주인한테 무슨 일이 있습니꺼?

할매가 죽었다.

그럴 리가요.

진짜다.

노인은 비강에서 가래를 그러모아 바닥에 침을 퉤 뱉었다.

이 집 주인은 할매가 아닌데요. 간판만 할매국밥이지, 젊은 부부가 하는 가게인데요.

노인은 일순간 움찔하더니 잠시 먼 하늘을 응시했다. 그러고는 발로 바닥의 가래침을 쓱 쓸어 길게 젖은 자국을 만들었다.

아무튼 내 말이 맞다. 죽었다.

노인은 자전거를 밀면서 천천히 가던 길을 갔다.

태수는 국밥집 문 앞에 놓인 플라스틱 의자를 하나 들어낸 후 거기에 앉았다. 가게 앞 주차공간에 깔아놓은 잿빛 자갈들이 볕을 받아 드문드문 반짝였다. 태수는 다리를 꼬고 앉아 휴대폰을 꺼냈다. 한수나 남호에게 전화를 걸까 하다가 그냥 기다리기로 했다. 바람이 가게 유리문 위의 차양을 흔들고 지나갔다. 낡고 늙은 소읍의 문 닫힌 할매국밥. 할매가 죽었다는 노인의 말이 거짓부렁일지라도 언젠가 사실이 될 것이다.

길을 따라 늘어선 낮은 건물들이 끊어진 지점 저 너머로 탁 트인 공터가 보였다. 누런 흙이 들어찬 노지 사이로 좁은 길이 쭉 뻗어 큰길까지 이어졌다. 태수는 지붕 위에 걸린 산과 하늘, 구름을 쳐다보며 시간을 죽였다.

그때 멀리 보이는 붉은 빌라 입구에서 두 남녀가 뛰어나왔다. 뚱뚱한 남자는 턱시도 차림에 마술사나 쓸 법한 실크해트를 쓰고 있었고, 여자는 맨 어깨가 드러난 검은색 바니걸 복장을 하고 머리에는 토끼 귀 모양의 헤어밴드를 꽂고 있었다. 두 사람은 손을 잡고 큰길 쪽으로 뛰었다. 자세히 보니 남자의 한쪽 손에 지휘봉 같은 하얀 막대가 들려 있었다. 두 사람은 큰길에 면한 보도에 서서 손을 흔들어 택시를 잡았고, 노란 택시가 서자 황급히 뒷좌석에 올라탔다. 여자가 먼저 타다가 차 지붕에 토끼 귀가 부딪히는 바람에 머리띠가 떨어졌지만, 남자가 잽싼 동작으로 낚아챘다. 택시는 빠르게 출발해 태수의 시야에서 사라졌다.

태수는 멍한 표정으로 두 남녀가 뛰어간 짤막한 길을 계속 바라보았다.

잠시 후, 두 사람이 나왔던 바로 그 건물에서 한 남자가 나왔다. 푸들처럼 파마를 해서 부풀린 머리를 한 탓에 마치 커다란 검은 공이 목 위에 얹혀 있는 것 같았다. 남자는 위에 누비 조끼 하나만을 걸치고 아래에는 아메리카 원주민처럼 양옆에 술이 잔뜩 달린 가죽 바지를 입고 있었는데, 앞섶을 제대로 여미지 않아 맨가슴을 그대로 드러낸 채 손에 뭔가를 쥐고 두 남녀가 달렸던 길을 그대로 달렸다. 큰길로 나온 남자는 필사적으로 주위를 두리번거렸다. 태수는 눈을 가늘게 뜨고 남자가 손에 쥔 것을 유심히 살폈다. 너무 멀어서 또렷하게 보이지는 않았지만, 노란 부부젤라가 틀림없었다. 남자는 이리저리 길가를 기웃거리더니 맥이 빠진 걸음으로 다시 처음 나왔던 빌라로 돌아갔다.

남자가 건물 안으로 들어가 완전히 사라진 후에도 태수는 여전히 같은 방향으로 시선을 고정하고 있었다. 구름은 정해놓은 모양 없이 피어오르고 바람은 어느 방향으로든 불 수 있다.

어? 문 닫았네?

태수는 남호의 목소리를 듣고 고개를 돌렸다. 한수와 남호가 골목 어귀에서 느릿느릿 걸어오고 있었다. 태수는 자리에서 일어나 등받이에 금이 간 플라스틱 의자를 원래 포개이져 있딘 곳에 올려놓았다.

반장님, 제가 방금 이상한 걸 봤습니더.

태수는 자갈을 자박자박 밟으며 한수와 남호에게 다가갔다.

뭘 봤는데?

이거를 우째 설명 드려야 할지.

태수는 손가락으로 방향을 가리키며 자신이 본 것을 세세하게 늘어놓았다. 남자와 여자, 제비처럼 꼬리가 달린 테일 코트, 둥근 실크해트, 뾰족한 지휘봉, 어깨가 드러난 바니걸, 망사 스타킹, 토끼 귀, 술 달린 인디언 바지, 나발 모양의 노란 부부젤라까지.

마지막에는 개가 담배를 입에 물고 두 발로 걸어 나오더라고요.

개가 담배를? 참 신기한 일이네.

한수는 태수가 가리킨 길을 바라보며 고개를 주억거렸다.

농담입니더.

농담이라고?

아니, 그게 아니고, 마지막에 개 이야기만 농담입니더. 앞에 한 이야기는 진짜고요.

개만 빼고 다 진짜라고?

네.

한수는 자신의 관자놀이를 손가락으로 짚으며 곰곰이 생각에 잠겼다. 옆에 선 남호도 팔짱을 끼고 고민에 빠졌다.

행님, 제 생각에는 말입니더, 하고 남호가 먼저 입을 열었다.

……아닙니더. 저는 모르겠습니더.

한수는 낮은 신음을 내며 태수가 가리켰던 지점을 한참 응시하더니 하늘을 한 번 올려다보았다. 그러고는 뭔가 생각해낸 듯 천천히 고개를 끄덕였다.

심각한 일이면 신고가 들어오겠지.

남호가 자갈밭을 발바닥으로 평평하게 골랐다.

행님, 고마 갑시더.

어디를?

국밥집도 문 닫았겠다. 이왕 이렇게 된 거 차 타고 나가서 새들녘이나 갑시더. 가서 산채비빔밥을 묵던가 아니면 셋이서 백숙을 한 마리 시켜 묵던가.

멀리 가는 건 좀 그렇지 않습니꺼?

왜?

그 황 검사라는 사람 찾아야지요.

아.

저라도 돌아다니면서 찾아보는 시늉이라도 해야 안 되겠습니꺼.

그건 그렇지.

그러면 두 분이서 가이소. 저는 따로 먹겠습니더. 손 선배도 있고.

어? 그라고 보니까 강모가 없네.

한수가 주위를 둘러보았다.

강모 이거 어디 갔노?

갑자기 잊어버린 일이 생각났다고 경찰서로 급하게 가던데요.

행님, 우짤랍니꺼?

한수는 호주머니에 손을 찌르고 잠시 고민했다. 그러더니 주머니에서 로또 복권을 꺼내 물끄러미 들여다보았다.

남호야, 이거 사 등 당첨되면 얼마라고?

오만 원.

그래. 고마 가서 백숙이나 묵자.

미래의 행운을 당겨쓰러 떠나는 두 사람에게 손을 흔들어주고 태수는 터벅터벅 걸어서 경찰서로 돌아왔다.

형사과 사무실에 들어서자 따뜻한 온기가 뺨을 적셨다. 안에는 아무도 없었다. 태수는 코트를 벗어 책상 뒤 옷걸이에 곱게 걸어둔 다음 회의용 탁자로 가서 실종된 황 검사의 사진이 인쇄된 넉 장의 종이를 모아 자신의 책상으로 들고 왔다. 태수는 자리에 앉아 사진 속 남자의 얼굴을 들여다보았다. 눈을 몇 번 깜빡인 다음 고개를 들고 창밖을 한 번 내다보았다. 그리고 다시 고개를 숙여 남자의 사진을 보았다. 찬찬히, 일 분 정도 꼼짝도 하지 않고 사진만 들여다보았다.

태수는 책상 위로 손을 뻗어 녹슨 철제 연필꽂이에서 검은 매직펜을 꺼냈다. 매직펜의 뚜껑을 입으로 뽑아 물고 사진 속 얼굴 위에 펜으로 선을 그리기 시작했다. 네모난 뿔테 안경. 그리고 턱과 뺨에는 검은 수염이 생겨났다. 태수는 종이를 손에 들고 자신이 덧그린 남자를 바라보았다. 계속 바라보았다. 이윽고 검은 안경테 속 남자의 두 눈이 태수를 정면으로 노려보기 시작했다. 하얀 눈이 쌓인 오르막길과 그 길을 따라 움직이던 붉은 미등, 배기구에서 흘러나오던 수증기, 그리고 스르르 내려가던 운전석의 창문.

선생님, 어디 가시는지 몰라도 길을 잘못 드신 것 같습니다.

13

태수는 매직펜의 뚜껑을 입에 물고 남자의 얼굴을 계속 들여다보았다. 사진에서 눈을 떼지 못한 채 매직펜의 촉을 입에 문 뚜껑에 끼우려다 도킹이 어긋나는 바람에 입가에 검은 점이 찍혔다.

태수는 사진을 내려놓고 두 손으로 펜의 뚜껑을 닫아 필통에 꽂은 후 내선 전화의 수화기를 집어 들었다.

교통계 유지나 경장입니다.

유 경장님, 저 형사계 진태수 경장입니다.

무슨 일이십니까?

토요일하고 일요일 양일간 관내 시시티브이에 찍힌 은색 소나타 차량 있는지 확인 가능합니까?

은색 소나타요?

네.

한두 대가 아닐 건데요. 쌔고 쌘 게 은색 소나타인데.

최신형이고 허 자 넘버 달려 있는 차만 가려내면 됩니다. 아마 외지에서 들어온 차량일 겁니더.

정확한 차 넘버는 모르고요?

네.

한번 알아보고 연락드릴게요.

고맙습니더.

그런데 무슨 일인데요? 사건 생겼습니꺼?

자세한 거는 비밀이라 말씀드리기가 좀…….

아이고, 대단한 형사 나셨네. 이 동네에 비밀이 어디 있습니꺼? 마, 됐습니더. 어차피 좀 있으면 다 흘러 흘러 귀에 들어오겠지.

아무튼 좀 알아봐주이소.

네.

태수는 수화기를 내려놓고 컴퓨터를 켰다. 인터넷 지도 사이트에 접속한 다음 무령군 관내에 있는 숙박업소를 검색했다. 여관과 모텔, 펜션을 합쳐 마흔 개 정도가 있었다. 태수는 기천면 인근으로 검색 범위를 좁혔다. 열 개 남짓의 검색 결과가 지도상에 파란 점으로 표시되었다. 그중 장급 여관은 제외했다. 중경호에서 멀지 않은 곳에 세 개의 모텔이 모여 있는 지점이 있었고, 양산으로 넘어가는 군 경계선 부근에도 모텔촌이 있었다. 태수는 업무용 수첩과 코트를 챙겨 밖으로 나갔다.

차에 올라타서 기천면 방향으로 길을 잡았다. 꼬불꼬불한 이차선 도로를 타고 산을 넘어가면서 태수는 강모에게 전화를 걸었다. 신호가 꽤 길게 울린 후 강모가 전화를 받았다.

선배님, 저 태숩니더.

응. 왜?

어딥니꺼?

어? 일이 좀 있어서 밖에 나와 있다. 곧 들어갈 거다. 왜?

실종된 황 검사 말입니더.

어.

잘하면 제가 찾을 수 있을 것 같습니더.

니가? 어, 어떻게?

제가 토요일 날 이 사람을 본 것 같습니더. 그날 밤에 제가 석구 씨를 집까지 태워다 줬다 아닙니꺼. 그때 석구 씨 내려주고 돌아오다가 외지에서 들어온 차를 한 대 마주쳤거든요. 확실하지는 않은데, 제가 그때 본 사람이 황 검사 같습니더.

수화기 너머에서 잠시 침묵이 흘렀다.

선배님, 듣고 있습니꺼?

응? 아, 듣고 있다. 잠시 뭘 좀 보느라고.

아무튼 그때 제가 본 사람이 이 사람이 맞으면 무령으로 왔다는 말은 맞는 건데요.

그래서 우째 찾을라고?

일단 유지나 경장한테 시시티브이 좀 살펴보라고 해놨습니더. 저는 지금 기천면 일대 모텔들 좀 돌아볼 생각입니더. 그 근처에서 돌아다니고 있었으면 아마 그 어디에서 묵어가지 않았을까 싶어서요. 혹시 주차장에 차가 있으면 제가 알아볼 수 있을 것 같습니더.

그래. 좋은 생각이다.

저는 쭉 한번 돌아보고 오후 늦게 사무실로 복귀할 것 같습니더. 선배님은 언제 들어오십니꺼?

나는 금방 끝난다. 니는 니 일 봐라. 사무실은 신경 쓰지 말고.

네.

통화를 마친 태수는 업무용 수첩 표지 안쪽 홀더에서 고유림 검사의 명함을 꺼냈다. 전화를 걸까 하다가 다시 휴대폰을 내려놓았다. 대신 라디오의 볼륨을 높였다. 대시보드 위로 비친 햇살에 먼지 오라기가 반짝였고, 창밖에 펼쳐진 비닐하우스의 곡면은 태양을 반사해 찌르는 듯한 빛을 쏘아냈다. 라디오에서는 김건모의 잘못된 만남이 흘러나왔다. 태수는 노래를 들으며 잠시 옛 추억에 잠겼다. 특수부대 복무 시절 태수는 유서를 세 번 적었는데, 그중 두 번은 잘못된 만남의 가사를 적었다.

가속기 페달에 얹은 발에 힘을 주자 가로수가 빠르게 뒤로 밀려났다. 새로 깐 새카만 아스팔트에 그어진 선명한 중앙선이 마치 도로 위에 붕 뜬 것처럼 보였다. 차 문의 고무 몰딩 사이로 스며드는 풍절음이 엔진의 진동과 뒤섞였고, 배에서는 가늘게 꼬르륵 소리가 났다. 태수의 오른쪽 턱에는 여전히 검은 점이 찍혀 있었다.

태수는 기천파출소 앞에 차를 세운 다음 파출소 맞은편에 있는 분식집으로 향했다. 영국분식이라는 상호가 적힌 파란색 플라스틱 간판은 비바람에 삭아 표면이 쩍쩍 갈라져 있었고, 커다란 유리문에는 빨간 페인트로 만두, 찐빵, 김밥, 떡볶이, 오뎅, 쫄면 따위의 메뉴가 궁서체로 적혀 있었다.

문손잡이를 당기자 문 위에 붙은 작은 종에서 딸랑 소리가 났다. 경첩에서 나는 삐거덕 소리와 함께 태수는 등 뒤로 문을 닫았다. 분식집 안은 습기와 온기로 가득했다. 테이블은 달랑 세 개였는데, 그중 한 곳에 온몸이 통째로 시들어버린 것 같은 노인이 앉아 소주병을 기울이고 있었다. 문에서 나는 소리를 들었는지 주방 쪽에서 파마머리를 한 아주머니가 얼굴을 빼꼼 내밀었다. 붕어처럼 눈두덩이 툭 불거진 얼굴이었다.

뭐 드릴까?

김밥 한 줄만 포장해주세요.

아주머니는 앞치마에 손을 닦은 다음 알루미늄 포일을 잡아당겨 뜯었다. 주방 한쪽에 미리 말아 놓은 김밥 다섯 줄이 쌓여 있었다. 아주머니는 김밥 하나를 들어 냄새를 슬쩍 맡아보더니 칼로 쓱쓱 썰어 능숙하게 포일로 돌돌 감아 쌌다.

테이블에 앉은 노인은 시무룩한 표정으로 태수를 곁눈질했다. 김치가 담긴 작은 접시와 초록색 소주병 그리고 작은 유리잔이 노인 앞에 놓여 있었다. 노인이 술병에 남은 술을 빈 잔에 따르자 거꾸로 세운 술병에서 투명한 방울이 똑똑 떨어졌다. 병을 다시 내려놓고 막잔을 바라보는 노인의 주름진 눈에 슬픔이 깃들었다.

아주머니는 포일에 싼 김밥을 태수에게 내밀었다.

이천 원.

영수증 좀 주세요.

아주머니는 태수를 위아래로 훑어보더니 계산대 옆에서 간이영수증에 액수를 휘갈겨 쓴 다음 낱장을 찍 뜯어내 태수에게 내밀었다. 태수는 지갑에서 천 원짜리 지폐 두 장을 꺼내 값을 치르고 영수증을 받아 지갑에 대충 끼웠다. 그런 다음 코트 주머니를 뒤져 종이를 꺼냈다. 태수는 황 검사의 사진에 직접 안경과 수염을 그려 넣은 아방가르드 미술 작품 비슷한 것을 아주머니에게 보여주며 물었다.

혹시 이런 사람 보신 적 있습니꺼?

아주머니는 고개를 외로 꼬며 사진을 찬찬히 들여다보았다.

이래 낙서를 해놨는데 이거 보고 우째 알겠노?

낙서가 아니라 안경하고 수염입니더.

아주머니는 태수의 말을 듣고 다시 한번 사진을 유심히 보았다.

아닌데? 이거는 안경이 아니라 누가 위에다가 손으로 그린 거다. 유성 매직이나 뭐 그런 걸로 고마 호작질을 해놓은 거 같은데.

제가 그린 겁니더.

왜? 뭐 한다고?

이 사람이 안경을 쓰고 수염을 붙이고 다니니까요.

아주머니는 그제야 말뜻을 이해한 듯 고개를 끄덕였다.

진작 말을 하지. 못 봤다.

아주머니는 주방으로 돌아갔다. 노인은 잔에 담긴 술을 쭈욱 소리를 내며 빨아당겼다. 곧이어 노인의 목 아래에서 카, 하는 짧은 소리가 났다. 노인이 어깨 너머로 고개를 돌려 아주머니를 쳐다보았다.

한 병 더 가온나.

안 팝니더. 고마 가이소.

딱 한 병만 더 묵자.

좋은 말로 할 때 고마 가소.

노인은 턱에 주름이 지도록 입을 꾹 다물고는 고개를 두어 번 가로저었다. 그러고는 의자에 놓인 외투를 집어 들고 비틀거리며 일어섰다. 낙타색 오리털 파카는 털이 죄다 빠져 홀쭉한데다 소맷자락도 땟국에 절어 시커멨다. 태수가 문을 열어주자 노인이 불쾌한 얼굴로 고개를 한 번 끄덕여 보이고는 먼저 밖으로 나갔다. 태수도 노인의 뒤를 따라 밖으로 나왔다.

분식집 앞마당에는 볕이 곱게 들어 슬레이트 처마 그늘이 흙바닥에 반듯한 선을 긋고 있었다. 노인은 춥지도 않은지 파카를 입지 않고 손에 들고만 있었다. 태수는 노인 옆에 나란히 섰다.

노인이 바닥에 침을 뱉었다.

다섯 명이 죽었다.

태수는 노인의 말이 자신을 향한 것인지 알 수 없어 대답하지 않았다. 노인은 일부러 태수를 무시하듯 먼 산을 바라보았다. 노인이 다시 침을 뱉었다.

다섯 명이 입에 흙을 물고 죽었다. 푼돈에 죽었지.

어르신, 저한테 하시는 말씀입니꺼?

젊은 양반, 똑바로 살아라. 나중에 후회한다.

태수는 대답하지 않았다. 노인이 다시 침을 뱉었다.

뭐, 우째 살아도 후회는 하겠지만.

노인이 몸을 한 번 부르르 떨더니 파카를 껴입었다. 그러고는 파카 주머니를 뒤져 구깃구깃한 담뱃갑을 꺼냈다. 하지만 담배가 남아 있지 않았다. 담뱃갑을 구겨서 다시 주머니에 넣은 노인은 태수의 손에 들린 황 검사의 사진을 흘깃거렸다. 태수는 미심쩍은 표정으로 노인에게 사진을 보여주었다.

혹시 보신 적 있습니꺼?

저기 조금만 가면 기사 식당이 있다.

저도 압니더.

거기서 소주 한 병만 사주면 글마 그거 어디 있는지 알려줄게.

고마 됐습니더. 어르신, 빨리 집에 들어가이소.

태수는 종이를 접어 주머니에 넣고 길을 건너 차로 돌아왔다.

14

웅크린 짐승 모양의 검은 그림자를 단 모하비는 파출소 입간판 옆에 서 있었다. 파출소와 보도의 경계를 이루는 야트막한 화단 안에는 시커먼 흙이 담겨 있었지만, 풀은 죽고 나무는 말라비틀어졌다. 태수는 콘크리트가 떨어져 나가 녹슨 철근이 드러난 화단 모서리를 지나 자신의 차로 돌아갔다. 운전석에 막 올라탔을 때, 휴대폰에서 신호음이 울렸다.

네, 유 경장님.

시시티브이 살펴봤는데요.

뭐가 좀 나왔습니까?

일단 토요일은 눈이 많이 와서 별것 없어요. 차 앞 번호판에 죄다 눈이 들러붙어서 번호판 식별이 안 됩니더.

일요일은요?

일요일도 별것 없긴 한데, 그래도 허 넘버 가진 은색 소나타가 두 대 나왔어요.

혹시 운전자 얼굴 찍힌 것 있습니꺼?

없어요. 과속 단속 카메라 같은 데 찍힌 게 아니라서 얼굴은 안 나와요.

태수는 조수석에 있던 수첩을 펼치고 펜을 잡았다.

일단 넘버 좀 불러봐 주이소.

52허6277. 62허4412.

고맙습니더. 그리고 그 두 대 차적 조회 좀 해주실 수 있겠습니꺼?

벌써 했습니더. 육이칠칠은 수원에 있는 렌터카 업체 차량이고, 사사일이는 창원에 있는 렌터카 업체 차량입니더.

태수는 수첩에 적힌 두 개의 차량 번호 중 52허6277에 밑줄을 그었다.

고마워요. 나중에 제가 밥 한 번 살게요.

데이트 신청입니꺼?

그건 아니고. 그냥 감사의 표시로.

아쉽네요. 데이트 신청이면 거절하려고 했는데.

이거 너무 철벽 방어 아닙니꺼?

감사의 표시면 빕스나 아웃백 어때요?

아, 좋지요.

태수는 수화기를 오른손으로 바꾸어 쥐고 왼손으로 창문을 내렸다. 써느런 바람이 불어와 차 안의 답답한 공기를 날려 보냈다.

그런데 무령에 패밀리 레스토랑이 있습니꺼?

이 망할 놈의 촌구석에 그런 게 있겠습니꺼?

그럼 어쩌죠?

창원이나 양산으로 가야죠. 차 끌고 가면 금방인데, 뭐.

그렇네요. 운전은 제가 하겠습니더.

아니요. 그냥 기프티콘으로 주세요. 먹는 건 제가 알아서 따로 먹을게요.

아, 그런 거였습니꺼?

데이트 신청이 아니고 감사의 표시라면서요.

그거는 그렇죠.

그라믄 그냥 기프티콘으로 달라고요.

지금 바꾸면 안 됩니꺼?

뭘요?

데이트 신청으로.

거절할게요.

지나 씨, 제가…….

전화가 뚝 끊겼다. 태수는 뺨에서 휴대폰을 떼고 검게 변한 액정을 보며 쓴웃음을 지었다. 목덜미에 닿는 겨울 공기가 차가웠다.

뭐가 잘 안되나?

태수는 뒤에서 들려오는 말소리에 사이드미러를 쳐다보았다. 기천파출소장 손정길 경감이 경찰 점퍼의 지퍼를 목까지 잠근 채 싸리비를 들고 구부정한 자세로 걸어왔다.

태수는 수첩을 닫아 조수석에 던져두고 차에서 내렸다. 손 경감은 쓱쓱 소리를 내며 파출소 마당을 두어 번 비질했다. 바짝 마른 상수리나무 이파리 하나가 공중으로 떠올랐다가 핑그르르 돌며 바닥으로 떨어졌다.

잘 계셨습니꺼?

요새 자주 보네.

소장님, 혹시 이런 사람 봤습니꺼?

태수는 주머니에서 황 검사의 사진을 꺼내 손 경감에게 보여주었다. 정길은 사진 속 남자를 찬찬히 살펴보고 나서 고개를 가로저었다.

용의자 얼굴이가?

아닙니더.

그라믄?

그냥 개인적으로 찾고 있는 사람입니더.

돈 빌려줬나?

아닙니더.

그라믄 뭐 할라고 찾노?

다음에 말씀드리겠습니더. 그나저나 소장님, 제가 방금 이상한 말을 하나 들었습니더.

무슨 말?

다섯 명이 입에 흙을 물고 죽었다고요.

영국분식?

네.

신경 쓰지 마라. 영감탱이 그거는 술만 들어가믄 그 소리다.

누가 죽었습니꺼?

이 동네에 옛날부터 내려오는 소문이 하나 있다. 사십 년 전에, 저기 양수발전소 지을 때 굴착 작업하다가 흙이 무너졌는데, 매몰된 인부들을 고마 산 채로 묻어뿟다꼬.

진짭니꺼?

낸들 아나? 그냥 괴담 비스무리한 긴데.

태수는 고개를 끄덕이며 황 검사의 사진을 접어 다시 주머니에 넣었다.

소장님, 요 근처에 모텔 있지요?

정길이 오른손 검지를 들어 산을 가리켰다. 들판을 가르며 쭉 뻗은 길 너머로 겨울 산과 창백한 하늘이 만나 울룩불룩한 경계선을 그리고 있었다.

저기 중경천 너머 양수발전소 홍보관 조금 지나면 삼거리 나온다. 거기서 오른쪽 샛길로 빠지면 무인 모텔 큰 거 있다. 가다가 보면 아마 도로에서도 보일 거다. 시커먼 건물 세 개가 나란히 있다. 길가에 간판도 크게 달려 있고. 나는 못 가봤는데 가본 사람 말로는 시설 죽여준단다. 물침대도 있다더라.

인터넷에는 모텔 세 개 있는 걸로 나오던데.

그게 다 하나다. 건물이 세 개로 분리되어 있는 거지. 규모가 꽤 크다. 나중에 여자 생기면 같이 가봐라.

알겠습니더.

유 경장은 고마 포기하고.

다 들었습니꺼?

태수는 손등으로 코를 닦았다.

가시나 그거는 애당초에 글러 먹었다. 지 형사 안 시켜줬다고 술 묵고 우리 집에 찾아와서 온갖 행패를 다 부리고……. 내 참, 남세스러워서…….

두 분 무슨 일이 있었습니꺼?

아니다. 니는 알 거 없다. 아무튼 내가 보기에 유 경장 그거는 시집가기 글렀다. 핏줄 자체가 고구려 사람이라……. 말 타고 칼 차고 북벌에 나서야 아마 성이 차지.

그래도 나름대로 매력 있다 아닙니꺼.

니 눈에 그라믄 열심히 해보든지.

정길은 휘적휘적 걸어서 파출소로 들어갔다. 태수는 차에 올라 시동을 걸었다.

차갑고 딱딱한 김밥을 씹으며 가느다란 이차선 도로를 달렸다. 앙상한 가로수 너머 누런 논에는 군데군데 눈 녹은 물이 작은 웅덩이를 이루어 햇살을 반사했고, 이따금 말라붙은 부검지가 앞유리에 붙었다가 날아갔다. 맞은편에서 흙으로 칠갑을 한 소형 포클레인 한 대가 차체를 덜덜 떨며 도로 위를 기어오는 모습이 보였다. 산에서 무덤 자리를 파고 내려오는 길일 터였다. 태수는 조심스럽게 포클레인을 스쳐 지난 다음 사이드미러를 힐끗 쳐다보았다. 포클레인이 내뿜은 새카만 연기가 공중에 걸려 있었고, 검은 아스팔트에는 노란 헤링본스티치 모양의 바퀴 자국이 길게 이어졌다.

얼마 지나지 않아 길이 굽었다. 나뭇가지 사이로 멀리 손 소장이 말한 건물이 보였는데, 검은 컨테이너 세 개를 일정 간격으로 늘어놓은 듯한 모양이었다. 가까이 다가갈수록 건물의 창문이 선명하게 드러났다. 길이 갈라지는 지점에 설치된 스위트 무인텔이라고 적힌 분홍색 입간판을 본 태수는 오른쪽으로 방향을 틀어 일차선 아스팔트 도로로 진입했다. 모텔 앞에 차를 세우고 마지막 김밥을 삼킨 다음 알루미늄박을 손으로 구겨 조수석에 던졌다.

차에서 내린 태수는 그 자리에 서서 유심히 모텔 외관을 살폈다. 검은 인조 대리석을 붙인 건물 외벽에 하늘이 반사되어 밝게 빛났다. 세 개의 건물은 모두 똑같은 이 층 구조였는데, 일 층은 차고이고 이 층은 객실인 모양이었다. 투숙객이 종업원이나 다른 손님들과 대면할 일이 없도록 차고에 차를 집어넣은 다음 곧바로 안에 있는 무인 정산기에 결제하고 이 층으로 올라가는 시스템인 듯했다. 일 층 차고의 셔터들 중 절반 정도는 열려 있었는데, 셔터가 올라간 곳은 모두 공간이 비어 있었고, 나머지 절반은 이미 투숙객이 있는 듯 셔터가 내려져 있었다. 월요일 한낮에 이곳을 찾는 손님들을 떠올리며 태수는 괜히 바지 위로 사타구니를 한 번 긁었다.

건물 한쪽 끝에 작은 인터폰이 달려 있었다. 태수는 그곳으로 걸어가 단추를 눌렀다. 딸깍 소리가 나더니 뒤이어 여자 목소리가 흘러나왔다.

무슨 일입니까?

경찰서에서 나왔는데, 뭐 좀 물어보려고 합니더.

경찰서요?

네. 혹시 여기 주차된 차들을 좀 볼 수 있을까요?

프라이버시 때문에 안 되는데…….

수사에 협조 좀 해주이소.

찾고 있는 차가 뭔데요?

은색 소나타. 허 넘버 달린 차요.

잠깐만 기다려보소.

수화기를 내려놓는 듯 다시 딸깍 소리가 났다. 태수는 하늘을 올려다보며 기다렸다. 잠시 후 건물 한쪽에 붙은 여닫이문이 열리면서 자그마한 여자가 나타났다. 화장기 없는 얼굴에 긴 생머리를 뒤로 질끈 묶었고, 목이 늘어난 감색 울 스웨터와 해진 청바지를 입고 있었다. 나이는 사십 대 초중반으로 보였다. 두꺼운 양말에 고무 슬리퍼를 신은 여자가 종종걸음으로 태수에게 다가왔다.

경찰이라고요?

태수는 주머니에서 경찰 신분증을 꺼내 보여주었다. 여자는 신기한 물건이라도 들여다보듯 신분증을 살펴보더니 다시 태수에게 돌려주었다. 태수는 주머니에서 황 검사의 사진을 꺼내 여자의 눈앞에 들이밀었다.

혹시 이런 사람 보신 적 있습니꺼?

여기 우리는 얼굴 못 봐요. 그냥 청소만 해요. 시시티브이가 있긴 한데 얼굴은 안 나오게 맞춰져 있어요. 주인은 그거 조절해서 얼굴 보이도록 할 수 있는데, 우리 직원들은 비밀번호를 몰라서 조절을 못해요.

여자의 말투는 무령 사투리가 아닌 연변 사투리였다.

그러면 차만 좀 볼 수 있겠습니꺼?

볼 거 없어요. 은색 소나타가 한 대 있어요.

어디요?

여자가 가장 안쪽 건물을 손가락으루 가리켰다.

저기 삼천삼 호실이요. 오늘 열한 시까지 방을 비워줘야 하는데, 사람이 없어요. 차도 짐도 놔두고 사람이 없어요. 신고를 해야 하나 좀 더 기다려봐야 하나 그러고 있었어요.

가봅시더.

태수는 여자의 뒤를 따라 건물 사이로 들어갔다. 안쪽에서 세 번째 차고의 셔터가 열려 있었는데, 그 안에 은색 소나타가 주차되어 있었다. 차량번호는 62허4412. 태수는 차고 안으로 들어가 운전석 문손잡이를 당겨보았다. 잠겨 있었다. 손으로 그늘을 만들어 차창 안을 들여다보니 뒷좌석에 나이키 상표가 커다랗게 박힌 검은 더플백이 하나 놓여 있었다.

이 사람, 언제 투숙했죠?

토요일 밤에 왔어요. 숙박을 끊고 들어왔는데, 퇴실할 때 다시 결제해서 하루를 연장했어요. 그래서 오늘 오전에는 방을 비워줘야 하는데, 사람이 안 보이네.

방 안에 좀 들어가볼 수 있을까요?

진짜 경찰 맞지요?

의심스러우면 지금 무령경찰서에 전화해서 확인해보이소. 형사계 진태수 경장입니더.

여자는 앙다문 입술에 힘을 풀고 차고 안으로 들어가 이 층으로 연결된 계단을 올라갔다. 태수는 여자의 뒤를 따라갔다. 여자는 주머니에서 파란색 플라스틱 카드를 꺼내 철문에 설치된 전자식 자물쇠에 가져다 댔다. 삐빅 소리와 함께 자물쇠가 풀렸다. 여자가 문을 열자 현관 천장에 달린 센서 등에 불이 들어왔다. 여자는 문을 잡고 비켜서며 태수에게 고갯짓했다. 태수는 객실 안으로 성큼 들어섰다.

15

태수는 현관의 센서 등 불빛에 의지해 내부를 둘러보았다. 꽤 깔끔했다. 커다란 더블베드의 이불은 전혀 구겨져 있지 않았지만, 길쭉한 흰색 인조가죽 소파 위에는 회색 양말 한 짝이 뱀 허물처럼 널브러져 있었다.

현관 등이 자동으로 꺼졌다. 내부가 다시 어둠에 잠겼고, 복도에서 새어 들어온 빛만이 현관문 앞에 노란 사각형을 드리웠다. 태수가 벽을 더듬어 스위치를 눌렀지만 불이 들어오지 않았다. 뒤따라 들어온 여자가 카드를 꽂자 천장 한가운데 설치된 간접 조명에 불이 들어왔다.

태수는 바닥에 깐 연갈색 테라초와 원목 무늬 벽지 그리고 전면이 유리로 된 욕실을 찬찬히 둘러보았다. 소파 앞 테이블 위에 빈 맥주 캔 두 개와 종이 몇 장이 놓여 있었고, 욕실 문 앞 바닥에는 흰색 목욕 가운이 널브러져 있었다. 마치 가운을 입고 있던 사람이 갑자기 증발해버린 듯했다.

태수는 침대를 바라보며 혼잣말처럼 중얼거렸다.

물침대는 없네요.

물침대 방은 비싸요.

여자의 말에 태수는 점잖게 고개를 끄덕였다.

스페셜 룸은 전부 에이 동에 있어요. 거기는 물침대도 있고 거울방도 있고 감옥도 있어요.

감옥이요?

쇠창살 있는 방이요. 인기 좋아요. 예약 밀려 있어요.

사장님이 장사를 잘하시네요.

창원 사람인데 수완이 좋아요. 내년에는 학교 만들 거라고 하더라고요.

그것도 좋아하는 사람 꽤 있겠네요.

나는 진짜 우리 사장님 존경해요. 교복도 만들 거래요. 어르신들 교복 한번 입혀드리고 싶다고.

사장님 취향이 대단하신데요.

여자가 입을 닫고 태수를 쳐다보며 두 눈을 깜빡였다. 그러더니 제법 크게 소리를 내며 웃었다.

아, 오해하셨구나. 그게 아니고 진짜 학교를 만든다고요. 노인들을 위한 대안학교. 어려서 가난 때문에 학교를 제대로 못 다닌 어르신들이 많잖아요. 그런 분들 돌아가시기 전에 중학교 졸업장도 따고 하시도록요. 사장님 말이, 지저분하게 벌지만 좋은 데 쓰고 싶다고 하더라고요.

태수는 민망한 미소를 감추며 재빨리 진지하고도 근엄한 어투로 말을 돌렸다.

혹시 여기서 뭔가 손댄 것 있습니까?

아니요. 아무것도 손댄 건 없어요.

태수는 욕실로 가서 문을 열어 보았다. 샤워기 앞 거울에 희미한 비눗물 얼룩이 남아 있을 뿐 바닥과 벽의 물기는 말라 있었다. 태수는 쪼그려 앉아 수챗구멍을 유심히 들여다보았다. 금속 거름망에 빳빳한 검은 털이 엉겨 붙어 있었지만, 그 외에 특별한 흔적은 없었다.

욕실에서 나온 태수는 소파와 테이블 쪽으로 다가갔다. 테이블 위에 놓인 흰 종이에는 무언가가 인쇄되어 있었는데, 영어로 된 논문 같았다. 태수는 까막눈이나 다름없는 영어 실력이 들통나지 않도록 첫 장을 집어 들고 유심히 읽는 척했다. 놀랍게도 아는 단어가 있었다. Bitcoin.

태수는 마술사가 트럼프 카드를 늘어놓듯 테이블 위의 종이들을 가볍게 옆으로 밀어 펼쳤다. 빽빽하게 영어가 인쇄된 종이가 모두 아홉 장이었고, 맨 마지막 종이에는 디지털 패턴이 찍힌 네모난 형상이 여러 개 인쇄되어 있었다. 기프티콘 같은 걸 주고받을 때 쓰는 큐아르 코드였다.

태수는 주머니에서 스마트폰을 꺼내 큐아르 코드 인식 앱을 실행한 후 카메라로 종이 위의 네모 칸을 촬영했다. 휴대폰 화면에 인식을 마쳤다는 표시가 나타났지만, 이상한 문자열만 잔뜩 뱉어낼 뿐이었다.

저기요.

뒤에서 여자가 태수를 불렀다. 돌아보니 여자가 초조한 표정으로 휴대폰을 들여다보고 있었다.

혹시 이 사람이 살인자나 뭐 그런 거예요?

아니요. 그런 건 아닙니다.

지금 청소하러 가봐야 하는데, 이거 방은 어떻게 해요? 방값을 안 내서 원칙대로 하면 치워야 하는데.

일단 치우지 말고 이대로 놔두이소.

방값은요?

방값이 얼만데요?

대실? 아니면 숙박?

태수는 잠시 고민하다가 수첩에서 명함을 한 장 꺼내 여자에게 건넸다.

방값은 우쨌든 제가 알아서 해결해드리겠습니더.

명함을 받아쥔 여자의 표정이 한결 가벼워졌다.

그러면 저는 좀 가볼게요.

네. 가서 일 보이소.

여자는 현관에서 신발을 신고 문을 열어둔 채 밖으로 나갔다. 차고로 통하는 계단을 내려가던 여자가 갑자기 걸음을 멈추고 태수를 향해 몸을 돌렸다.

형사님 생각도 괜찮은 것 같아요.

뭐가요?

학교요. 사장님한테 한번 말해볼게요.

여자는 의미심장하게 웃으며 재빨리 계단을 내려가 자취를 감췄다.

태수는 수첩에서 고유림 검사의 명함을 꺼냈다. 휴대폰에 번호를 입력하고 통화 버튼을 눌렀다. 신호가 두 번 울리고 나서 낭랑한 여자 목소리가 흘러나왔다.

네, 진 경장님. 뭐 좀 찾으셨어요?

어? 제 번호인 줄 어떻게 아셨습니꺼?

미리 저장해놨어요. 쓸데없는 말 그만하고. 뭔가 좀 찾아내셨어요?

일단 한 가지 좀 여쭤봅시더. 사라진 황유석 부장검사라는 분이 혹시 비트코인과 관련해서 뭔가 얽혀 있습니꺼?

벌써 찾아낸 거예요?

반응 보니까 맞나 보네요. 사람은 아직 못 찾았고, 머무는 숙소랑 차는 찾았습니더.

숙소가 어디예요?

스위트 무인텔이라는 곳인데 무령 양수발전소 근처에 있는 곳입니더.

지금 거기 있어요?

네.

음……. 늦어도 이십 분 안에 도착할 수 있어요. 거기 꼼짝 말고 기다려요.

알겠습니더.

태수는 도마뱀처럼 씩 웃으며 전화를 끊었다. 그러고는 코트와 양복의 앞 단추를 풀고 소파에 앉아 등받이 깊숙이 몸을 파묻었다. 소파는 푹신했다.

태수는 다시 전화를 걸었다. 이번에는 강모였다. 하지만 신호음만 계속 울릴 뿐, 강모는 전화를 받지 않았다. 태수는 전화를 끊고 형사계장 김한수 경감에게 전화를 걸었다.

반장님, 저 태숩니더.

그래. 무슨 일이고?

황 검사가 머무는 모텔을 찾았습니더.

진짜? 이야, 어떻게?

별거 있습니꺼. 발로 뛰었지요.

니 인마 타고난 형사네.

한수가 껄껄대며 웃었다.

태수야, 빨리 고 검사한테 연락해줘라.

벌써 전화했습니더.

그래, 잘했다. 그라고 태수야.

네.

니도 잘 알겠지만, 이번의 이 대단한 성과는 우리 무령경찰서 형사일팀 전원의 일치단결한 노력의 결과임을 고 검사에게 잘 주지시키기 바란다.

걱정 마이소. 우째 백숙은 맛이 있습니꺼?

백숙은 비싸서 못 시켰다. 둘이 먹기에는 양도 많고 비싸더라. 그냥 비빔밥이나 한 그릇씩 먹고 있다. 다음 주에 다 같이 와서 백숙이나 묵자. 닭이 아니고 오리백숙이란다.

알겠습니더.

그래. 또 무슨 일 있으면 전화하고.

네. 맛있게 잡수이소.

태수는 휴대폰을 테이블에 올려놓은 후 두 팔을 소파 등받이에 걸치고 다리를 꼬았다. 흰 와이셔츠의 가슴팍이 팽팽하게 당겨지자 젖꼭지 자국이 볼록하게 튀어나왔다. 태수는 넥타이를 허리띠 버클까지 일직선으로 내려가도록 정리한 다음 그 상태로 앉아 감옥이 어떤 곳일지 상상했다. 검은 쇠창살, 천장에서부터 늘어진 쇠사슬, 수갑과 족쇄, 가죽 채찍과 회초리, 검은 가로줄 무늬 죄수복, 나무로 만든 형틀 같은 것들이 떠올랐다. 태수는 불룩해지는 아랫도리를 내려다보며 혼자 실실 웃었다. 그러다가 문득 고개를 쳐들고 손가락을 튕겨 딱 소리를 냈다.

태수는 휴대폰을 들고 테이블 위 종이에 인쇄된 큐아르 코드 사진을 찍었다. 그런 다음 그 사진을 유지나 경장에게 전송하고 문자를 덧붙였다.

감사의 표시입니다.

잠시 후 지나에게서 답장이 왔다.

뭐예요? 그런데 이거 깨진 것 같아요. 제 핸드폰이 인식을 못 하는데 한 번만 다시 보내줘요.

태수는 문자를 보며 혼자 낄낄거린 다음 답장을 보냈다.

인식이 안 되면 할 수 없죠. 저랑 같이 가셔야 할 것 같아요.

문자를 전송하고 몇 초 지나지 않아 알람음이 울렸다.

혼자 드세요.

태수는 고개를 절레절레하며 휴대폰을 소파에 툭 던졌다. 그러고는 테이블 위에 놓인 리모컨으로 텔레비전을 켰다. 스피커에서 남자와 여자의 거친 신음이 흘러나왔고, 그와 동시에 화면에도 불이 들어왔다.

톱 앵글에서 촬영된 영상으로, 한 남자가 벌거벗은 채 침대에 묶여 있었고, 어떤 여자가 그 남자의 얼굴 위에 올라타 있었다. 남자의 얼굴은 여자의 엉덩이에 가려져 보이지 않았고, 여자는 얼굴에 은색 가면을 쓰고 있었다. 완전한 나체 상태인 남자와 달리 여자는 그래도 몸에 걸친 게 하나 있었는데, 무릎까지 오는 검은 가죽 장화였다. 여자는 자신의 음부를 남자의 입에 문지르다가 남자 위에 거꾸로 엎드렸다. 그러고는 남자의 늘어진 뱃살 아래 검은 음모 사이로 손을 뻗어 발기된 성기를 잡았다. 여자가 남자의 성기를 위아래로 흔들기 시작하자 남자가 욕설과 신음을 내뱉으며 허리를 꿈틀거렸다. 이윽고 여자가 천천히 다리를 펴면서 일어섰다. 여자가 체위를 바꾸기 위해 남자의 하체 쪽으로 이동했고, 그러자 여자의 엉덩이에 가려져 있던 남자의 얼굴이 카메라에 비쳤다. 수염을 바짝 깎아 광을 낸 듯 반들반들한 뺨과 짙은 눈썹, 완전히 풀린 두 눈.

흰자위를 드러낸 남자는 침을 흘리며 이성을 잃은 채 계속해서 교성을 질러댔다.

태수는 영상 속 남자의 얼굴에서 눈을 떼지 못한 채 리모컨을 손에 들고 천천히 소파에서 일어섰다.

16

태수는 리모컨을 눌러 텔레비전을 껐다. 갑작스러운 정적이 찾아들자 방 안의 모든 공기가 한순간 얼어붙는 듯했다. 대형 엘시디 텔레비전의 검은 화면에 태수의 얼굴이 흐릿하게 반사되었다.

태수는 텔레비전 옆 디브이디 플레이어의 작은 버튼을 눌렀다. 짤까닥 소리와 함께 기계가 둥근 원반을 뱉어냈다. 태수는 뒷주머니에서 손수건을 꺼낸 다음 지문이 묻지 않도록 손수건으로 디브이디를 감싸 잡고 꺼냈다. 은색 윗면에는 제조사 마크만 인쇄되어 있을 뿐 아무것도 적혀 있지 않았다. 태수는 디스크를 조심스럽게 테이블 위에 내려놓았다.

열린 문을 통해 엔진음이 희미하게 들려왔다. 태수는 신발을 신고 밖으로 나갔다. 계단을 통해 일 층으로 내려가니 어두컴컴한 차고의 열린 셔터를 통해 바깥 풍경이 영사막 위의 한 장면처럼 펼쳐졌다. 곧이어 하얀 스포츠카가 늦은 오후의 싱그러운 햇살을 받으며 그 장면 안으로 들어와 멈추었다. 시동이 꺼지고 고유림 검사가 운전석에서 내렸다. 유림은 쓰고 있던 선글라스를 벗어 운전석에 툭 던지고 문을 탕 소리가 나도록 세게 닫았다.

태수가 차고 밖으로 걸어 나와 손차양으로 눈 위에 그늘을 만들었다.

빨리 오셨네요.

차가 별로 없어서 밟았어요. 여기예요?

네.

바람이 불어 태수의 코트 자락과 넥타이가 펄럭였다. 또각또각 하이힐 소리를 내며 걸어오는 유림의 발을 따라 검은 그림자가 마치 흐르는 페인트처럼 따라왔다.

태수는 바지 주머니에 손을 찌른 채 유림에게 말했다.

상황이 좀 심각해 보입니더.

상황이 어떤데요?

짐이랑 차는 있는데 사람이 사라졌습니더.

잠깐 산책이라도 나갔겠죠.

그럴 생각이었으면 숙박료를 결제해놓고 나갔겠지요. 오전 열한 시가 퇴실 시간이었는데 그 이전에 나가서 아직 안 돌아온 겁니더. 아무리 봐도 무슨 일이 있지 싶은데.

일단 같이 들어가요. 나도 상황을 좀 봐야겠어요.

태수는 고개를 끄덕이고 먼저 계단을 올라갔다. 두 사람의 발소리가 차고 안으로 탕탕 울렸다. 열린 객실 문을 통해 안으로 들어온 유림이 내부를 빙 둘러보았다.

딱히 짐이라고 할 것도 없네요.

그래도 저라면 절대 남겨 두지 않았을 만한 게 남아 있더라고요.

태수는 소파 앞 테이블로 가서 논문이 인쇄된 종이와 디브이디롬을 가리켰다. 디스크 아랫면에 형광등 불빛이 반사되어 무지갯빛이 맺혀 있었다. 유림이 가만히 다가와 논문 첫 장을 집어 들고 읽기 시작했다. 태수는 유림의 눈동자가 좌우로 움직이는 것을 관찰했다. 읽는 시늉만 하는 게 아니라 진짜 읽는 게 확실했다.

이 시디는 뭐죠?

유림이 테이블 위 디스크로 손을 뻗자 태수가 얼른 유림의 손을 잡아 제지했다.

맨손으로 건드리지 마이소. 시디가 아니고 디브이디입니더. 저기 플레이어 안에 있는 걸 빼낸 겁니더.

안에 뭐가 들어 있는 거죠?

황 검사라는 분이 변태적인 성관계를 하는 장면을 담은 적나라한 영상입니더.

유림은 눈을 내리깔고 이마에 손을 짚었다. 입에서는 긴 한숨이 새어 나왔다.

아무래도 정식 수사로 전환하셔야 하지 않겠습니꺼?

왜 그렇게 생각하시죠?

유림이 편두통에 시달리는 사람처럼 인상을 찡그린 채 한쪽 눈을 치켜떴다.

돌아와야 할 사람이 돌아오지 않고 사라졌습니더. 무슨 일이 있는 거지요. 범죄 혐의도 드러났고.

어떤 범죄 혐의 말인가요?

디브이디. 직접 한번 보이소.

진태수 경장님, 법을 잘 모르시나 본데요. 섹스는 범죄가 아닙니다.

뭐든 약 빨고 하면 범죄죠.

영상 안에 마약 투약 장면도 있나요?

딱히 그건 아니지만, 눈이 완전히 풀렸던데.

누구나 섹스할 땐 눈이 풀려요.

그건 그렇죠.

태수는 유림의 시선을 피하며 뒷머리를 긁적였다.

아! 성관계 장면을 몰래 촬영하는 것도 범죄 아닙니꺼?

몰래 촬영한 필름인가요? 확실해요?

저 같으면 일부러 찍지는 않았을 만한 영상이더라고요. 직접 보시면 압니더.

지금 저랑 같이 저걸 보자는 말이에요?

절대 그런 뜻이 아닙니더. 오해하시면 곤란합니더.

진태수 경장님.

네.

앞으로 확실한 사실 외에는 어떤 추측도 입 밖에 내지 마세요. 아시겠어요?

네.

그리고 지금부터 이 일에서 손을 떼고 관심도 끄세요. 여기서 본 것도 싹 다 잊어버리세요. 할 수 있겠어요?

그래도 저희 관내에서 뭔가 일이 벌어졌는데, 형사로서…….

검찰에서 수사하겠습니다. 됐죠?

그렇게 말씀하신다면 딱히 할 말은 없습니더.

이 디브이디에 대해 아는 사람이 진 경장님 외에 또 누가 있죠?

저 말고는 없습니더.

다른 팀원들은요?

아직 모릅니더.

그럼 앞으로 여기서 보고 들은 뭔가에 대해 밖에서 말이 나돌면 진 경장님이 흘린 것으로 간주하겠습니다. 그리고 만에 하나 그런 일이 벌어지면, 대한민국 검사로서 제가 할 수 있는 모든 공적인 수단과 사적인 수단을 총동원해서 진 경장님에게 응분의 책임을 묻겠습니다. 알아들었어요?

말만 들어도 무섭네요.

현장은 지금부터 제가 인수하겠습니다. 당장 돌아가세요. 가서 잊어버리세요.

유림이 팔을 곧게 뻗어 검지로 출입구를 가리켰다. 태수는 몸에 실이 달린 꼭두각시처럼 어깨를 한 번 으쓱했다.

잊어버리는 거야 제 전문이죠.

태수는 현관으로 가서 구두를 신었다. 그러고는 유림을 정면으로 바라보며 코트의 앞 단추를 단정하게 채웠다.

또 필요한 것 있으면 언제든 말씀하이소.

유림이 씁쓸하게 미소 지었다.

고마워요. 그리고 이해 좀 해줘요. 민감한 일이라서 그래요.

아, 그리고 이건 꼭 말씀드려야 하는데.

뭔데요?

요번의 이 빠른 조치는 저희 무령경찰서 형사일팀 전원의 일치단결한 노력으로 일구어낸 성과입니더.

재미있는 분이네요. 빨리 꺼져요.

태수는 발길을 돌려 천천히 건물을 빠져나왔다. 서쪽 하늘이 불그스름하게 물들어 가고 있었다. 크랜베리 주스를 머금은 탈지면처럼, 뜬구름 아랫부분이 노을에 젖어 묵직해 보였다. 콘크리트 바닥에 건물 그림자가 그리는 긴 직선을 내려다보며 태수는 빛과 그늘의 경계선을 따라 걸었다. 구두 한쪽은 어둠 속에서 다른 한쪽은 햇살 속에서 서로 다른 휘도로 광택을 발했다.

태수는 세워둔 차로 돌아와 차 키의 버튼을 눌렀다. 차 앞유리에 진홍빛 태양이 클레이 사격용 표적처럼 동그랗게 맺혀 있었고, 차 너머로 펼쳐진 논에는 붉은 면사보를 드리운 듯 노을빛이 가득했다. 멀리 논길 옆에는 하얀 비닐로 포장한 건초 더미가 거대한 마시멜로처럼 놓여 있었다. 태수는 차에 올라타 시동을 걸고 경찰서로 향했다.

시골길을 달리는 동안 태양이 산 뒤로 가라앉으면서 사방이 붉게 물들었다가 마침내 어두워졌다. 산길을 돌아가는 자동차들은 전조등 빛을 길게 앞으로 뻗으며 심해를 탐험하는 잠수정처럼 느리게 나아갔고, 산 아래 평지에서는 노란 쐐기 모양의 자동차 불빛들이 도로를 따라 직선으로 움직였다. 지방도를 따라 드문드문 늘어선 인가의 네모난 창문들도 내려다보였다. 과속방지턱을 넘는 붉은 미등의 급격한 출렁임과 언뜻 스쳐가는 도로 위의 검은 스키드 마크를 보며 태수는 무언가를 잊는다는 것에 대해 생각했다. 이 고장에서는 다들 태수에게 무언가를 잊으라고 요구하는 듯하지만, 아무것도 잊지는 못한다. 도로변 전신주를 따라 전깃줄이 끝없이 이어졌다. 잊고 싶어도 잊지 못하는 가느다란 기억들처럼.

차창 밖으로 검은 소나무 줄기와 상습결빙구간 표지판과 미끄럼주의 표지판이 스쳐 지나갔다. 움푹 꺼진 산비탈을 타고 흘러내린 토사 사이로는 깨진 암석이 뼈처럼 드러나 있었고, 제멋대로 휘어지는 도로는 전조등 불빛 너머 깊은 어둠 속에서 끝없이 생겨나는 듯했다.

읍내 초입에서 신호를 받고 횡단보도 앞에 정차한 태수는 넥타이를 느슨하게 풀고 목 아래 첫 단추를 끌렀다. 보행자용 신호등의 청신호가 깜빡거렸다. 그 리듬에 맞춰 핸들 위에 올린 태수의 손가락도 까딱거렸다. 뚱뚱한 여자가 웰시 코기처럼 다리가 짧은 잡종견을 데리고 건널목을 지나는 모습이 보였다. 줄에 묶인 개가 빠르게 앞으로 나아가자 가느다란 쇠사슬이 팽팽해지며 직각삼각형을 그렸고, 목이 당긴 개는 다시 여자 쪽으로 돌아갔다. 태수는 불법 유턴을 해서 경찰서가 아닌 집으로 향했다.

골목으로 차머리를 집어넣자 태수의 집 대문 앞을 서성이는 검은 실루엣이 시야에 들어왔다. 파카 후드를 덮어쓴 채 대문 너머를 기웃거리던 녀석은 헤드라이트 불빛이 몸에 닿자 재빨리 몸을 돌려 골목 안쪽으로 달아났다. 태수는 천천히 차를 몰아 집 담벼락에 바짝 붙여 주차했다. 운전석 문을 열고 밖으로 나오니 텅 빈 골목을 울리던 발소리는 이미 사라지고 없었다. 태수는 콧마루를 실룩였다. 희미한 숲 향기가 났다.

17

대문 안으로 들어온 태수는 뻑뻑한 자물쇠를 돌려 철문을 잠갔다. 담벼락 위에 박힌 색색 유리병 조각들이 가로등 빛을 받아 초록색과 갈색 그리고 흰색으로 빛났다. 머리 위에는 총알구멍이 점점이 뚫린 검은 하늘이 펼쳐져 있었다. 태수는 부엌을 통해 집 안으로 들어가 불을 모두 켜고 보일러를 틀었다. 안방에는 현주가 누웠던 이부자리가 어제 그 모양 그대로 일그러져 있었다. 솜이불의 하얀 안감이 굳은 석고 같았다.

태수는 양복을 벗고 검은 운동복으로 갈아입은 다음 검은색 가을 점퍼를 꺼내 입고 가죽 장갑을 손에 꼈다. 그러고는 조용히 안방을 나와 부엌 안쪽의 알루미늄 새시로 된 쪽문을 열었다. 오래 건드리지 않은 문이라 잠금장치 손잡이에서 녹이 묻어 나왔다. 문을 열자 담벼락과 건물 외벽 사이의 좁은 공간이 나타났다. 한 사람이 겨우 빠져나갈 수 있을 만한 폭으로, 그 안에는 쓰고 남은 슬레이트 조각들과 비바람에 엉겨 붙은 신문지 더미, 커다란 돌, 시멘트 블록, 깨진 빈 병, 담배꽁초와 비닐봉지 따위가 지저분하게 널려 있었다.

태수는 담과 벽 양쪽을 번갈아 디디며 손쉽게 담을 넘어 건너편 골목으로 뛰어내렸다. 킁킁거리며 냄새를 맡고 다니는 늙은 개 한 마리를 제외하면 인적은 없었다. 태수는 골목 안쪽으로 조용히 걸어 한 블록을 돌아 다시 대문이 있는 골목으로 나왔다. 대문 앞을 기웃거리는 검은 그림자가 보였다.

태수는 테러범에게 접근하는 특공대 요원의 능숙한 솜씨로 그늘에 몸을 숨긴 채 발소리를 내지 않고 조용히 다가갔다. 검은 파카로 몸을 꽁꽁 감싼 목표물의 바로 등 뒤까지 접근한 태수는 상대의 어깨에 손을 올렸다.

현주 씨, 여기서 뭐 합니꺼?

현주는 악, 하고 비명을 지르며 그 자리에 주저앉았다. 태수는 황급히 현주를 부축했다. 곧 울 것처럼 인상을 찡그린 현주의 얼굴은 구겨놓은 백지처럼 하얗게 질려 있었다.

아, 놀랐잖아요.

미안합니더. 일어나이소.

현주는 태수의 부축을 받아 다리를 후들거리며 일어섰다. 후드를 벗은 현주의 눈에 눈물이 그렁그렁 걸려 있었다.

왜 사람을 놀라게 하고 그래요?

미안합니더. 그러게 왜 남의 집을 몰래 기웃거립니꺼?

그냥 한번 봤어요. 잘 있나 싶어서.

그런데 왜 도망을 칩니꺼?

나는 그냥…….

현주가 고개를 숙인 채 손으로 입을 가리고 서럽게 울기 시작했다. 태수는 눈가를 찌푸리며 손을 어깨높이로 올렸다가 내렸다. 흐느끼는 소리가 인적 없는 골목으로 퍼져나갔다. 태수의 손이 조심스럽게 현주의 어깨로 올라갔다. 현주의 체중이 태수의 가슴에 실렸다. 태수는 양팔로 현주의 상체를 감싸 안고 손으로 등을 다독였다. 두 사람의 몸이 맞닿은 부분이 점점 따뜻해졌다.

괜찮습니더. 울지 마이소. 괜찮습니더.

태수의 코에 현주의 체취와 향수 냄새 그리고 희미한 초콜릿 냄새가 와 닿았다. 태수는 사람의 온기와 느닷없는 감정의 격류에 어지러움을 느꼈다. 발밑의 땅이 초콜릿 푸딩처럼 녹아내리고 있었다. 태수는 어디로든 날아갈 수 있다고 생각했다.

현주는 태수의 품에 얼굴을 묻고 그렇게 잠시 울더니 곧 정신을 추슬렀다. 현주가 팔로 태수를 밀어 품에서 떨어져 나왔다.

미안해요. 울어서.

괜찮습니더. 그럴 수도 있지요.

어제는 고마웠어요.

태수는 말없이 고개만 끄덕였다. 현주가 파카 주머니에 손을 찌르며 시무룩하게 말했다.

갈게요.

추우면 들어왔다 가도 됩니더.

아니요. 그냥 갈게요.

그럼 태워다 드릴게요.

아뇨. 괜찮아요. 택시 타고 갈게요.

그게 편하면 그렇게 하이소.

태수는 고개를 숙이고 바닥을 물끄러미 살폈다. 마치 거기에 무언가 흘린 것이라도 있다는 듯.

현주가 코를 한 번 들이마셨다.

제가 여기 왔다는 거 비밀로 해주세요.

알겠습니더. 택시 잡아 드릴게요. 갑시더.

두 사람은 나란히 발을 맞춰 골목을 걸었다. 큰길로 나오자 퇴근하는 차들이 씽씽 달리고 있었다. 태수는 팔을 흔들어 택시를 잡았다. 잠시 후 문짝에 긁힌 자국이 길게 난 은색 택시가 멈추었다. 태수는 뒷문을 열고 옆으로 비켜섰다. 현주는 태수의 얼굴을 한 번 빤히 쳐다본 다음 천천히 뒷좌석에 올라탔다.

조심해서 들어가이소.

현주가 시선을 내리깔고 고개를 끄덕였다. 태수는 탁 소리가 나도록 문을 닫았다. 택시는 배기음과 희미한 휘발유 냄새를 남기고 출발했다. 태수는 멀어지는 택시의 붉은 미등을 바라보며 번호판을 외웠다.

백 미터도 가지 않아 택시가 정지 신호를 받고 건널목 앞에 정차했다. 뒷문이 열리더니 현주가 내렸다. 현주는 택시 문을 닫고 태수를 향해 달려오기 시작했다. 하얀 입김을 뿜으며 뛰어오는 현주의 모습을 태수는 멍청한 눈으로 바라보았다. 가느다란 다리로 힘껏 뛰어온 현주는 태수에게 와락 안겼다. 트럭에 치인 사람처럼 태수의 심장에서 쾅 소리가 났다. 동시에 정수리에서 발끝까지 찌릿한 전류가 수직으로 관통했다. 현주의 차가운 양손이 태수의 뺨을 감싸 쥐었고, 다음 순간 따뜻하고 작은 입술이 태수의 입술에 닿았다. 축축한 숨결이 입과 코에서 흘러나왔다. 태수는 눈을 감고 현주의 입에서 건너온 초콜릿의 맛을 느꼈다. 달콤한 키스는 짧았다. 태수에게서 떨어진 현주는 서둘러 지나가는 택시를 잡았다. 태수는 그 모습을 멍하게 바라만 보았다. 현주는 택시 뒷문을 열고 태수에게 손을 흔든 다음 안으로 들어가 문을 닫았다. 택시는 빠르게 달려 시야에서 멀어졌다.

태수는 비틀거리며 집으로 돌아갔다. 안방에서 얇은 점퍼를 겨울 점퍼로 갈아입고 보일러와 전등을 끈 다음 밖으로 나왔다. 태수는 차에 시동을 걸고 경찰서로 향했다. 앞서가는 차의 뒷좌석에는 두 사람의 머리가 서로 다정하게 기대고 있었다. 창문을 열자 얼음조각이 섞인 듯한 바람이 불어 들어왔다. 태수는 차가운 공기를 깊이 들이마셨다. 그런 다음 날숨을 참으며 기다렸다. 꿈과 불이 한꺼번에 얼어붙기를.

읍내 사거리의 보잘것없는 교통 체증에 떠밀려 속도를 줄였다. 앞차의 배기구에서 피어오르는 하얀 연기를 바라보며 천천히 나아가고 있을 때 휴대폰이 울렸다. 강모였다.

네, 선배님.

태수야, 낮에 그거는 어떻게 됐노? 사람 찾았나?

사람은 못 찾았습니더. 그런데 이제 저희는 신경 꺼도 될 것 같습니더.

왜?

고 검사가 이제부터 검찰에서 알아서 한다고 저보고 그냥 가라더라고요.

그래?

네.

그라믄 니는 지금 어디 있노?

집에서 옷 좀 갈아입고 왔습니더. 야간 당직 서려면 양복 입고는 힘들 것 같아서요. 지금 경찰서로 복귀하는 중입니다. 오 분 뒤에 도착합니더.

오 분?

네.

그라믄 나는 고마 먼저 퇴근하꾸마. 미안한데 저녁은 혼자 묵어라.

알겠습니더. 볼일 있으면 그리 하이소.

그래. 수고하거라.

참, 선배님.

왜?

일요일에 있었던 일 말입니더.

전화기 너머에서 잠깐 불편한 침묵이 흘렀다.

왜?

그때 사고가 크게 났습니꺼?

왜 물어보는데?

그냥…….

태수는 말끝을 흐렸다가 힘겹게 다시 말을 꺼냈다.

사실 그날 현주 씨가 오는 길에 토했거든요. 혹시 머리를 좀 다쳤나 싶어서…….

별일 없었다.

네.

그날 일은 그냥 잊아뿌라.

알겠습니더. 그냥 혹시나 해서 여쭤봤습니더.

전화를 끊은 후 태수는 속도를 높였다. 길모퉁이 휴대폰 판매점 간판에서 하얀 엘이디 전구가 요란하게 깜빡였고, 서점 판유리 안 성탄목 꼭대기에는 베들레헴의 별이 노랗게 빛났다.

삼거리에서 우회전해 다리를 건너자 곧 경찰서 정문이 나타났다. 초소 앞에 서 있던 의경이 태수의 차를 알아보고 경례를 붙였다. 태수는 창문을 열어 손을 흔들어 보이고는 경찰서 앞마당을 지나 건물 뒤 주차장으로 갔다. 차를 세우고 타박타박 걸어 쪽문을 통해 형사과 사무실로 들어갔다. 불 켜진 사무실은 비어 있었다.

태수는 점퍼를 벗어 옷걸이에 건 다음 책상 뒤 의자에 몸을 파묻었다. 현주의 달콤한 침과 촉촉한 입술의 감촉이 아직 남아 있었다. 태수는 눈을 감고 고개를 뒤로 젖혔다. 그러고는 오랜 잠수를 마치고 수면으로 올라온 사람처럼 숨을 길게 들이마셨다. 늘 텅 비어 있던 태수의 몸속에 무언가가 가득 들어찼다. 하얀 포말을 일으키며 밀려오는 파도처럼, 가득 들어찼다가 다시 쓸려나갔다. 태수는 곧 만나게 될 막다른 골목을 눈앞에 그렸다. 부르쥔 태수의 두 주먹이 파르르 떨리면서 관절이 하얗게 변했다. 협심증 환자처럼 심장이 불규칙하게 뛰었다.

시끄러운 전화벨 소리에 태수는 감은 눈을 떴다. 책상 위 내선 전화 수화기로 손을 뻗어 전화를 받았다.

네, 형사계 진태수 경장입니더.

태수 니가 오늘 당직이가? 여기 기천파출소다.

소장님, 무슨 일이십니꺼?

여기 좀 와봐야 되겠는데.

무슨 일인데요?

양수발전소 시설 경비하는 애가 천경호에 뭐가 하나 둥둥 떠 있길래 작대기로 건졌다 카믄서 내한테 들고 왔는데, 이게 가만 보니까 검사 신분증이다.

이름이 뭡니꺼?

황유석.

지금 바로 가겠습니더.

18

태수는 차를 운전해 빠르게 경찰서 정문을 통과했다. 그러면서 고유림 검사에게 전화를 걸었다. 신호음이 두 번 울리기 전에 유림의 음성이 튀어나왔다.

무슨 일이시죠?

혹시 황유석 검사님 찾았습니까?

진 경장님이 왜 신경 쓰시죠? 잊어버리기로 하시지 않았나요?

그건 그런데, 뭔가 중요한 발견이 있어서요.

뭐죠?

양수발전소 상부 저수지에 황 검사님 신분증이 둥둥 떠다니고 있었던 모양입니다. 발전소 시설 경비하는 직원이 건져 내서 파출소에 갖다준 것 같더라고요.

유림은 말이 없었다. 태수는 적막 사이로 희미한 남자 음성을 들었다. 사람들에게 둘러싸여 있는 듯했다.

저는 지금 파출소로 가는 길입니다.

어느 파출소요?

기천파출소요.

아, 네.

검사님은 아직 그 모텔에 있습니까?

네.

아직 황 검사님이 안 나타난 모양이지요?

그런데 진 경장님은 왜 파출소로 가고 계신 거쥬?

관내에서 범죄가 의심되는 상황이 발생하면 당직 형사가 가보는 게 당연하죠.

범죄요?

네.

가실 필요 없어요. 지금 바로 저희 팀이 파출소로 가서 인계받겠습니다.

팀이요?

검찰 수사팀 말이에요. 지금 모텔에 있으니까 바로 파출소로 출발할 거예요. 진 경장님은 이만 신경 끄세요.

태수는 입을 비죽 내밀고 미간을 찌푸렸다. 속도를 줄이고 차를 갓길에 세운 다음 파킹 브레이크를 올리고 안전벨트를 풀었다.

왜 대답이 없어요? 내가 일거리 하나 줄여줬으니 고마워해야 하는 거 아니에요?

검사님, 제가 오지랖 넓게 참견하는 걸 수도 있는데, 만에 하나 황 검사님이라는 분이 어떤 강력 범죄에 연루된 거라면 지금 시계가 재깍재깍 돌아가고 있는 겁니다. 골든타임이라는 게 있다는 말입니다.

진 경장님, 오지랖 넓은 조언 고마워요.

전화가 끊겼다. 태수는 조수석에 휴대폰을 툭 던졌다.

승용차 여러 대가 빠르게 스쳐 지나갔다. 태수는 길게 뻗은 도로를 따라 늘어선 가로등 불빛을 보며 생각에 잠겼다. 저 멀리 건널목 앞에 정지 신호를 받고 멈춰선 차들이 머플러에서 흰 연기를 모락모락 내뿜었다. 왼쪽 차선의 노란 전조등과 오른쪽 차선의 붉은 미등.

태수는 휴대폰을 집어 들고 인터넷에 접속해 황 검사의 프로필을 검색하기 시작했다.

황유석, 사십이 세, 서울중앙지검 범죄수익환수부 소속.

태수는 황 검사에 관한 기사가 있는지도 검색했다. 검색 결과 상단에 검찰 직원들이 단체로 연탄 배달 봉사활동을 했다는 기사가 있었다. 기사에는 기념사진도 첨부되어 있었는데, 얼굴에 탄가루를 묻힌 채 오른쪽 끝에 서서 어색하게 양손을 흔들고 있는 사람이 황 검사였다. 체구는 자그마했다. 이어지는 검색 결과 중 이 년 전 사건에 관한 기사가 있었다. 필리핀 당국과 공조해 인터넷 도박 사이트를 운영하는 일당을 검거했다는 기사였다.

태수는 고 검사의 프로필도 검색했다.

고유림, 삼십칠 세, 창원지검 소속이지만 창원으로 내려온 건 일 년 전이었고, 이전 근무지는 내내 서울과 수도권이었다.

유림에 관한 기사도 검색했다. 국제 학술회의에서 뭔가를 발표해 화제가 되었다는 기사가 있었다. 기념사진 속 유림은 실물보다 훨씬 예쁘게 나와 있었다. 유력 건설사 대표를 구속시켰다는 기사도 있었다. 그 외에도 자잘한 사건 기사들이 있었지만 특히 태수의 눈길을 끄는 것은 없었다.

태수는 손정길 소장의 휴대폰으로 전화를 걸었다. 신호음이 가시고 손 소장의 늙수그레한 목소리가 들려왔다.

여보세요.

소장님, 저 태숩니더.

그래. 얼마큼 왔나?

아마 그쪽으로 고유림 검사라는 분이 갈 겁니더.

검사?

네. 자세한 거는 묻지 마시고요. 그냥 그렇게 되었습니더.

이 시간에 검사가 온다고?

소장님, 검사가 와서 그 저수지에서 건진 신분증 달라고 하면 어떻게 하실 겁니꺼?

주인이면 돌려줘야지.

아마 주인은 아닐 겁니더.

그라믄 원래는 주면 안 되는데.

말하자면, 검찰에서 직접 수사하겠다는 그런 말입니더.

그래도 이게 절차라는 게 있는데……. 파출소에서 본서로, 본서에서 여차하면 검찰로 넘어가야지, 내가 마음대로 내줘도 되는 건가?

소장님께서 저보다 잘 아실 거 아닙니꺼. 작년까지 형사계장 하셨는데.

골치 아픈 거는 딱 질색인데. 나는 고마 조용히 은퇴하고 싶다.

그러면 이래 합시더. 소장님께서 신분증을 가지고 경찰서로 좀 갖다주이소. 소장님께서 경찰서로 들고 가버리는 바람에 서로 엇갈린 거로 하면 되지 않겠습니꺼? 그러면 검사가 경찰서로 찾아올 거고, 필요하면 형사계에서 인수받아 가겠지요. 그러면 일단 소장님한테 골치 아픈 일은 없을 거 아닙니꺼.

태수 니 머리 좋네. 내가 지금 출발할게.

그러면 형사계에서 기다리고 있겠습니더. 그리고 오실 때 휴대폰 꺼놓으십시오.

왜?

안 그러면 아마 검사가 전화해서 차 돌리라고 할 겁니더.

니 말이 맞다.

참, 소장님 저녁 드셨습니꺼?

아직.

짜장면 드실랍니꺼?

나는 짬뽕.

태수는 전화를 끊고 차를 출발시켰다. 텅 빈 사차선 도로에서 불법 유턴을 해 다시 경찰서로 돌아갔다. 차를 주차하고 형사계 사무실에 들어가서 외투를 벗었을 때 휴대폰이 울렸다.

네, 검사님.

진 경장님, 지금 기천파출소에 와 있는데요. 소장님이 유실물을 들고 직접 형사계로 출발하셨다고 그러네요.

그래요? 왜 그러셨지? 그러면 전화해서 다시 돌아가시라고 하죠, 뭐.

통화가 안 돼요. 휴대폰이 꺼져 있어요.

밧데리가 나갔나?

몰라요. 아무튼 일이 꼬이네요.

오시면 다시 파출소로 들고 가라고 할까요?

아뇨. 저희가 지금 경찰서로 출발할게요.

태수는 의자 등받이에 몸을 묻고 책상 위에 두 다리를 올려 쭉 뻗었다.

그러시죠. 저는 상관없습니더.

진 경장님.

네.

혹시 무슨 꿍꿍이가 있는 건 아니죠?

무슨 말씀이신지?

아니에요. 좀 이따 봐요.

네. 기다리고 있겠습니더.

태수는 휴대폰을 책상 위에 내려놓고 양손으로 뒷머리를 받쳤다. 라디에이터의 스팀 소리가 쉭쉭거렸고, 오래된 의자에서는 희미하게 삐거덕 소리가 흘러나왔다.

태수는 책상에서 발을 내리고 중국집에 전화를 걸어 짬뽕 두 개를 주문했다. 그런 다음 비품이 들어 있는 철제 캐비닛으로 가서 문을 열었다. 날카로운 쇳소리와 함께 문이 열리자 아래 칸에 들어 있는 야구방망이와 수갑, 포승줄 따위가 눈에 들어왔다. 태수는 맨 위 칸을 뒤져 분무기와 증류수 그리고 블루스타라는 상표가 붙은 종이상자를 꺼냈다. 분무기 뚜껑을 열고 증류수를 부은 후 블루스타 박스에서 흰색과 베이지색 알약을 꺼내 증류수에 넣었다. 그런 다음 분무기 뚜껑을 닫고 천천히 병을 돌려 알약을 녹였다. 서로 색깔이 다른 두 알약이 서서히 녹아 형체가 없어지자 증류수는 연노랑 액체로 변했다.

태수는 분무기를 책상 위에 내려놓고 의자에 앉았다. 두 무릎에 팔을 받치고 몸을 앞으로 기울인 채 눈을 감았다. 사무실 안의 온기에도 불구하고 몸이 떨려왔다. 태수는 이를 악물었다.

잠시 후, 목 아래에서 깊은 신음을 토해낸 태수는 벌떡 일어나 분무기를 들고 화장실로 뚜벅뚜벅 걸었다. 남자 화장실 문을 열어젖히자 하얀 타일이 깔린 바닥과 소변기가 눈에 들어왔다. 태수는 누렇게 변색한 플라스틱 세면대로 걸어갔다. 물때 낀 수도꼭지 앞에 서서 분무기 뚜껑을 열었다. 내용물을 쏟아버리려고 병을 기울이다가 문득 거울에 비친 자신의 얼굴을 보았다. 희미한 전등불이 두 눈 아래 그늘을 드리우고 있었다. 염소 표백제 냄새와 지린내가 동시에 코끝을 맴돌았고, 환풍기에서 플라스틱 팬이 돌아가는 미세한 소음이 들려왔다. 태수는 분무기 뚜껑을 다시 닫았다.

사무실로 돌아온 태수는 회의용 탁자 위에 분무기를 내려놓고 한숨을 길게 내쉬었다. 그런 다음 주머니에 손을 꽂고 천천히 사무실 안을 걸어 반대편 벽까지 갔다가 되돌아왔다. 슬로모션으로 움직이는 요요처럼, 바닥을 내려다보며 사무실 안을 몇 번이나 왕복했다.

밖에서 희미한 차 소리가 들려왔다. 앙다문 태수의 입술 아래 턱부리가 올록볼록해졌다. 이윽고 형사과 문이 열렸다. 손정길 경감이 경찰 파카 대신 개썰매 경기 선수나 입을 법한 두툼한 파카를 걸친 채 안으로 들어섰다.

이야, 여기는 하나도 안 변했네.

가져오셨습니꺼?

정길이 파카 오른쪽 주머니에서 비닐 봉투를 꺼냈다. 태수는 정길에게서 봉투째 물건을 건네받았다. 검사 신분증은 투명한 플라스틱 보호 케이스 안에 들어 있었고, 보호 케이스와 파란색 목걸이 끈의 연결부에는 자그마한 릴 장치가 달려 있었다. 태수는 지퍼 팩의 입구를 열고 내용물을 회의용 탁자 위에 떨어뜨렸다. 그러고는 분무기를 집어 들었다.

그거 루미놀 아니가?

뒤로 좀 물러나이소.

태수는 정길과 함께 한 걸음 뒤로 물러선 다음 왼쪽 소매로 입과 코를 가리고 오른팔을 쭉 뻗어 신분증 위에 용액을 분사했다. 정길도 파카 목깃을 들어 올려 호흡기를 가리고 눈을 가늘게 떴다. 태수는 분무기를 근처 책상에 내려놓은 후 출입구 옆으로 가서 스위치를 눌렀다. 사무실의 불이 모두 꺼지자 순식간에 눈앞이 암흑으로 변했다. 이윽고 일그러진 빛의 고리가 마치 어둠 속에서 형광막대를 휘저은 잔상처럼 선명히 떠올랐다.

19

태수는 다시 사무실의 불을 켰다. 손정길 경감은 미동도 없이 서서 탁자 위 신분증에 시선을 붙박고 있었다. 정길의 움푹 꺼진 광대뼈 아래로 마른 가죽 같은 살갗이 축 늘어졌고, 양쪽 입꼬리에는 수직으로 주름이 패였다.

태수는 천천히 출입구로 걸어가 문을 연 다음 소화기를 이용해 문을 고정했다. 그런 다음 창문도 두어 개 열어 환기를 시켰다. 방조제 위로 넘치는 물처럼 겨울 냉기가 창턱을 넘어 빠르게 바닥으로 흘러들었고, 창문에 달린 블라인드는 바람에 흔들리며 얇은 금속판 팔랑이는 소리를 냈다. 열린 창문을 통해 거리의 소음이 선명하게 들려왔다. 빠르게 달리는 자동차 배기음이 한순간 밀도를 높였다가 긴 꼬리 같은 잔향을 남기며 사라졌다.

소장님, 어떻게 생각하십니까?

정길은 입을 합죽거리며 잠시 고민했다.

검사가 죽었나?

누구 피인지도 모르지 않습니꺼. 사람 피가 아닐 수도 있고요.

아무튼 골치 아프게 된 것 같은데.

검찰에서 와서 이거 달라고 하면 줘도 됩니꺼?

나도 모르겠다. 정식으로 뭔가 절차를 거쳐야 하는 것 같기는 하다. 안 그라믄 나중에 뒤탈 날 수도 있지 싶은데……. 서류를 하나 받아놓던지.

태수는 두루마리 휴지를 한 칸 뜯어 휴지로 신분증을 감싸 들고 다시 증거수집용 비닐 봉투 안에 넣어 밀봉했다. 그때 열린 문으로 검은 그림자가 뚜벅뚜벅 걸어 들어왔다.

배달 왔습니더.

얼굴이 시커먼 배달원이 철가방을 들고 안으로 들어와 눈을 끔뻑였다. 태수는 손에 든 비닐 봉투를 책상에 내려두고 물티슈로 회의용 탁자 표면을 닦았다. 그런 다음 날짜 지난 신문을 탁자에 깔고 짬뽕과 단무지가 든 그릇을 올렸다. 배달원이 무선 카드 단말기에서 찍찍거리는 소리와 함께 작은 영수증 조각을 출력했다. 철가방 닫는 소리가 철컥하더니 배달원은 빠르게 사라졌다.

일단 드시면서 합시더.

태수와 정길은 탁자에 마주 앉아 짬뽕 그릇을 감싼 투명한 랩을 벗겼다.

니는 우째 루미놀을 뿌려볼 생각을 했노?

자세한 말씀은 못 드립니더.

태수는 묵묵히 나무젓가락으로 짬뽕 건더기를 헤집었다. 얇게

썬 돼지고기, 오징어, 모시조개, 홍합 껍데기, 양배추, 청경채, 목이버섯.

낮에 예쁘장한 여자 검사가 경찰서에 찾아왔었다 카더라만, 그 일인갑지?

벌써 파출소까지 소문이 났습니꺼? 비밀이라고 그랬는데.

이 동네에 비밀이 어디 있노?

태수는 대접을 들고 짬뽕 국물을 들이켠 다음 목에서 캬 소리를 냈다. 정길은 후루룩 소리를 내며 면발을 빨아들였다. 노란 단무지 위에 붉은 방울이 튀었다.

소장님.

왜?

형사는 범죄가 의심되면 일단 수사를 해야 하는 거지요?

당연한 걸 왜 묻노?

수사를 안 하는 게 모두에게 더 좋을 것 같아도 그렇습니꺼?

낸들 아나?

평생 형사 생활 하셨잖습니꺼?

묵고살라고 했지. 월급 받아서 처자식 먹여 살리려고 한 거지. 내한테 어려운 질문은 하지 마라. 니 인생은 니가 알아서 사는 거다.

태수가 나무젓가락을 면발에 수직으로 꽂았다.

소장님, 전부터 궁금했는데요. 왜 저를 굳이 형사계에 집어넣으셨습니꺼?

정길이 태수를 정면으로 바라보며 천천히 턱을 움직여 입속에 든 음식을 씹어 삼켰다.

꼭 알아야 하겠나?

네.

지금까지는 모른 채 잘 지내놓고, 왜?

그냥……. 지금은 궁금합니더.

진실을 말해줄까?

네.

사격 때문에.

네?

사격. 총 말이다.

무슨 말입니꺼?

실제로는 쓸 일도 없는 총……. 아니지. 총을 쓰면 안 되는 거나 다름없지. 권총 한 번 잘못 쐈다가 사람이라도 다쳐봐라. 시말서에, 징계에, 온갖 고초를 다 겪는데 겁이 나서 우째 권총을 쓰노? 그래도 우쨌든 일 년에 네 번씩은 권총 사격 훈련을 하고 결과를 위에다가 보고해야 된다, 이 말이다. 그런데 나이가 드니까 권총 사격할 때 표적을 제대로 못 맞히겠더라. 강모가 근 몇 년째 내 사격을 대신 쏴줬다. 형사계 떠나면서 가만 생각하니까 나만 그런 게 아니라 다른 애들도 벌써 나이가 제법 있더라고. 한수, 남호, 강모. 전부 이제 오십 줄이다. 눈이 침침해지지. 니가 있으면 딱이지 싶더라. 사격 훈련 때 총알구멍 좀 대신 뚫어달라고 하면 그거 하나는 제대로 안 해주겠나?

진짜 그거 때문입니꺼?

왜? 뭐 다른 게 있을 줄 알았나?

적당히 정의롭게 살라면서요.

그렇게 살 거라면서.

네.

사격 대신 쏴주는 것도 엄밀히 말하면 비리지. 안 그렇나?

태수는 나무젓가락으로 면발을 뒤적이며 말이 없었다. 정길은 두루마리 휴지를 뜯어 입가에 흘러나온 짬뽕 국물을 닦았다. 그러고는 흰 휴지에 묻은 붉은 자국을 물끄러미 내려다보았다.

태수야, 경찰 생활을 하다 보면 사람이라는 존재에 대해서 회의감이 들 때가 있다. 다들 자기 능력에 맞춰서 최대한 악하게 사는 게 사람이지 싶을 때가 있거든. 우리 옆집 할마시는 어떤 줄 아나? 우리 집 앞에 우유 보이면 그냥 뜯어서 마시뿐다. 완전 배짱이다. 안 걸리면 그만인 거라. 니나 내나 전부 그래 산다. 형사 생활? 진짜 나쁜 놈 보이면 어떡하든 때려잡고, 안 그라믄 대충 수습하고, 그래 사는 수밖에 더 있나?

저는 잘 모르겠습니더.

뭐를?

그래도 원칙이라는 게 있어야 한다 아닙니꺼.

원칙이 밥 먹여주더나? 특공대 동료들 고발하고 나니까 신이 나더나?

태수는 입만 부루퉁하게 내밀 뿐 말이 없었다. 정길 역시 말이 없었다. 차가운 적막만이 전등 빛 아래에서 형체 없이 얼어붙었다.

잠시 후 태수가 다시 입을 열었다.

그래서 말씀드렸다 아닙니꺼. 이제 적당히 정의롭게 살 거라고. 그런데 문제는 그 적당히, 라는 게 뭔지를 모르겠단 말입니더.

내 툭 까놓고 말해도 되겠나?

말씀해보이소.

태수 니는 고마 이 촌구석으로 도망쳐온 거다. 안 그렇나?

아닙니더. 누가 도망을 칩니꺼?

그때 복도에서 발소리가 울렸다. 태수와 정길은 동시에 고개를 틀어 문 쪽을 돌아보았다. 고유림 검사와 건장한 남성이 나란히 형사과 사무실로 들어왔다. 유림은 낮에 본 옷차림 그대로였고, 동행한 남자는 단정한 양복에 갈색 모직 코트를 빼입고 있었다. 남자의 나이는 삼십 대 중후반으로 보였는데, 키는 유림보다 머리 하나 정도 더 컸다. 각진 턱과 뾰족한 콧날 그리고 작은 눈을 지닌 남자였다.

태수는 휴지로 입을 닦으며 의자에서 일어났다. 정길도 젓가락을 짬뽕에 꽂고 엉거주춤 일어섰다.

유림이 태수를 날카롭게 쏘아보며 물었다.

물건은 어디 있죠?

태수는 책상으로 가서 비닐 봉투를 집어 들어 유림에게 보여주었다.

이겁니더.

주세요.

태수는 유림에게 신분증을 봉투째 건넸다. 정길은 구경 나온 노인처럼 구부정하게 서서 말없이 태수를 쳐다보았다. 유림은 태수의 손에서 냉큼 봉투를 낚아챈 다음 인사도 없이 뒤돌아 나갔다. 유림과 함께 온 남자는 태수와 정길에게 가볍게 묵례한 다음 유림을 따라갔다.

태수는 다시 회의용 테이블로 돌아와 짬뽕 그릇 앞에 앉았다.

드세요. 면 다 불겠습니더.

정길이 마주 앉아 물끄러미 태수의 표정을 살폈다. 태수는 젓가락으로 면을 한 움큼 들어 단번에 입으로 빨아들인 다음 쩝쩝거리며 씹었다. 정길은 가볍게 어깨를 으쓱하고 짬뽕 국물을 들이켰다. 실내에 가득한 냉기 탓에 짬뽕 그릇과 두 사람의 이마에서 모락모락 김이 피어올랐다.

밖에서 차 문이 열렸다가 탁 닫히는 소리가 났다. 잠시 후 복도에 또각또각 하이힐 소리가 울렸고, 이내 유림과 남자가 다시 형사과 사무실에 모습을 드러냈다. 유림이 비닐 봉투를 어깨높이까지 들어 흔들었다.

진태수 경장님! 여기서 왜 빛이 나죠?

태수가 뭐라고 대답하려는 찰나, 정길의 탁한 음성이 먼저 튀어나왔다.

그거 루미놀을 뿌려서 그런 겁니더.

태수는 정길을 한 번 돌아보고 다시 고개를 돌려 유림을 쳐다보았다. 세 사람은 각자 동작을 멈춘 채 입을 닫고 서로를 바라보았다. 이윽고 태수가 엉거주춤 자리에서 일어났다.

이쪽은 기천파출소 소장님입니더. 소장님, 이쪽은 창원지검 고유림 검사님이십니더.

정길은 관절이 녹슨 사람처럼 천천히 일어나더니 늙은 손을 내밀어 유림에게 악수를 청했다.

반갑습니더. 손정길입니더.

고유림입니다.

유림은 미간을 찌푸린 채 성의 없이 악수에 응했다. 유림과 악수를 마친 정길이 흰 곰팡이처럼 까끌까끌하게 돋은 자신의 코밑수염을 손가락으로 한 번 긁었다.

신분증에 혈흔이 있던데, 무슨 일입니꺼?

왜 루미놀 검사를 하신 거죠?

내가 작년까지 형사계장이었습니더. 진 경장이 신참이라서 내가 교육 좀 시켰지. 형사는 뭐든지 일단 의심해봐야 되거든.

정길은 의기양양한 태도로 태수에게 보란 듯 윙크하고는 윗니를 드러내며 웃었다.

왜 쓸데없는 짓을 하시는 거예요?

회초리로 내려치는 듯한 유림의 말투에 정길은 충격을 받은 사람처럼 두 눈을 끔뻑였다. 그러고는 이내 시무룩한 표정으로 천천히 고개를 떨궜다. 정길의 눈동자가 초점을 잃고 유림의 구두를 향했다. 아르곤이 가득 들어찬 것처럼 묵직한 공기가 흘렀다.

사실은…….

태수가 입을 열려는 찰나 정길이 태수의 말을 끊고 들어왔다.

내가 노망이 들어서 그랬나 봅니더. 늙으면 그렇습니더. 뭐라도 하나 내세우고 싶고, 젊은네 앉혀놓고 자랑질도 좀 하고 싶고……. 사람이라는 게 그렇습니더. 앞으로 다가올 인생이 보잘것없으면 자꾸 뒤를 돌아보게 되고 그랍니더. 미안합니더. 내가 쓸데없이 망령을 부렸습니더.

정길은 그렇게 말하며 마치 잘못을 비는 사람처럼 두 손을 앞으로 모았다. 유림의 앞니가 아랫입술 위에 살짝 드러났고 눈둘레근이 파르르 떨렸다.

유림은 목청을 살짝 가다듬었다.

소장님, 그런 뜻으로 드린 말씀은 아닙니다. 의심스러운 정황이 있으면 당연히 조사는 하셔야죠. 그런 뜻은 아니에요. 오해입니다. 다만 제 말은, 일종의 관할 문제를 말씀드린 겁니다. 루미놀 검사를 하더라도 대검 과학수사부에서 할 일이라는 그런 뜻이었어요.

정길은 지친 개처럼 축 처진 얼굴을 들어 유림을 빤히 쳐다보았다. 정길의 혀끝이 조심스럽게 마른 입술을 훑고 지나갔다.

혹시 검사가 죽었습니꺼?

20

죽긴 누가 죽어요!

유림이 신경질적으로 소리를 빽 질렀다. 태수와 정길은 동시에 눈을 크게 뜨고 유림을 바라보았다. 유림과 동행한 이름 모를 남자도 제법 놀랐는지 유림을 향해 고개를 돌렸다.

정길이 어깨를 으쓱하고는 노망난 늙은이가 구두덜거리듯 작은 소리로 말했다.

뭐, 아니면 말고요. 나는 그냥 걱정이 되어서 그런 거지.

유림은 답답한 듯 숨을 크게 뱉으며 손으로 이마를 짚었다.

미안해요. 스트레스가 쌓여서 그래요. 이해 좀 해주세요. 이만 갈게요.

유림이 몸을 홱 돌려 빠르게 밖으로 걸었다. 양복을 입은 남자가 떨떠름한 표정으로 유림의 뒤를 따랐다. 태수는 뭔가 말을 꺼내려다가 입을 닫았다.

밖에서 차 시동을 거는 소리가 들렸다. 태수는 창가로 걸어가 밖을 내다보았다. 유림의 흰색 스포츠카가 엔진음을 울리며 후진하고 있었다. 차는 경찰서 마당을 질러 정문으로 빠져나갔다.

정길이 태수의 옆으로 슬그머니 다가왔다.

그냥 저렇게 보내도 되겠나?

어쩌겠습니꺼? 그나저나 저 여자도 보통 성질이 아닌데요.

마음에 드나?

고마 됐습니더.

태수는 대충 빈 그릇을 정리했다. 남은 국물을 그릇 하나에 모으고 신문지로 그릇을 싸서 문간에 내놓은 다음 문을 닫았다. 창문까지 모두 닫자 시곗바늘 돌아가는 소리가 들릴 정도로 사무실 안이 고요해졌다.

정길은 탁자 앞 의자에 앉아 파카 주머니에서 약봉지를 꺼냈다. 색깔이 서로 다른 알약 대여섯 개가 든 작은 봉투였다. 정길이 손에 약봉지를 들고 시간의 물결에 무언가를 씻어내기라도 하듯 천천히 흔들었다.

세월 참 빨리 간다. 나도 태수 니 나이 때는 날아다녔는데. 이거 봐라. 이제는 약을 달고 산다.

태수가 종이컵을 꺼내 정수기의 물을 받아 정길 앞에 놓았다.

약 드시고 천천히 출발하이소.

태수야.

네.

우째 무렵에 평지풍파가 크게 일겠나?

무슨 말입니꺼?

태수 니가 검사 신분증에 다짜고짜로 루미놀을 뿌렸는데 거기서 혈흔이 나왔다. 이 정도면 문제가 심각한 거 아니가? 다른 사람도 아니고 태수 니가 그랬는데.

태수는 헛웃음을 지었다.

제가 뭐 어때서 그러십니꺼?

아니다. 말해봐야 입만 아프지. 니가 하고 싶은 대로 해라. 나는 고마 조용히 버티고 있다가 은퇴하면 그만이지.

정길은 약봉지를 뜯어서 약을 입에 털어넣고 물과 함께 삼켰다. 그러고는 자리에서 일어났다.

바로 가시려고요?

가야지. 여기 있어 봤자 뭐 하겠노?

태수는 정길을 배웅하러 따라 일어섰다. 정길이 문 앞에서 손을 휘휘 저었다.

나오지 마라.

그러면 조심해서 가이소.

문을 열고 밖으로 걸음을 내딛던 정길이 다시 몸을 돌리더니 태수를 똑바로 쳐다보았다.

태수야.

네, 소장님.

무슨 일이 있어도 나는 건드리지 마라.

무슨 말씀이십니꺼? 제가 소장님을 왜 건드립니꺼?

아무튼 나는 건드리지 마라.

바짝 마른 나무껍질 같은 정길의 얼굴에 웃음기라고는 없었다. 정길이 문을 탁 닫았다.

태수는 사무실 책상으로 가서 가죽 솔기가 터진 회전의자에 앉았다. 몸을 뒤로 기대자 프레임에서 삐거덕 소리가 났다. 정길의 차가 떠나는 소리가 벽을 뚫고 희미하게 들려왔다.

태수는 책상 위에 놓인 사건 기록들을 대충 정리했다. 철이 되어 있지 않은 서류는 펀치로 구멍을 뚫어 제자리에 끼워 넣었고, 미뤄두었던 몇몇 보고서도 타이핑했다. 반 시간 정도 느긋하게 움직여 잡일을 마치자 시계는 저녁 아홉 시를 가리켰다. 태수는 책상 위에 남은 서류가 없도록 철제 캐비닛에 사건 기록들을 넣고 문을 닫았다. 책상 오른쪽 서랍도 열쇠로 잠갔다. 그러고는 내선 전화의 수화기를 들고 종합상황실에 전화를 걸었다.

형사계 진태수 경장입니더. 제가 한 삼십 분 정도 잠깐 근처에 나갔다가 올 건데요. 무슨 일 있으면 제 핸드폰으로 전화 좀 주이소.

수화기를 내려놓은 후 태수는 옷걸이에 걸어 둔 검은 파카를 입고 앞쪽 지퍼를 올렸다. 루미놀 용액이 든 분무기는 여전히 탁자에 놓여 있었다. 태수는 비품 보관용 캐비닛으로 걸어가 문을 열었다. 그러고는 캐비닛 아래쪽을 뒤져 증거수집용 비닐 봉투를 하나 꺼내 주머니에 쑤셔 넣은 다음 탁자 위에 있던 분무기를 챙겨들고 형사과 사무실을 나섰다.

태수는 차를 몰고 한산한 강변도로를 달렸다. 차창 밖으로 펼쳐진 지류는 수량이 줄어 검은 웅덩이처럼 보였고, 강 건너편 가파른 비탈에는 빽빽한 나무 사이로 부허연 암석이 툭 불거져 있었다. 둔치의 흙바닥 농구 코트는 텅 비어 있었고, 농구대에 붙은 나일론 그물은 반쯤 찢어진 채 밤바람에 쓸려 위태롭게 나풀거렸다. 문득 뒤에서 사이렌 소리가 들려왔다. 곧이어 사설 구급차 한 대가 요란한 불빛을 뿜으며 태수의 차를 앞질러갔다.

태수는 일정한 속도로 달려 금세 집 앞 골목에 도착했다. 골목에 차를 주차한 후 분무기를 들고 집 안으로 들어간 태수는 부엌의 불을 켜고 안방 문을 열었다. 부엌 전등의 노란 불빛이 현주가 몸을 꽁꽁 싸매고 누웠던 이부자리를 비추었다. 젖혀진 이불이 파헤친 토끼 굴처럼 둥글게 솟아 있었다.

태수는 손을 뻗어 안방의 형광등을 켰다. 그러자 새하얀 이불 안감에 묻은 동전 크기의 희미한 붉은 자국이 보였다. 태수는 부엌의 알전구를 끈 다음 신발을 벗고 안방으로 들어가 문을 그대로 열어둔 채 소매로 코를 막고 이불 위에 루미놀을 분사했다. 그러고는 벽의 스위치를 눌러 형광등을 껐다. 이불 위의 작은 흔적이 하얀 불꽃처럼 어둠 속에서 선명하게 발광했다.

잠시 후 다시 불을 켠 태수는 책상 서랍에서 가위를 꺼내 이불 안감의 붉은 자국을 크게 오려냈다. 그런 다음 주머니에서 비닐 봉투를 꺼내 이불보 조각을 넣고 입구를 눌러 밀봉했다. 태수는 비닐 봉투를 주머니에 집어넣고 분무기를 챙겨 방 밖으로 나왔다.

안방의 불을 끄고 마당으로 나오자 대문 틈으로 살바람이 불었다. 태수는 신선한 공기를 폐 깊숙이 들이마시며 고개를 들고 위를 올려다보았다. 비가 오려는지 하늘 끄트머리에 매지구름이 엉겨 있었다. 태수는 다시 고개를 숙이고 주머니에 손을 찌른 채 널평상 다리를 두어 번 툭툭 걷어찼다. 그러고는 천천히 걸음을 옮겨 대문 밖으로 나왔다.

태수는 차에 올라타 키를 꽂았다. 어디선가 하얀 깃털 하나가 날아와 차 앞유리에 내려앉았다. 태수는 유리 위를 미끄러져 내려가는 솜깃을 멍하게 바라보았다. 깃털은 와이퍼에 닿기 전에 소용돌이 모양으로 빙빙 돌며 수직으로 날아올라 어둠 속으로 사라졌다. 태수는 키를 돌려 시동을 걸었다.

읍내 외곽을 돌아 군청 방향으로 달렸다. 핸들을 움켜쥔 태수의 두 손이 가늘게 떨렸다. 도로에 오가는 차들의 불빛이 마치 인생의 페이지를 빠르게 넘기는 손의 잔상처럼 태수의 굳은 얼굴 위를 여러 번 훑고 지나갔다.

사거리에서 우회전하자 군청 앞 대로가 펼쳐졌다. 태수는 군청 부지의 조경수들을 곁눈질하며 천천히 달렸다. 신호를 받고 공설 운동장 방향으로 좌회전한 후 좁은 포장도로를 올라가 군수 사택 대문이 보이는 자리에 차를 세웠다.

태수는 운전대 위로 몸을 숙여 주위를 살폈다. 옹벽 위 조경수 사이로 아크릴라이트를 씌운 정원등이 은은하게 불을 밝히고 있을 뿐 오가는 사람은 아무도 없었다. 시동을 끄고 차에서 내린 태수는 막돌을 쌓아 올린 옹벽의 얼기설기한 표면을 따라 짤막한 오르막길을 올랐다. 길모퉁이와 옹벽이 만나는 지점에 두꺼운 나무 문짝이 달린 대문이 붙어 있었다.

대문 앞에 선 태수는 심호흡을 한 번 했다. 막 초인종으로 손을 뻗으려는 순간 주머니에서 휴대폰이 울렸다.

여보세요.

진 경장님, 여기 상황실인데요. 어디 계십니까?

근처에 있습니더. 무슨 일입니꺼?

큰일 났습니더. 사람이 죽었답니더.

네? 살인사건입니꺼?

확실한 건 모르겠고요. 아무튼 사람이 죽어 있답니더.

현장이 어딥니꺼?

읍내 무지개 아파트 뒷골목 공터요.

바로 현장으로 가겠습니더. 오 분 안에 도착할 수 있습니더.

태수는 전화를 끊고 다시 차로 돌아갔다.

21

태수는 좁은 골목으로 차를 몰고 들어갔다. 낡은 콘크리트 담장이 사람 키 높이로 이어졌고, 담장 너머로는 십 층 높이의 아파트 외벽이 우뚝 솟아 있었다. 썩은 목재와 널빤지, 깨진 화분 그리고 자갈 섞인 흙더미가 공터 입구를 반쯤 가로막고 있었고, 그 너머로 열댓 개의 사람 그림자가 보였다. 순찰차 경광등이 웅기중기 모인 사람들을 붉은빛과 푸른빛으로 물들였다.

담벼락에 누군가 검은 스프레이를 뿌려 거대한 남자 성기를 그려놓았지만, 태수의 차가 담벼락 옆에 멈추며 외설스러운 그림을 가렸다. 태수는 차에서 내린 다음 구경꾼들의 어깨를 비집고 현장으로 다가갔다. 제복 위에 형광 조끼를 걸친 파출소 경관 서너 명이 노란 폴리스 라인을 등지고 서서 붉은 경광봉을 흔들어 구경꾼들을 뒤로 물렸다.

형사 당직 진태수 경장입니더. 어떻게 된 겁니꺼?

젊은 경관이 눈살을 찌푸리며 엄지손가락으로 자신의 등 뒤를 가리켰다.

머리 한쪽이 완전히 깨졌더라고요.

통제선 뒤쪽 담장 모서리의 컴컴한 그늘 아래 노파의 시체가 누워 있었다. 체구는 자그마했다. 표면이 올록볼록한 분홍색 누비 재킷과 두꺼운 직물로 만든 플레어스커트, 그리고 그 아래로는 앙상한 두 종아리가 드러나 있었다.

태수는 다른 경관에게 손전등을 건네받아 속이 빈 동그란 불빛으로 피해자의 얼굴을 비추었다. 경관의 말처럼 오른쪽 눈썹 위 이마가 움푹 꺼져 있었다. 태수는 쪼그리고 앉아 더 자세히 살펴보았다. 상처 주위의 피는 이미 굳어 있었고, 부릅뜬 두 눈 아래 양쪽 콧구멍에서도 검은 핏줄기가 흘러나와 자글자글한 뺨으로 이어졌다. 목 아래 단추가 뜯겨 있을 뿐만 아니라 머리카락도 손으로 쥐어뜯어 놓은 듯 쑥대강이였다.

누군가 태수의 어깨를 툭툭 건드렸다. 뒤돌아보니 경찰 제복을 입은 중늙은이가 통통한 검지를 뻗어 담장 한쪽을 가리키고 있었다.

누가 할마시 머리를 잡고 담벼락에 이마를 찍어버린 모양이라.

경관이 가리킨 지점을 향해 손전등 불빛이 벽을 타고 기어올랐다. 실금이 간 콘크리트 벽에 시커먼 핏자국이 선명했고, 피에 달라붙은 머리카락 한 올이 끝자락을 하늘거리며 가늘게 반짝였다. 나이 든 남자 경관이 물끄러미 시체를 내려다보다가 고개를 두어 번 가로저었다.

내 참, 무령에 이런 일이 다 생기네. 이 조용한 동네에.

태수는 다리에 힘을 주고 일어서서 주위를 둘러보았다.

누가 처음 발견했습니꺼?

동네 꼬마들이 처음 발견한 것 같습니더.

중년 여성 경관이 손에 펜과 수첩을 들고 다가오며 허스키한 목소리로 답했다.

꼬마들이요?

네. 기겁을 해서는 집에 뛰어가서 부모한테 말을 했답니더.

피해자 신원은 확인되었습니꺼?

아직이요. 소지품이 없습니더. 노상강도일 수도 있지 싶어요.

범행 시각도 아직 모르지요?

모르긴 몰라도 해 떨어지고 나서 그랬지 싶어요. 워낙 외진 곳이라 장담은 못 하지만 낮에 그랬으면 목격자라도 있었겠지요. 이상한 소리 나는 걸 들었다는 사람도 하나 없어요.

태수는 고개를 들어 무지개 아파트를 올려다보았다. 베란다 창문에 듬성듬성 노란 불이 들어와 있었다. 여자 경관이 고개를 들어 같은 각도로 올려다보았다.

너무 가팔라서 아파트에서는 내려다봐도 잘 안 보일 겁니더. 특히 밤에는.

과학수사팀이 지금 오고 있습니더. 올 때까지 현장 보존 잘 해주이소.

태수는 휴대폰으로 형사계장 김한수 경감에게 대략적인 상황을 보고했다. 그사이 경찰서 관용 승합차가 의경들을 싣고 현장에 도착했다. 검은 기동복과 두툼한 파카를 입은 의경들은 차에서 내리자마자 빠르게 대오를 갖추었고, 이내 검은 그림자들이 폴리스 라인을 등지고 서서 사건 현장을 완전히 봉쇄했다. 태수는 현장 지휘를 하고 있는 최명재 수경의 어깨를 두드렸다.

야밤에 고생이 많다.

아, 진 경장님.

최 수경은 태수를 돌아보며 뺨을 씰룩거렸다.

말년인데 뭐 하러 나왔노? 드러누워서 내무반이나 지키고 있지.

저는 범인 추적하러 나가는 줄 알았지 말입니다.

니가 말년에 많이 심심했구나.

잠시 후 붉은 경광등을 지붕에 올린 지프차 한 대가 태수의 차 뒤에 멈추었다. 과학수사라는 글자가 적힌 검은 조끼 차림의 두 남자가 차에서 내리더니 감식 장비가 담긴 커다란 가방을 들고 성큼성큼 현장으로 다가왔다. 인의 장막을 친 의경들이 외곽선을 부풀리며 두 요원을 위해 공간을 마련했다. 흰 위생복과 라텍스 장갑 그리고 고글을 착용한 과학수사팀 요원들이 날카로운 눈으로 사건 현장을 톺아보기 시작했다. 그러고는 이내 본격적인 작업을 개시했다.

요원들은 우선 캠코더를 손에 들고 현장을 촬영하면서 아라비아 숫자가 적힌 노란 플라스틱 조각들을 곳곳에 신중히 배치했다. 곧이어 카메라 플래시의 섬광이 터지기 시작하자 플라스틱 표지들이 작은 성상처럼 빛을 반사했다. 요원들은 은색 핀셋으로 머리카락을 집어 올리고, 피 묻은 면봉을 증거수집용 비닐 봉투 안에 넣어 밀봉하고, 지문 채취용 분말이 묻은 붓을 들고 부드럽게 담벼락을 쓸어내렸다. 죽은 자와 산 자가 남긴 보이지 않는 흔적들, 그리고 그 흔적을 좇는 과학의 사제들. 죽음을 증거하는 이단의 의식과 그 의식을 치르는 이들의 경건한 몸짓을, 태수는 물끄러미 지켜보았다.

그사이 김한수 경감과 박남호 경사 그리고 손강모 경사가 속속 현장에 도착했다.

아이고, 이게 무슨 일이고.

한수가 혀를 끌끌 차며 축축한 공기 사이로 입김을 내뿜었다. 흙바닥의 피는 얼어붙어 붉은 슬러시처럼 변해 있었다.

과학수사팀 요원들의 지시에 따라 주황색 제복을 입은 구급요원들이 시체를 조심스레 들것으로 옮긴 다음 하얀 천을 덮었다. 그러고는 군중의 호기심 가득한 눈망울을 뚫고 구급차로 들것을 옮겼다. 붉은 경광등 불빛이 구경꾼들의 그늘진 얼굴을 훑고 지나갔다.

그때 멀리서 최명재 수경의 목소리가 들렸다.

진 경장님! 여기 좀 보십시오.

쓰레기 더미가 쌓인 공터 입구에서 최 수경이 손가락으로 뭔가를 가리키고 있었다. 태수와 한수, 남호, 강모가 모두 그쪽으로 걸어갔다. 검게 곰팡이 슨 판자가 툭 튀어나와 있었고, 그 아래 그늘에 검은 가죽 핸드백이 놓여 있었다.

이거 누가 발견했노?

여기 이 아주머니가 발견했습니더.

인조털이 달린 조끼를 입은 아주머니가 팔로 몸을 감싼 채 최 수경의 뒤에 서 있었다. 아주머니는 얇은 입술을 비죽거리며 작은 소리로 말했다.

내 눈에 그냥 보이더라고예.

태수가 쪼그리고 앉아 장갑 낀 손으로 조심스럽게 핸드백 가장자리를 잡고 열어보았다. 안에는 무령 병원에서 오늘 날짜로 받은 처방전과 약봉지 그리고 작은 손지갑이 들어 있었다. 손지갑의 지퍼를 열어보니 동전과 지폐 몇 장 그리고 주민등록증이 나왔다. 플라스틱 주민등록증에 인쇄된 증명사진은 젊은 시절 모습이었지만, 피해자의 얼굴이 확실했다. 이름은 윤귀자. 생년월일을 보니 나이는 올해 딱 일흔이었고, 주소지는 기천면 지산리로 되어 있었다. 태수는 자신의 수첩에 피해자의 인적사항을 메모한 다음 과학수사팀을 불러 증거물을 넘겨주었다.

강모가 태수의 수첩에 적힌 이름을 넘겨다보며 중얼거렸다.

윤귀자? 누구지? 기천면에 누구 아는 사람이 있으려나?

태수는 휴대폰의 지도 어플을 실행해 피해자의 주소지를 검색했다. 진태마을에서 멀지 않은 지점이었다.

근처에 사는 사람한테 제가 물어볼 수 있을 것 같습니더.

누구 물어볼 사람이 있나?

한수가 물었다.

오늘 오전에 조사받았던 공복남 씨라고 있습니더. 진태마을에 사는 분인데, 피해자 집하고 얼마 안 떨어져 있습니더. 경찰서에 들어가서 공복남 씨 조서를 보면 전화번호가 있을 겁니더. 제가 공복남 씨한테 전화 걸어서 한번 물어보겠습니더. 윤귀자 씨 아느냐고.

그라믄 일단 태수 니는 지금 경찰서로 가서 피해자 인적 사항부터 확인해라. 우리는 현장 좀 지켜보다가 경찰서로 들어가마. 뭔가 알아내면 바로 내한테 전화해라.

네, 계장님.

태수는 차를 운전해 경찰서로 향했다.

무령강 양안을 잇는 다리 중간을 지날 즈음 앞유리에 둥근 자국이 생기기 시작했다. 투둑투둑 차 지붕에 빗방울 듣는 소리가 나는가 싶더니 순식간에 시끄러운 소리와 함께 비가 부어내렸다. 물방울이 유리를 뒤덮어 시야를 흐리자 태수는 급히 와이퍼를 작동해 빗물을 쓸어냈다. 떨어지는 빗방울이 가로등 불빛을 반사하며 어두운 하늘에 수없이 사선을 내리그었고, 차는 브라운관 속 잡신호를 헤치듯 빽빽한 빗줄기를 뚫으며 앞으로 나아갔다.

형사과로 돌아온 태수는 젖은 파카를 벗어 옷걸이에 걸자마자 철제 캐비닛부터 뒤졌다. 공복남의 사건 서류를 책상으로 들고와 수화기를 들고 진술조서에 적힌 전화번호를 눌렀다. 신호가 예닐곱 번 길게 울렸다.

여보세요.

공복남 씨?

누군교?

무령경찰서 형사계 진태수 경장입니더.

아, 형사 양반. 이 시간에 우짠 일이고?

어르신, 혹시 윤귀자 씨라고 아십니꺼?

윤귀자? 모르겠는데.

진태마을 들어가는 길목에 파란 대문 붙은 집 하나 있지 않습니꺼? 거기 사시는 할머니 같은데요.

파란 대문? 가만있자. 양산댁 이름이 윤귀자였나?

양산댁이요…….

태수는 수첩을 펼쳐 빠르게 메모했다.

혹시 그분 가족이 있습니꺼?

양산댁은 그 집에 혼자 산다. 자식들은 전부 외지에 있고.

어르신, 혹시 지금 파란 대문 집에 불 켜져 있는지 확인해볼 수 있겠습니꺼?

기다려봐라. 우리 집에서 내려다보면 보인다.

수화기 너머에서 정적이 흘렀다. 아득히 먼 곳에서 들려오는 듯한 개 짖는 소리가 귓가를 스쳤다. 잠시 후 복남의 목소리가 제자리로 돌아왔다.

지금 보니까 불이 꺼져 있네. 굴뚝에 연기도 안 나고. 이 시간이면 나무 땐다고 연기가 솔솔 올라와야 정상인데. 사람이 없는갑다.

복남이 크게 재채기를 한 번 했다.

참, 그런데 요새 나무 주워서 때는 거 불법 아니가? 할마시 좀 잡아가뿌라.

어르신, 혹시 오늘 양산댁 할머니 보신 적 있습니까?

오늘은 못 봤다. 낮에 읍내 병원 간다고 하더라만 아직 안 들어왔는갑다.

병원이요?

그래. 가만있자. 지금 몇 시고?

열한 시 거진 다 되어 갑니더.

그라믄 버스는 벌써 끊겼겠네. 할마시 이거 어디서 자고 오는갑다.

혹시 양산댁 할머니 가족들 연락처 아십니까?

나는 모르지.

알겠습니더. 고맙습니더.

그런데 양산댁은 와 찾노? 무슨 일 있나?

아닙니더. 차차 말씀드리겠습니더. 고마 주무시이소.

태수는 전화를 끊고 곧바로 한수에게 다시 전화를 걸었다. 수화기 너머에서 빗방울 떨어지는 소리가 시끄럽게 들렸다.

계장님, 저 태숩니더.

뭐 좀 알아냈나?

진태마을 초입에 있는 집이 윤귀자 씨 집이 맞는 것 같습니더. 공복남 씨 말에 따르면 동네에서는 양산댁이라고 부른답니더. 자식들은 다 외지에 나가 있고 혼자 산다는데, 오늘 낮에 읍내 병원에 갔다는 거로 봐서 피해자가 확실한 것 같습니다. 제가 일단 집에 가서 사람 있는지 확인해보고, 필요하면 안으로 들어가서 가족들 연락처 같은 게 있는지 보겠습니다.

그래? 그라믄 니는 강모하고 같이 움직여라. 지금 우리도 경찰서로 들어간다.

22

한여름 폭우 같은 겨울비였다. 굵은 빗방울이 요란하게 금속 차체를 두드리는 동안 곤충 다리 같은 와이퍼는 쉴 새 없이 앞유리를 닦아냈고, 위태롭게 미끄러지는 타이어가 물마 위를 밟을 때면 돛새치 등지느러미 모양으로 수막이 솟아올랐다. 육중한 엔진음과 따가운 빗소리가 차내에서 조용히 뒤섞였고, 고무가 닳은 와이퍼에서는 이따금 삑삑 소리가 났다.

태수는 히터 송풍구에서 불어 나오는 더운 공기의 떨림을 느끼며 두 손으로 운전대를 움켜잡았다. 고르지 않은 노면의 요철을 타고 인조가죽 시트가 울렁거렸다. 조수석에 앉은 강모는 창턱에 팔꿈치를 올린 채 손으로 머리를 받치고 있었다. 두 사람은 입을 꾹 다문 채 물끄러미 전방을 응시했다.

선배님, 하나 여쭤볼 게 있습니더.

뭔데?

일요일 날 있었던 일 말입니더.

그날 무슨 일이 있었나?

강모의 입가에 팔자 주름이 졌다. 강모는 상체를 똑바로 펴며 헛기침을 했다. 두 사람의 젖은 외투에서 축축한 습기가 피어올랐다.

자꾸 여쭤봐서 죄송합니더. 그런데 아무래도 현주 씨가 좀 이상해서요.

뭐가 이상한데?

오늘 저희 집에 찾아왔습니더.

그래?

네.

태수는 노란 페인트를 칠한 과속방지턱 앞에서 속도를 줄였고, 곧 헤드라이트 불빛이 위로 솟아올랐다가 가라앉았다. 길가에 면한 단층 가옥의 철제 대문과 찌그러진 양철 우편함이 비에 젖어 번들거렸다. 강모는 눈을 가늘게 뜨고 턱을 들며 헤드레스트에 머리를 기댔다.

궁금한 게 뭔데?

그날 사고가 어떻게 일어났던 겁니꺼?

나도 모른다. 그냥 석구 전화 받고 내려가보니까 차가 빠져 있더라.

처음에 석구 씨가 발견한 겁니꺼?

나 데리러 차 끌고 올라오다가 본 거지.

현주 씨가 다치거나 한 건 아니지요?

멀쩡하더라. 술을 좀 마셔서 그렇지.

그 외에 특별한 건 없었습니꺼?

왜 자꾸 묻노? 그냥 잊어버려라. 그러기로 했다면서.

그랬지요. 그런데 문제는…….

문제가 도대체 뭔데?

태수는 혀로 볼살 안쪽을 밀며 꽤 오래 고민하다가 조심스럽게 말을 꺼냈다.

사실 저 현주 씨랑 키스했습니더.

뭐? 언제?

오늘 저녁에 저희 집에 찾아왔더라고요.

강모가 소리 없이 웃기 시작했다. 강모의 튀어나온 배가 씰룩거리는가 싶더니 곧이어 턱이 붉게 달아오를 정도로 격하게 웃어 젖혔다.

그래서 자꾸 물어봤던 거구나. 나는 또 니가 왜 자꾸 그러나 했다.

아무한테도 말씀하지 마십시오.

안 하지. 내가 미쳤나?

강모는 이를 드러내고 웃으며 두툼한 손으로 자신의 허벅지를 툭툭 쳤다.

내년 봄에 결혼해라.

네?

니도 나이가 있고, 또 아무래도 여자 쪽이 집안도 좋은데다가 어리고……. 최대한 빨리 해치워야 된다. 안 그라믄 나가리 된다.

키스했다고 결혼합니꺼?

할 수도 있지.

제 말은 그게 아니고, 현주 씨가 그날 약간 충격을 받은 게 아닌가 걱정스러워서 하는 말입니더.

태수야.

네.

인생에는 세 번의 기회가 오는 법이다. 니 인생에서 지금까지 기회가 몇 번 왔노?

기회요?

그래, 기회.

별로 없었던 것 같습니더.

다행이다. 네 번째로 온 기회면 큰일이거든. 왜냐하면 그거는 기회가 아니니까. 태수 니가 아직 세 번의 기회를 못 만났다면, 이거야 말로 천금의 기회다. 이야, 군수 딸내미라니. 니가 아는지 모르겠는데, 군수 집안이 대대로 만석꾼 집안이다. 지금도 박칠구 땅안 밟고는 무령을 못 지나간다 카거든.

결혼을 어디 돈 보고 합니꺼?

니는 돈이 싫나?

싫은 건 아닙니더.

그런데 왜?

그래도 돈이 인생의 전부는 아니잖습니꺼.

태수야, 옛말에 이런 말이 있다. 돈을 잃으면 적게 잃는 것이고,

명예를 잃으면 많이 잃는 것이고, 건강을 잃으면 전부 잃는 것이다. 들어 봤나?

네.

뭐든 잃기 시작하면 점점 더 많이 잃는 게 인생이다. 돈을 한번 잃어 봐라. 그다음에는 명예를 잃는다. 돈이 없으면 명예도 못 지키거든. 사람이 명예를 잃잖아? 그라믄 자연스럽게 몸까지 아파진다.

선배님도, 참…….

태수야.

네.

사람 팔자가 잘 안 바뀐다. 한번 아랫물에서 태어나지? 어지간해서는 윗물에 발을 못 담근다. 기회가 왔을 때 잡아라.

잘 모르겠습니더. 키스를 하긴 했는데, 좀 얼떨결에 한 거라서요. 현주 씨가 약간 충격을 받은 상태에서 충동적으로 한 것 같다는 느낌이 듭니더.

니는 어떤데?

저요?

니는 현주가 마음에 드나, 그 말이다.

저야 뭐 감지덕지지요.

그라믄 꼭 잡아라. 맛있는 것도 묵으러 가자 카고, 밤마다 전화도 하고, 서점에 가서 시집 같은 것도 좀 사서 읽어라.

시집이요?

그래. 낭만적인 소리도 원래 연습을 좀 해야 되거든.

아무튼 그날 현주 씨한테 무슨 큰일은 없었던 거지요?

그래.

강모는 레버를 당겨 조수석 등받이를 뒤로 살짝 젖혔다.

눈 좀 붙이고 있을 테니까 도착하면 깨워라.

네.

태수는 입을 꾹 다물고 운전에 집중했다.

여전히 앞유리에는 빗줄기가 도리깨질하듯 거세게 부딪히고 있었다. 헤드라이트 불빛은 마치 삭은 필름을 투영하는 환등기처럼 비의 세로금을 뚫으며 어스레하게 밤길을 비추었다. 산허리를 빙 둘러가며 휘어진 아스팔트 포장로가 비에 젖어 번들거렸고, 도로 가장자리로는 누런 흙탕물이 굵은 밧줄 모양으로 물줄기를 이루며 흘렀다. 맞은편에서 오는 차가 속도를 줄이며 스쳐 지나갔다. 이윽고 한순간 차가 흔들릴 정도로 돌풍이 불자 빗방울이 멋대로 휘날리면서 검은 낙엽 하나가 앞유리에 찰싹 달라붙었다.

내리막이 시작되면서 길이 평탄해졌다. 젖은 들판 너머 산꼭대기에서 희푸른 섬광이 번쩍이더니 유리 표면이 깨지듯 번갯불이 검은 밤하늘을 여러 조각으로 쪼갰다. 이내 천둥소리가 흡사 보이지 않는 거대한 덩어리처럼 땅을 구르며 평지를 덮쳤다. 길이 쌍갈지는 어귀에 하얀 현수막이 나붙어 있었다. 목격자를 찾습니다. 바람구멍이 뚫린 직사각형 폴리에스테르 천 조각은 날아갈 듯 위태롭게 펄럭였다.

마을 이름을 새긴 커다란 바위가 비보라를 맞으며 길가에 서 있었다. 태수는 오른쪽 길로 빠져 진태마을로 향했다. 도로 아래 굴다리를 지나 앙상한 사과나무가 늘어선 과수원을 따라 좁은 농로를 달렸다. 잠시 후, 움푹 꺼진 실개천 위로 일제강점기에 건설한 잡석콘크리트 복찻다리가 나타났고, 그 다리 너머로 희미한 인가의 불빛이 보였다.

태수는 마을회관을 지나 푸른 대문이 달린 집 앞에 차를 세웠다. 시끄러운 엔진음이 가시자 빗방울이 차 지붕을 때리는 소리만이 남았다.

조수석에 비스듬히 누워 있던 강모가 눈을 떴다.

도착했나?

네, 이 집입니더.

태수가 손가락으로 파란 페인트를 칠한 철제 대문을 가리켰다. 콘크리트 블록으로 쌓은 담장이 비에 젖어 시커멓게 변해 있었고, 길옆 도랑에서는 물 흐르는 소리가 콸콸거렸다. 태수는 뒷좌석으로 손을 뻗어 검은 우산을 챙겼다.

일단 여기 계십시오. 제가 한번 보고 오겠습니더.

태수는 차 문을 열고 우산을 폈다. 우산 위로 빗방울이 후드득 떨어지며 시끄러운 말발굽 소리를 냈다. 태수는 우산 손잡이를 꼭 쥔 채 휘몰아치는 비와 바람을 뚫고 파란 대문 앞까지 걸어가 문기둥에 달린 검은 단추를 눌렀다. 하지만 아무 소리도 나지 않았다. 대문을 슬쩍 밀어 보았다. 그러자 철문이 삐거덕 소리를 내며 안으로 벌어졌다. 태수는 조수석에 앉은 강모에게 고개를 한 번 끄덕여 보이고는 안으로 들어갔다.

대문 바로 옆에는 골함석 지붕을 얹은 작은 헛간이 있었고, 좁다란 마당 너머로 짧은 툇마루가 달린 단층집의 윤곽이 보였다. 휴대용 플래시를 켜서 집을 비추자 슬레이트를 덧댄 기와지붕과 비에 젖어 검게 변한 목재 기둥 그리고 종이를 바른 창호가 흐릿하게 드러났다. 흙 바른 벽에는 빨간 고무 대야 하나가 기대 세워져 있었고, 부엌 뒤쪽으로는 양철 연통 끄트머리가 티 자 모양으로 솟아 있었다.

태수는 군데군데 빗물이 고여 웅덩이를 이룬 마당을 가로질렀다. 마당 귀퉁이의 시커먼 솥단지 뚜껑 위로 빗방울이 요란한 소리를 내며 떨어졌다.

계십니꺼?

태수가 문을 바라보며 크게 외쳤지만 아무 반응이 없었다. 처맛기슭에서 똑똑 떨어지는 물방울의 주렴 뒤 마른자리로 들어간 태수는 플래시를 입에 물고 두 손으로 우산을 접었다. 그런 다음 우산을 밖으로 휘둘러 털자 물찌똥이 어둠 속에서 은빛 부채처럼 펼쳐졌다. 태수는 툇마루에 우산을 기대 놓고 신발을 벗었다.

방문을 열고 안으로 들어간 다음 벽을 더듬어 불을 켰다. 노란 폴리염화비닐 장판의 불목 자리가 검게 눌어붙은 작은 방이었다. 정면의 검은 자개 문갑 위에는 브라운관 텔레비전이 놓여 있었고, 출입문 오른쪽에는 붉게 옻칠한 나무 옷장이, 왼쪽으로는 부엌으로 드나드는 쪽문이 보였다.

태수는 텔레비전 옆에 놓인 작은 나무 액자를 집어 들었다. 사진 속에는 세 사람이 서로 머리를 기댄 채 활짝 웃고 있었는데, 피해자인 할머니와 딸 그리고 아들인 듯싶었다. 노인의 얼굴에는 잔뜩 주름이 졌고, 양옆의 두 사람은 손으로 브이를 그리고 있었다.

태수는 사진을 내려놓고 문갑 서랍을 열어 내용물을 뒤져보았다. 날짜 지난 고지서와 환약이 든 비닐봉지, 모기약, 뚜껑 없는 볼펜, 녹슨 가위, 반창고, 두툼한 편지봉투에 든 오래된 서류 따위가 뒤섞여 있었다. 그 틈에서 태수는 낡은 수첩을 찾아냈다. 맨 앞에 적힌 두 사람의 성이 같은 것으로 보아 자녀 두 사람의 휴대폰 번호 같았다. 태수는 휴대폰을 꺼내 강모에게 전화를 걸었다.

선배님, 가족들 연락처를 찾은 것 같습니다.

수첩을 손에 들고 뒤돌아서서 밖으로 나가려던 태수는 무언가를 발견했다. 문지방 옆에 놓인 작은 놋쇠 재떨이와 그 위에 걸쳐진 하얀 궐련이었다. 궐련의 필터는 갈색이었지만, 필터 반대편 끄트머리에는 초록색 엘이디가 박혀 있었다.

23

반쯤 찌그러진 강모의 비닐우산이 마당을 가로질러 안채로 다가왔다. 기우뚱한 삼각형을 이룬 우산 위로 빗물이 줄줄 흐르는 바람에 강모의 진회색 파카 오른쪽 어깨가 검게 변했다. 지붕 아래로 들어온 강모가 우산을 접어 툇마루에 기대 놓았다. 댓돌 위 낙숫물 떨어지는 자리마다 희미한 홈이 패어 있었다.

태수는 강모에게 안방에서 찾아낸 수첩을 보여주었다. 강모는 얼굴에 튄 물방울을 대충 손으로 훔친 다음 수첩에 적힌 연락처를 읽었다.

자식들 연락처 맞는 것 같죠?

응.

바로 전화해볼까요?

내가 해볼게.

강모는 주머니에서 휴대폰을 꺼내 번호를 누른 다음 왼손 검지로 왼쪽 귓구멍을 막은 채 반대편 귀로 휴대폰을 가져갔다. 강모의 눈가에 손풍금 주름상자처럼 실금이 겹겹으로 접혔다.

손환기 씨 전화 맞습니꺼? ……저는 무령경찰서 형사계 손강모 경사입니더. 혹시 어머님 성함이 윤귀자 되십니꺼? ……이런 비보를 전하게 되어서 유감입니더. 어머님께서 오늘 저녁에 사망한 채 발견되었습니더. ……공터에서 발견이 되었는데 아직 정확한 사인은 모릅니더. 수사 중입니더. ……네, 범죄의 가능성도 배제하지 않고 있습니더. ……현재 무령 병원 영안실로 옮겨진 상태인데 아마 부검이 필요할 겁니더. ……알겠습니더. 무령경찰서 형사계로 연락을 주시거나 지금 이 번호로 전화를 주이소. ……다시 한번 심심한 위로의 말씀을 전합니더. ……네. 알겠습니더.

짧은 통화를 마친 강모의 입에서 길고 가는 날숨과 함께 부연 입김이 쏟아졌다. 강모는 불이 꺼진 휴대폰을 잠시 들여다보다가 쓴웃음을 지었다.

뭐라고 그럽니꺼?

서울에 산다네. 지금 바로 내려온단다.

강모의 시선이 장막처럼 마을을 둘러싼 검은 산등성이로 향해 오래 그곳에 머물렀다.

형사 생활 하다 보면 이럴 때가 제일 지랄 같지. 아들내미가 소식 듣자마자 울먹울먹하네. 태수야, 진짜 부모님 살아 계실 때 효도해라. 사람이 언제 어떻게 죽을지 모른다.

태수는 말없이 고개를 끄덕이고는 툇마루에 걸터앉아 섬돌 위에 벗어둔 운동화를 발에 꿰었다. 밤공기를 가르며 세차게 쏟아지던

빗발은 점점 약해졌고, 공기 중을 부유하는 차가운 물방울이 얼굴을 촉촉이 적셨다. 안방의 형광등 불빛을 등지고 앉은 태수의 그림자가 젖은 흙바닥에 희미하게 드리웠다.

태수가 몸을 비스듬히 돌려 문지방 뒤쪽을 가리켰다.

선배님, 이거 한번 보십시오.

뭔데?

이거 전자담배 아닙니꺼?

그러게. 할마시가 전자담배를 피우나?

칠순 노인이 전자담배를 피우는 건 좀 희한한 것 같은데요.

아니면 다른 사람이 누가 있었나?

한번 가져가볼까요?

그냥 막 가져가서 어떡할라꼬? 허락받고 들어온 것도 아니고 영장도 없는데. 일단 놔둬라. 아들내미 내려오면 내가 말해서 정식으로 제출을 받던가 할게. 누가 건드리기야 하겠나?

그때 대문 쪽에서 찌걱대는 소리가 들려왔다. 벌어진 철문 사이로 파란색 반투명 우의 후드를 덮어쓴 사람 머리가 쑥 들어왔다. 가늘어진 빗줄기 사이로 탁한 음성이 들려왔다.

양산댁 들어왔나?

공복남 씨?

흐릿한 손전등 불빛이 헛간을 지나 안채 쪽으로 도깨비불처럼 휙 날아왔다.

안에 누구고?

형사들입니더.

넝마처럼 구겨진 비닐 비옷을 입은 복남이 마당 안으로 들어왔다. 안채로 걸어오는 복남의 검은 고무장화가 철벅철벅 소리를 내며 얕은 물웅덩이에 불규칙한 파문을 남겼다. 이윽고 복남이 안방 불빛이 드리운 빛의 사다리꼴 안으로 들어와 머리에 덮어쓴 우의 모자를 뒤로 벗었다. 얼룩덜룩 염색이 바랜 가느다란 머리카락이 복남의 젖은 이마 위에 착 달라붙어 있었다.

이 늦은 시간에 형사들이 뭐 한다고 왔노? 무슨 일 있나?

양산댁 할머니가 돌아가셨습니더.

뭐? 우짜다가?

아직 모릅니더. 지금 조사 중입니더. 오늘 밤에 길에서 돌아가신 채 발견되었습니더.

녹내장이라도 온 사람처럼 복남의 검은 동공이 윤기를 잃었다. 노인의 떨리는 눈꺼풀 위로 첩첩이 쌓인 주름이 흘러내렸고, 곧이어 눈가에 불그스레한 윤곽선이 생겼다. 복남이 거칠거칠한 손바닥으로 눈물을 슬쩍 닦아냈다.

비가 억수같이 오더라만, 양산댁이 간다고 그랬구나.

비는 그쳤고, 사방은 고요했다. 밀가루처럼 작은 빗방울이 바람에 휩쓸려 공중으로 둥둥 떠올랐다. 도랑을 흐르는 물소리가 담벼락 너머로 졸졸 들려왔고, 멀리서 전해오는 뇌성이 뱃속을 공허하게 울렸다. 빽빽한 뒷산 소나무는 밤바람에 솔잎을 문지르며 사각사각 연필 긋는 소리를 냈다.

태수가 주머니에서 수첩을 꺼냈다.

어르신, 혹시 양산댁 할머니 마지막으로 보신 게 언제입니꺼?

오늘은 못 봤다. 나는 아침 일찍 경찰서 조사 받으러 간다고 나갔지. 박 씨가 출근하면서 차를 태워다 줬는데, 처음에 나는 양산댁도 같이 갈 줄 알았지. 어제 양산댁이 그랬거든. 자기도 오늘 병원 가야 된다고. 그런데 아침에 박 씨가 양산댁은 나중에 간다고 하더라고. 집에 올 사람이 있다고 기다려야 된다고 했다더라.

박 씨요?

박영무. 요 뒤에 새로 지은 집에 산다.

혹시 양산댁 할머니가 담배 태우십니꺼?

담배? 몰라. 나는 못 봤는데.

혹시 오늘 양산댁 할머니 찾아온 손님이 누군지 아십니꺼?

나는 모르지. 박 씨한테 한번 물어봐라.

태수는 복남에게 박영무의 연락처를 물어 수첩에 적었다.

초상은 어디서 치르노?

저희도 모릅니더. 자식들도 이제 소식 들어서 아마 지금 무령으로 오고 있을 겁니더.

복남이 검지로 콧구멍 한쪽을 막고 코를 팽 풀어 바닥으로 쏘더니 손바닥으로 코밑을 문질러 닦았다. 그러고는 멍하니 허공을 응시하며 한숨을 내쉬었다. 살아온 세월만큼이나 길고 깊은 한숨이었다. 복남이 보이지 않는 혼령에게 말을 건네듯 주름진 입술을 달싹였다.

양산댁이 고생만 하다가 이래 가는구나. 참 애통하다. 하나둘 가는 거 보니까 남의 일 같지가 않다. 나도 얼마 안 있어서 저리 허망하게 가겠지 싶고.

사람이 한 번 나면 언젠가는 죽는 거지요.

묵묵히 듣고 있던 강모가 낮은 음성으로 대꾸했지만, 복남은 강모의 말을 듣지 못한 눈치였다.

강모가 우산을 들어 물기를 털었다.

태수야, 고마 가자.

태수는 문 옆으로 손을 넣어 안방의 불을 끄고 문을 닫았다. 복남의 손에 들린 플래시 불빛이 흔들거리며 앞장섰다. 세 사람은 말없이 걸어 마당을 가로질렀다.

대문을 열고 밖으로 나오자 자동차 옆에 세워둔 복남의 낡은 자전거가 보였다. 복남은 자전거 손잡이를 잡고 흐물거리는 바퀴를 굴리며 언덕길을 거슬러 올라갔다. 태수와 강모는 뒷좌석에 우산을 던져 넣고 차에 올라탔다. 대시보드에 붙은 디지털시계는 새벽 두 시 반을 가리키고 있었다.

죽음의 골짜기처럼 조용한 마을을 빠져나와 큰 도로를 향해 달렸다. 깊은 어둠과 적막, 먹구름 그리고 흠뻑 젖은 땅. 잎과 열매를 잃은 과실수는 비에 젖은 목피를 번들거렸고, 과수원을 둘러싼 엉성한 가시철조망은 가운데가 축 늘어져 있었다. 자동차는 물웅덩이를 찰방거리며 굴다리 아래를 통과했다. 이내 길게 뻗은 지방도에 접어들자 시커먼 아스팔트 위 중앙선이 도료에 섞인 유리 가루를 반짝이며 선명하게 빛났다. 검은 미궁 속에서 실타래를 돌돌 감아올리듯, 태수는 주황색 실선을 따라 빠르게 달렸다. 북쪽 하늘 끝자락에 이따금 희미한 백색광이 비쳤다가 곧 사라졌다. 조수석에 앉은 강모는 물에 잠긴 사람처럼 말이 없었다.

히터에서 나오는 온풍에 얼었던 얼굴 근육이 풀릴 즈음 태수가 말을 꺼냈다.

선배님, 살인사건이겠지요?

일단 그럴 가능성이 높다고 봐야지.

단순 강도라고 보기에는 소지품이 그대로 있는 게 이상합니더. 뭔가 사연이 있을까요?

낸들 아나. 부검 결과가 나오면 뭔가 단서가 될 만한 게 있을지도 모르지. 과학수사팀에서 건진 게 있을지도 모르고.

묻지마 살인 같은 건 아닐까요?

그럴 수도 있지. 요새 별의별 일이 다 일어나니까.

그런 거면 어떻게 잡습니꺼?

관내 전과자들 명단을 한번 싹 뽑아봐야겠다. 근처 교도소에서 최근에 출소한 놈들 명단도 좀 받아보고.

태수는 강모의 눈이 감기는 것을 보고 더는 말을 붙이지 않았다.

차는 얼음판 위를 미끄러지듯 달렸다. 강모의 규칙적인 숨소리가 새근새근 들려왔다. 살아 있는 모든 것은 곤히 잠들고 죽은 자는 말없이 잊힌 밤. 산비탈을 따라 흐르는 붉은 흙탕물. 거리의 피는 빗물에 씻겨 나가고, 늙은이가 내뱉은 긴 한숨은 겨울밤의 희뿌연 연무 속으로 흩어진다. 진창이 된 논길을 평생 비척비척 걸어 마침내 당도하는 곳은 재와 무덤, 그뿐이다.

24

태수는 강모의 집 앞에 차를 세웠다. 베란다 유리창 한복판에 노란 셀로판테이프가 세로로 길게 붙어 있는 읍내 외곽의 낡은 빌라였다. 건물 입구 돌층계의 콘크리트 난간은 귀퉁이가 떨어져 나갔고, 그 옆 화단에는 죽은 나무와 깨진 플라스틱 화분이 나뒹굴었다. 태수가 흔들어 깨우자 강모는 눈을 비비며 일어나 술에 취한 사람처럼 비틀거리며 집으로 들어갔다. 빌라 출입구 속 깊은 어둠이 강모의 뒷모습을 삼켰고, 주차장을 비추던 희미한 전구는 마지막 생명을 태우듯 깜빡거렸다. 태수는 차를 돌려 경찰서로 향했다.

강변도로를 타고 경찰서로 돌아오니 본관 앞에 검은 관용 지프차가 서 있었다. 과학수사팀 유창수 경장이 증거물을 담은 박스를 차 트렁크에 싣고 문을 닫았다. 태수는 지프차 옆에 차를 세우고 창문을 내렸다.

본청으로 출발하시는 겁니까?

응. 피해자 집에는 가봤나?

네. 피해자 아들한테 연락해줬습니더.

잘했네.

현장에서 뭐가 좀 나올 것 같습니꺼?

몰라. 매뉴얼대로 하기는 했는데, 제대로 했는지 모르겠다. 제대로 했어도 뭐 나올 게 있을까 싶기는 하더라. 실내도 아니고 공터 한복판인데, 뭐가 나온다고 한들 그게 확실한 증거가 되겠나? 피해자 부검 결과에서 뭐가 나와야지.

그때 현관에서 과학수사팀 신태명 경사가 빠르게 걸어 나왔다. 신 경사는 태수를 발견하고 손을 들어 보였다.

다녀왔나?

네. 지금 바로 출발하실 겁니꺼?

비 안 올 때 퍼뜩 다녀오려고. 이제 비는 안 올 것 같다만, 그래도 혹시 모르니까.

참, 이것도 좀 같이 가져가이소.

태수는 주머니에서 증거수집용 비닐 봉투를 꺼냈다. 안에는 희미한 핏자국이 묻은 하얀 천 조각이 들어 있었다. 신 경사가 비닐 봉투를 받아들었다.

이게 뭐고? 피해자 집에서 발견했나?

일단 증거품에 포함해서 분석 좀 해주이소.

알았다.

신 경사는 지프차 트렁크를 열어 박스 안에 비닐 봉투를 담았다. 그러고는 목록을 적은 얇은 파일을 열어 볼펜으로 추가 기입을 했다. 태수는 두 사람이 떠나는 것을 보고 차를 주차장으로 옮겼다.

형사계 사무실 문을 열고 들어가자 김한수 경감과 박남호 경사의 모습이 보였다. 두 사람 모두 눈을 감은 채 책상 뒤 의자에 몸을 파묻고 있었다.

계장님, 아직 안 들어가셨습니꺼?

다녀왔나? 강모는?

눈 좀 붙이라고 집에 태워다 줬습니더.

잘했다.

두 분은 왜 안 들어가시고 여기 계십니꺼?

어제 그 검사 찾는 일 말이다. 그거 어떻게 되었노?

태수는 접이의자를 가져와 한수 옆에 놓고 앉았다. 눅눅한 파카의 지퍼를 열자 숨통이 트였다.

기천면에 있는 모텔에서 흔적을 발견해서 알려줬습니더. 그게 끝입니더. 검찰에서 알아서 할 테니까 손 떼라고 하더라고요.

아침 일찍 창원에서 의경 두 개 중대가 올 거란다. 양수발전소 일대 야산을 싹 다 수색한다는데.

그래요? 사라진 검사한테 무슨 일이 있는 모양이지요?

나도 모른다. 검사가 곧 이쪽으로 온다니까 물어보면 되겠지.

고무풍선에서 바람이 새듯 한수의 입에서 한숨이 길게 새어 나왔다.

연말에 조용하게 지내나 했더니만 복잡한 일이 계속 겹치네.

밖에서 엔진음이 들려왔다. 태수는 창으로 다가가 블라인드 틈

새로 밖을 내다보았다. 흰 스포츠카에서 고유림 검사가 내리고 있었다. 숄더백을 어깨에 걸치고 등마루를 곧게 편 자세로 성큼성큼 걷는 올찬 여자. 곧 형사계 문이 열리고 피곤한 표정의 유림이 안으로 들어왔다.

한수가 떨떠름한 표정으로 자리에서 일어났다.

검사님, 오셨습니까?

태수를 발견한 유림은 한순간 날카로운 눈빛을 보였으나, 곧바로 표정을 고쳐 기성품 같은 미소를 지었다. 유림은 가방을 회의용 탁자 위에 내려놓았다.

자주 뵙게 되네요.

이번에는 저희가 뭘 도와드리면 되겠습니까?

일단 기밀 유지는 여전히 유효합니다.

그런 거는 걱정하지 마이소.

천경호 근처 일대 야산을 수색할 작정입니다. 그리고 소방서 쪽 협조를 얻어 천경호와 중경호 물속도 모두 수색할 거고요.

남호가 자리에서 일어나 유림을 향해 걸어왔다.

말하자면 시체를 찾는 거네요.

가능성일 뿐입니다. 확실하지 않은 추측은 삼가 주세요.

유림이 무쇠 칼로 생선 대가리를 내려치듯 딱 잘라 말했다. 그러자 한수가 입을 오므리며 쯧쯧 소리를 냈다.

검사님, 천경호랑 중경호가 생각보다 넓습니더.

그래서요?

이 추운 날씨에 수중 수색은 쉽지 않을 겁니더. 오 분만 물에 들어가 있어도 얼어 뒈지거든예. 어느 세월에 그 넓은 저수지를 다 뒤지겠습니꺼? 떠오를 수도 있으니까 조금만 기다려보시지예.

일단 제가 지휘하는 대로 따라주세요. 동원할 수 있는 인력은 다 동원할 거예요. 필요하면 민간잠수사라도 동원할 겁니다.

유림이 문득 태수 쪽을 돌아보았다.

참, 진태수 경장님도 스쿠버 가능하시죠? 유디티 출신이던데.

오래된 이야기입니더. 그런데 계장님 말씀이 맞습니더. 저수지 내부를 다 수색한다는 건 무리 같습니더. 조금 기다려보는 게 낫습니더.

다들 사태의 심각성을 잘 모르는 것 같네요.

태수가 두 손으로 무릎을 짚고 의자에서 일어나며 물었다.

실종자, 피해자, 용의자. 어느 쪽입니꺼?

알 거 없어요.

경찰을 동원하든 소방을 동원하든 뭔가 근거가 있어야 할 거 아닙니꺼?

치받는 듯한 태수의 말에 유림의 눈꺼풀이 살짝 떨렸다. 한수와 남호는 눈을 굴리며 혀로 입술을 축였다. 둘은 좋은 구경거리라도 생긴 아이들처럼 볼만장만 태수와 유림을 갈마보며 희미하게 웃었다.

태수는 어깨와 허리를 꼿꼿이 폈다.

검찰은 뭐, 법 위에 있는 곳입니꺼?

유림이 한쪽 입꼬리를 올렸다.

네, 몰랐어요?

법 위에 있다고요?

누군가는 법 위에 있어야죠.

그러면 천경호에는 굳이 들어갈 필요 없습니더.

왜죠?

위에 있으니까요.

네?

양수발전소 상부 저수지 아닙니꺼? 물을 빼면 됩니더. 물을 싹 다 방류하면 자동으로 바닥이 드러납니더.

유림이 입술을 오므리며 눈을 내리깔았다. 태수의 말을 듣고 있던 한수가 너털웃음을 터뜨렸다.

태수야, 그거는 안 된다.

왜 안 됩니꺼?

법적으로 최저 수심은 유지해야 되거든. 물을 다 빼는 건 안 된다. 그리고 물을 다 뺐다가 펌프 돌려서 도로 채우려고 해봐라. 전기세가 어마어마하게 들어간다.

유림이 한수를 돌아보며 물었다.

어차피 낮에는 물을 방류해서 발전을 하는 거 아닌가요?

옛날이야기지요. 요새는 양수발전소 잘 안 돌립니더. 심야 전력이 남아돌던 시절에나 양수발전소가 소용이 있었지요. 요새는 일 년에 열흘 정도나 돌릴까 말까 합니더.

한수의 말을 들은 유림이 오른손 엄지와 중지 끝을 붙이고 두 손톱 끝을 긁어 튕기며 잠시 고민했다. 태수가 팔짱을 끼고 유림을 바라보았다.

검찰은 법 위에 있다면서요. 못 할 게 뭡니꺼?

유림이 고개를 끄덕였다. 그 모습을 본 한수가 고개를 가로저었다.

검사님, 안 됩니더. 발전소 측에 한번 물어보이소. 제 말이 맞습니더.

제가 알아서 할게요.

유림이 손을 들어 한수의 말을 끊었다.

아침 여덟 시에 기천파출소 앞에서 집결합니다. 그리고 진태수 경장님, 저랑 잠깐 이야기 좀 할까요?

태수는 양쪽 눈썹을 치키며 유림을 바라보았다. 유림이 고개를 모로 까딱하고는 먼저 밖으로 걸어 나갔다. 한수가 눈짓으로 태수에게 영문을 물었지만, 태수는 그저 어깨만 으쓱했다.

태수는 유림의 구두가 남긴 물기를 따라 밖으로 나갔다. 유림이 태수에게 스포츠카 조수석을 가리킨 다음 먼저 운전석에 올라탔다. 태수는 문을 열고 조수석으로 들어갔다. 비좁은 차내에 두 사람이 나란히 앉자 서로의 숨소리가 들렸다. 유림이 운전석과 조수석 사이로 몸을 기울여 가방을 뒷좌석 바닥에 내려놓았다. 유림의 목덜미에서는 짙은 머스크 향이 풍겼다.

검사님, 하실 말씀이라도 있습니꺼?

그 모텔은 어떻게 알아낸 거죠?

일찍도 물어보십니더.

묻는 말에나 대답해요.

어제는 왜 안 물어보셨습니꺼?

진태수 경장님.

네.

영웅이 되고 싶어요? 정의 사회를 구현하고 싶은 거예요?

굳이 그럴 생각까지는 없습니더.

내부고발자로 찍혀서 경찰특공대에 남아 있지를 못했던데.

저한테 관심이 많으시네요.

원하는 게 뭐예요?

딱히 없습니더.

원하는 게 없는 사람도 있어요?

우울증인가 보죠.

진실을 알고 싶은 거예요?

그건 좀 솔깃하네요.

그럼 나랑 손잡고 제대로 한번 해볼래요?

유림이 코트 단추를 끌렀다. 검푸른 니트 스웨터의 깊게 팬 브이넥 사이로 풍만한 가슴골이 드러났다. 희고 부드러운 피부 아래 푸른 정맥이 지도 위의 강줄기처럼 구불거렸다. 태수는 가볍게 숨을 들이마셨다.

검사님, 하나만 물어봅시더.

뭐죠?

어떤 낡은 빌라에서 남자랑 여자가 손을 잡고 뛰어나왔습니다. 남자는 연미복 차림에 실크해트를 썼고, 여자는 검은 바니걸 의상 차림입니다. 그 두 사람이 택시를 잡아타고 급히 떠납니다. 그리고 그 뒤를 쫓아서 인디언 복장을 한 남자가 부부젤라를 들고 나타납니다.

수수께끼 같은 거예요?

제가 실제로 본 겁니다.

무슨 개소리예요?

태수는 입을 쩝 다셨다.

유림이 코트 주머니를 뒤져 담배를 꺼낸 다음 일회용 플라스틱 라이터로 불을 댕겨 깊이 빨아들였다. 그러고는 태수의 얼굴 쪽으로 길게 연기를 내뿜었다.

저 그만 가도 되죠? 비흡연자라서.

꺼져요. 그리고 무슨 생각을 하고 있든 그냥 조용히 있는 게 나을 거예요.

태수는 차 문을 열고 밖으로 나왔다.

유림은 담배를 쥔 왼손을 차창 밖으로 늘어뜨린 채 오른손으로 핸들을 빙글 돌렸다. 비에 젖은 작고 하얀 차는 시끄러운 배기음과 반원 모양의 헤드라이트 잔상을 남기고는 경찰서 정문을 통과해 어둠 속으로 사라졌다.

화요일

25

태수는 차를 운전해 산길을 달렸다. 동녘 산등성이 위로 물이 차오르듯 푸르스름한 여명이 퍼져나가며 짙게 깔린 어둠을 지웠다. 간밤에 지독하게 비를 퍼부었던 먹구름은 산 너머로 물러났고, 대신 얇게 펴 바른 듯한 새털구름이 하늘을 뒤덮고 있었다. 산에서 솟아난 태양 위로 빛의 층위가 색색으로 겹치자 나무들의 젖은 껍질에도 희붐한 새벽빛이 반사되기 시작했다. 그리고 이내 세상이 조금씩 제 형상을 되찾았다.

산을 빠져나와 평지로 접어들었다. 그러자 먼 산꼭대기 너머 먹구름 사이로 한줄기 빛기둥이 길게 뻗어 내려오는 영광스러운 광경이 눈앞에 펼쳐졌다. 이발소 뒷벽에 걸려 파리똥을 맞고 있는 낡은 그림 속 장면과 똑같았다. 태수는 왼손으로 운전대를 잡고 오른손으로 편의점에서 파는 싸구려 커피를 마셨다. 구두약을 지나치게 오래 달인 것 같은 맛이었다.

흠뻑 젖은 들판에는 뿌연 안개가 가득 들어차 있었다. 하얀 소독

차 연기 속에서 손을 휘저으면 공기의 흐름을 눈으로 볼 수 있듯, 도로 위를 달리는 차들은 저마다 안개 속에 흔적을 남겼다. 굼벵이처럼 달리는 검은 픽업트럭 한 대를 추월하기 위해 태수는 재빨리 중앙선을 넘었다. 하얀 수증기 입자들이 태수의 차 윈드실드 표면을 타고 북극여우의 털처럼 부드럽게 쓸려나갔다.

다시 원래 차선으로 돌아온 태수는 룸미러에 비치는 뒤차 운전자를 흘끗 바라보았다. 진회색 헌팅캡을 쓴 남자가 통화에 열중하고 있었다. 태수의 손에 들린 종이컵에서 커피가 흘러 손등을 적셨다. 태수는 컵을 기어 스틱 뒤 홀더에 내려놓고 손등에 묻은 커피를 혀로 핥았다. 가속 페달을 밟은 발에 힘을 가하자 태코미터의 빨간 바늘이 빠르게 위로 치솟았다.

기천파출소 앞은 오일장처럼 북적였다. 창문마다 철망을 두른 경찰 버스 두 대가 길가에 서 있었고, 타이어와 흙받기에 진흙이 달라붙은 낡은 픽업과 지프차도 잔뜩 늘어서 있었다. 검은 기동복을 입은 의경들은 버스 옆에 모여 담배를 피워댔고, 두꺼운 털외투를 입은 덩치 큰 사내들은 뾰족한 사냥 모자나 챙이 늘어진 정글모를 쓴 채 주위를 서성거렸다. 태수는 길가에 차를 멈추고 눈살을 찌푸리며 주위를 둘러보았다. 사냥개 짖는 소리가 찬 공기를 갈랐다. 줄에 묶인 점박이 포인터와 검은 레트리버가 앞발을 들었다 놨다 하며 제자리를 맴돌았고, 픽업 짐칸에 기대 세운 레버액션식 산탄총과 공기총은 이슬에 젖은 총신을 번들거렸다.

기천파출소장 손정길 경감과 의경 기동대장 두 사람 그리고 고

참 사냥꾼으로 보이는 두어 사람이 한쪽에 모여 뭔가를 쑥덕거리고 있었다. 그 모습을 발견한 태수가 차에서 내려 일행에게 다가갔다. 뒤통수에 은회색 까치집을 지은 정길이 걸어오는 태수를 발견하고는 오른손을 머리 위로 들어 보였다. 태수가 꾸벅 인사를 하자 정길이 프라이팬 바닥에 눌어붙은 듯한 표정으로 퉁명부렸다.

태수야, 이게 다 무슨 일이고?

미처 그 생각을 못했습니더. 지금 이 일대가 전부 수렵장이지요?

태수는 차가운 맨손을 앞으로 모아 빠르게 비비며 입으로 후후 불었다. 옆에 서 있던 작달막한 남자가 고리눈을 하고 태수를 쳐다보았다. 며칠 면도를 하지 않은 듯 까칠한 수염이 남자의 뺨과 턱을 뒤덮고 있었고, 왼쪽 눈 흰자위에는 붉은 핏줄이 선명했다.

사내가 바닥에 침을 탁 뱉으며 투그리듯 말했다.

당신이 여기 책임자요?

뭐, 비슷합니더.

들어보니까 오늘 여기 산을 수색한다던데, 그거 안 됩니더. 엽사들이 총 들고 돌아다니는 산에 사람 풀었다가 사고라도 나면 어떡할라꼬 그랍니꺼?

어쩔 수 없습니더. 총기 다시 다 반납하셔야죠.

태수가 발로 길가의 흙덩이를 비볐다. 옆에 서 있던 다른 남자가 시큼한 암내를 풍기며 끼어들었다.

우리만 철수한다고 되는 게 아니라니까. 양산 쪽에서도 엽사들이 올라온다꼬. 꼭 필요하면 우리는 하루 공친다 생각하고 술 한 잔 걸치면 그만인데, 문제는 수렵장이 천경산 너머 저 뒤로 이어져 있다는 거지. 양산에서부터 올라오는 엽사들이 빠르면 점심 전에 이쪽으로 넘어올 수도 있는데, 이거는 너무 위험해. 이런 일이 있을 것 같으면 미리 수렵장 폐쇄 공고를 하고 인근 총기 출고까지 싹 다 막아 놓고 일을 벌여야지.

말씀 듣고 보니까 그렇네요. 소장님 생각은 어떠십니꺼?

나도 몰라. 고마 골치 아파 죽겠다.

검은 기동복 차림으로 옆에 서 있던 젊은 기동대장이 반질반질한 군홧발을 시멘트 화단에 턱 올렸다.

우리도 이 상태로는 수색 못 합니더. 애들 안전이 최우선이지요. 사고 터지면 누가 욕을 먹습니꺼?

창원에서 왔습니꺼?

네. 지금 애들 아침도 제대로 못 먹고 왔습니더. 빨리 결정을 해야 우리도 원대 복귀를 하든지 어쩌든지 할 텐데.

그때 멀리서 흰색 포르쉐가 나타났다. 납작한 차체가 도로 위를 미끄러져와 경찰 버스 뒤에 멈추자 사람들의 시선이 일제히 외제 스포츠카 쪽으로 돌아갔다. 청바지 차림의 유림이 흰색 파카를 손에 들고 운전석에서 내린 다음 문을 탁 소리가 나도록 닫았다. 파카를 껴입으며 태수를 향해 걸어오는 유림의 오른쪽 등산화 발목에는 미처 떼지 못한 종이 태그가 대롱거렸다.

준비는 됐어요?

태수에게 묻는 유림의 쌍꺼풀눈은 움푹 꺼져 있었다.

검사님, 오늘 수색이 힘들 것 같습니더.

왜요?

이 일대가 지금 순환 수렵장으로 지정되어 있습니더. 그래서 사냥꾼들이 총을 들고 돌아다닙니더. 의경들 산에 풀었다가 잘못하면 사고 납니더.

총기 모두 회수해요.

그 이야기도 해봤는데, 문제는 산 뒤쪽에서 넘어오는 엽사들이 있다는 겁니더. 양산 쪽에서 넘어오는 사람은 어떻게 할 수가 없으니까요.

유림은 엄지로 관자놀이를 짚으며 인상을 썼다. 그러고는 주위를 한번 빙 둘러보았다. 총을 어깨에 걸친 험상궂은 남자들과 사나운 개들 그리고 스텐실로 찍어낸 듯한 의경들의 검은 실루엣. 아침 공기는 밤에 내린 비와 산림이 뿜어내는 습기로 축축했고, 파출소 뒤쪽 논이랑에는 시커먼 고지랑물 사이로 누런 벼 그루가 삐죽삐죽 솟아 있었다. 쭉 뻗은 도로 끝에 활대 모양으로 걸린 능선이 천경산이었다.

이쪽에서 들어가는 엽사가 없으면 일단 이쪽 산기슭은 수색할 수 있겠죠.

유림이 주위를 둘러보며 외쳐 물었다.

누구, 지도 가진 사람 없어요?

사냥꾼 중 한 사람이 카고바지의 넓적다리에 붙은 주머니에서 낡은 종이 지도를 꺼냈다. 접힌 부분이 너덜너덜한 지도를 빈 화단에 펼친 다음, 유림과 태수, 정길 그리고 엽사들과 기동대장이 둘러섰다.

유림이 액취를 풍기는 남자를 돌아보며 물었다.

양산 쪽에서 넘어오는 사람들이 많을까요?

나도 모르죠.

남자는 어깨를 으쓱하더니 몽땅한 손가락으로 지도 위의 한 지점을 짚었다.

보통 이쪽 길을 타고 들어오거든예. 빨리 넘어오는 사람은 천경호 부근까지 오는 데 얼마 안 걸립니더. 점심 먹기 전에 도착하지.

유림은 고개를 돌려가며 지도를 찬찬히 들여다보았다.

천경호까지 차로 올라가면 얼마나 걸리죠?

넉넉잡아 이십 분이면 올라가죠, 하고 태수가 대답했다.

어느 길이죠?

태수가 지도 위의 도로를 따라 손가락을 움직였다.

보통 이쪽 길로 올라갑니더. 나름 드라이브 코스죠.

유림의 손가락이 중경호 왼쪽으로 난 작은 실선을 가리켰다.

여기 반대쪽 도로는 뭐죠?

이것도 도로는 맞는데 엄청 좁습니더. 차 한 대 겨우 지나가는 도로인데, 위로 올라가면 길이 끊겨 있어서 다시 차 돌려서 내려와야 합니더.

천경호까지 길이 이어지기는 하나요?

맨 위로 올라가면 철조망으로 막혀 있습니다. 철조망 너머로 천경호가 보이기는 합니다.

옆에서 듣고 있던 손 경감이 입가에 스며 나온 허연 침을 손바닥으로 닦으며 끼어들었다.

옛날 길이지. 처음에는 이쪽으로 길을 내려고 했는데, 무슨 이유 때문인지 나중에 반대편으로 큰길이 났다. 지금은 이쪽 길을 거의 안 쓰지.

유림은 자신의 턱살을 엄지와 검지로 살짝 집으며 잠시 고민했다. 사람들의 곁눈이 일제히 유림을 향했다. 유림이 두 기동대장에게 말했다.

자, 이렇게 하죠. 양쪽 길로 버스 한 대씩 올라가요. 위에서부터 빠르게 수색하면서 내려오세요. 점심 전에 산 아래에 도착해야 합니다. 꼼꼼히 수색하는 것보다는 일단 빠르게 훑으세요. 어차피 필요하면 내일 다시 수색할 거니까요. 사람의 흔적이나 떨어진 물건이 있는지 잘 살펴보세요. 만약 산에서 총소리가 들리면 그 순간 수색은 중단합니다. 곧바로 포장도로를 따라 의경들 철수시키세요.

검은 기동복을 입은 두 경관은 눈가를 찌푸리며 서로 눈빛을 주고받았다. 유림이 손뼉을 탁 쳐서 두 경관의 시선을 자신에게 집중시켰다.

걱정 마세요. 오늘 수색 중 발생하는 어떤 결과에 대해서도 모든 책임은 제가 집니다.

그제야 두 경관은 천천히 고개를 끄덕였다. 유림이 화단 위에 성큼 올라선 다음 주위의 사내들을 내려다보며 외쳤다.

사냥 오신 분들! 주목해주세요! 죄송하지만 오늘은 오후부터 입산하실 수 있습니다. 그리고 아마 내일은 수렵장이 임시 폐쇄될 가능성이 큽니다. 별도 공고를 확인하세요.

트럭 짐칸에 비스듬히 몸을 기대고 있던 사냥꾼들은 또랑또랑 울리는 유림의 아금받은 말을 듣고 마지못해 고개를 끄덕였다.

유림이 화단에서 풀쩍 뛰어내린 다음 자신의 오른쪽 등산화 발목에서 종이 태그를 탁 뜯어냈다. 기동대장 두 사람이 각자 경찰버스를 향해 걸으며 무전기에 대고 뭐라고 지시했고, 그러자 담배를 피우던 의경들이 서둘러 연기를 빨아들인 다음 꽁초를 발끝으로 비벼 끄고 버스에 오르기 시작했다.

태수도 길가에 세워둔 자신의 차를 향해 걸었다. 손 경감이 어깨를 움츠린 채 태수의 옆으로 다가와 귓속말을 건넸다.

아따, 보통내기가 아니네. 우리 유지나 경장은 저기 비하면 맏며느릿감이지 싶다.

태수는 말없이 싱긋 웃어 보이고는 차에 올라탔다.

26

양수발전소 홍보관 앞마당에는 철제 빔을 용접해 만든 물레방아 조형물이 서 있었다. 하얀 페인트를 칠한 거대한 바퀴가 아침 햇살을 받아 표면에 맺힌 이슬을 반짝였다. 돌아가지 않는 물레방아. 무령 양수발전소의 상징.

태수는 양수발전소 홍보관 주차장에 차를 세운 다음 밖으로 나와 잠시 주위를 둘러보았다. 축축한 습기와 물 냄새가 코끝에 감돌았다. 단단하게 닫힌 회색 철문 너머로 붉은 벽돌로 지은 홍보관 건물과 그 뒤 백색 산안개 휘장에 감싸인 천경산의 윤곽이 보였다. 거무스름한 능선은 위로 올라갈수록 희끄무레해졌고, 꼭대기 부근은 짙은 구름 속에 녹아버린 듯 형체가 없었다. 홍보관 바로 뒤에는 뼈만 남은 듯한 철골 송전 설비가 우뚝 서 있었는데, 그곳에서부터 뻗어 나온 검은 고압선이 산 중턱에 박힌 송전탑으로 이어졌다.

낡은 경찰 버스 한 대가 홍보관 옆으로 난 샛길로 접어들며 육중한 엔진음과 검은 연기를 내뿜었다. 그 뒤를 따르던 유림의 포르쉐가 방향을 틀어 주차장으로 들어오더니 태수 옆에 멈추었다. 유림이 운전석 창문을 내렸다. 태수는 허리를 약간 숙여 유림을 내려다보았다.

반대편의 큰길 쪽으로 올라가시지, 왜 이쪽으로 오셨습니까?

진 경장님 차가 이쪽으로 들어가는 걸 보고 따라왔어요. 진 경장님은 왜 이쪽으로 오셨죠?

태수가 손가락을 뻗어 방금 버스가 지나간 아스팔트 진입로 위쪽을 가리켰다.

저기 보이는 저 지점이거든요.

뭐가요?

제가 황유석 검사님을 마지막으로 본 지점.

언제요?

토요일 밤이었죠. 그날 눈이 많이 왔습니더.

좋은 태도네요. 이제 좀 마음에 드는군요.

유림이 차 문을 열고 내렸다. 머리를 바짝 당겨 묶은 유림의 정수리가 햇빛을 반사해 흑요석처럼 반짝였다. 유림이 차에 기대서서 팔짱을 끼며 태수를 바라보았다.

자, 이제 알고 있는 걸 싹 다 털어놔보시죠.

별거 없습니더. 대한민국 부장검사라는 사람이 서울에서 이 촌구석까지 내려와서 사라졌는데 가짜 수염이랑 가짜 코를 붙이고 다녔다. 뭐, 그런 거죠.

가짜 코를 붙여요?

그건 농담입니다. 가짜 수염만 붙였습니다. 안경도 가짜였을 수 있겠네요.

유림은 팔짱을 풀고 두 손을 청바지 주머니에 찔렀다.

앞으로 농담은 하지 마세요. 헷갈리니까.

미안합니다.

이제 그 이야기 좀 해보죠. 루미놀은 왜 뿌렸죠?

손 소장님께서 애송이 형사한테 뭘 좀 보여주시겠다면서 냅다 뿌렸습니다.

개소리하지 말고.

태수는 눈을 돌려 먼산주름을 쳐다보았다. 수평으로 뻗은 검은 송전선 여러 가닥 사이로 갈까마귀가 오선지 위 음표처럼 날았다.

가는 게 있으면 오는 게 있어야지요. 거기서 누구 혈흔이 나왔습니까?

염려 말아요. 진 경장님이 우려하는 그런 상황은 아니니까.

그러면 왜 지금 이 난리를 치는 겁니까?

유림은 입을 닫고 발끝으로 땅을 툭툭 찼다. 시멘트 바닥은 군데군데 볕이 든 자리마다 물기가 말라 백반증 환자의 피부처럼 얼룩덜룩하게 변해 있었다. 유림이 고개를 가로저었다.

자세한 이야기는 못 해요. 나한테 그럴 권한이 없어요.

그러면 저도 그만하겠습니다. 서로 없었던 일로 하시지요.

진짜 이럴 거예요?

저한테 뭐 맡겨놨습니까?

현직 검사하고 척지고도 무사할 것 같아요?

협박입니까?

당연하죠.

너무 무서워서 몸이 덜덜 떨립니다.

유림이 피식 웃었다. 주차장으로 흰색 아반떼 한 대가 천천히 들어왔다. 양수발전소 시설 경비원으로 보이는 젊은 남자가 차에서 내리며 유림의 차를 힐끗거렸다.

유림이 멍한 눈으로 진입로를 응시하며 입을 뗐다.

비트코인에 대해서 좀 알아요?

이 동네에도 그거 하다가 돈 날린 사람이 하나둘은 아닌 것 같더라고요. 그거 완전히 사기라던데.

사기인지 아닌지는 저도 잘 모르겠네요.

얼마 안 있어서 없어지는 거면 사기 아닙니까?

거품이야 꺼질 수도 있겠죠. 그래도 쉽게 없어지기는 힘들 거예요. 어느 날 아침 눈을 떴는데 전 세계의 모든 마약과 도박과 포르노와 비자금이 몽땅 사라지는 기적이 일어나지 않는다면 말이죠.

그럼 나도 할 걸 그랬나?

기적을 안 믿나 보죠?

네.

왜요?

이유가 있어야 됩니까?

유림은 땅을 내려다보며 잠시 침묵했다. 그러고는 낮은 음성으로 차분히 입을 열었다.

칠 년 전 일이에요. 미국 플로리다에 살던 어떤 프로그래머가 인터넷 게시판에 글을 올렸죠. 피자 두 판을 배달시켜 주면 일만 비트코인을 보내주겠다는 내용이었어요. 그 글을 본 누군가가 거래에 응했고, 그 프로그래머는 결국 피자 두 판을 먹었어요. 피자 두 판에 일만 비트코인. 비트코인으로 실물을 거래한 최초 사례였죠. 여기서 퀴즈 하나. 일만 비트코인이 현재 원화로 얼마에 거래되는 줄 알아요?

많이 올랐습니까?

지금 일만 비트코인이 원화로 약 칠백억 원쯤 돼요.

꽤 비싼 피자였네요.

우리도 확실한 건 몰라요. 다만 어떤 놈이 몇 년 전에 범죄로 비트코인을 좀 벌어들였다는 건 알죠. 그때는 일이 이렇게 될 줄 그 놈도 몰랐을 거예요. 받아야 할 돈 대신 어쩔 수 없이 떠안은 것 같기도 해요. 그런데 그게 지금 상상도 못 한 거액이 되어버렸죠. 그 비트코인도 엄연한 범죄수익이에요. 그리고 범죄수익을 회수하는 게 황유석 검사가 하는 일이고요. 우리가 아는 건, 황 검사가 그 비트코인을 회수하기 위해 뭔가 작전을 세웠을 거라는 정도예요.

이해가 안 가네요.

좀 더 어려운 이야기를 하자면, 비트코인은 법의 테두리 밖에 있어요. 어떤 전자지갑에 거액의 비트코인이 들어 있다고 해보죠. 그리고 그 사실을 세상 사람들이 다 알아요. 심지어 비트코인의 특성상 그 전자지갑의 주소와 잔고 그리고 모든 거래 내역까지 투명하게 공개되어 있어요. 그게 범죄수익이라는 것도 확실하고, 판사가 그걸 몰수하라는 판결까지 내리죠. 여기까지는 문제가 없어요. 하지만 그걸 실제로 회수하려고 들면 문제가 생기죠. 비트코인은 실체가 존재하지 않으니까. 누군가 자신의 전자 지갑에 비트코인을 보유하고 있다면 개인 암호키를 알아야 그 비트코인을 이체할 수 있어요. 지갑 주인이 암호키를 외운 다음 어디에도 흔적을 남겨두지 않는다고 가정해 봐요. 어떻게 할 방도가 없죠. 그러니까 순수하게 이론적으로 따지면, 비트코인은 누구에게도 빼앗기지 않고 완벽하게 지킬 수 있어요. 기억력만 좋다면.

재미있네요.

실제로 암호키를 외우는 건 무척 힘들겠지만, 어쨌거나 가능한 이야기죠.

암호 외우는 것 정도는 저도 하는데요.

비트코인 개인키는 길이가 엄청나게 긴 무작위 숫자로 이루어져요. 일반적인 암호랑은 달라요.

태수는 천천히 고개를 끄덕였다. 유림이 말을 이었다.

외우는 게 완전히 불가능한 건 아니에요. 원주율을 몇만 자리까지 외우는 사람도 있으니까. 하지만 상식적으로는 암호키를 통째로 외우는 사람이 없다고 봐야죠. 컴퓨터에 저장해두거나 적어도 어딘가 종이에라도 적어두겠죠. 하지만 지갑 주인이 암호키를 외우고 있다가 까먹었다고 바득바득 우기면 어쩔 수가 없어요. 법적으로 입을 열게 할 방법이 없으니까. 고문을 할 수는 없잖아요.

의외로 정의로우시네요.

칭찬인가요?

자백을 받으려고 피의자를 때리는 경찰도 있거든요.

태수는 파카 주머니에 손을 찔렀다.

그럼 황 검사가 그 암호를 찾으려고 무령으로 온 겁니꺼?

구체적인 이야기는 기밀이에요.

그 야릇한 비디오는 뭡니꺼?

황 검사가 세운 작전의 일부겠죠.

작전이요?

네.

한배를 탄 것처럼 보이려고 그런 짓까지 했다?

그러기를 바라고 있죠.

유림이 두 손을 모아 합장하듯 자신의 가슴께에 모았다.

자, 이제 진 경장님 차례네요.

그래도 저는 납득이 안 갑니더.

뭐가요?

현직 검사가 그런 위험까지 무릅쓸 이유가 있습니꺼?

범죄수익환수부는 검찰 내 한직이에요. 황 검사는 꽤 잘 나가던 검사였고, 거기까지 날려갔을 때는 아마 충격이 컸을 거예요. 돌파구가 필요했겠죠.

그 돌파구라는 게 실적입니까, 아니면 한 번 내 손에 들어오면 아무도 못 빼앗아가는 엄청난 돈입니까?

나야 모르죠.

유림은 살짝 코웃음을 쳤다.

하지만 난 기본적으로 내 동료를 믿어요. 누구랑은 다르게.

양심이 움찔거리네요.

미안해요. 농담 삼아 한 말인데 비꼬는 것처럼 되었네요.

괜찮습니더.

자, 이제 진짜 진 경장님 차례예요. 알고 있는 걸 털어놔보시죠.

별거 없습니더.

태수는 투레질하듯 숨을 입술 사이로 불어냈다.

현직 검사가 실종되었는데 제가 그 사람이 머물던 모텔 방을 찾아냈고, 거기서 그 검사가 주인공인 포르노 필름이 나왔지요. 그런데 검찰총장이 사건 수습을 맡길 만큼 유능한 검사님께서 이상하게도 저한테 별달리 묻는 말이 없더라고요. 마치 제가 거기를 당연히 찾아낼 줄 알았다는 듯이.

태수가 어색하게 미소 짓자 유림이 씁쓸하게 웃었다.

계속해 봐요.

그러다가 저수지에 둥둥 떠다니던 검사 신분증이 발견되었고, 우연하게도 제가 황 검사를 마지막으로 본 곳이 그 근처였습니더. 그리고 이 근처에서 뭔가 심각한 일이 벌어졌다는 걸 제가 알고 있고요. 그래서 루미놀을 한번 뿌려 봤습니더. 그게 답니더.

뭔가 심각한 일이 벌어졌다고요?

그 부분은 내일쯤 말씀드릴 수 있을 것 같습니다.

이것 봐요. 지금 난 싹 다 털어놨어요.

왜 이러십니까? 더 이상 서로 거짓말은 하지 맙시다.

그때 산으로 통하는 좁은 길에서 빈 경찰 버스가 내려오는 모습이 보였다. 태수는 유림의 차를 훑어보고는 고개를 저었다.

그 차로는 올라가시면 안 될 것 같은데요. 제 차로 같이 올라가시죠.

알았어요.

태수는 차에 올라 시동을 걸었다. 유림이 조수석에 타서 문을 닫자 태수는 파킹 브레이크를 풀고 차를 출발한 다음 주차장에서 오른쪽으로 꺾어 산으로 통하는 좁은 길로 접어들었다.

길 왼쪽은 잡목이 빽빽한 산비탈이었고, 길 오른쪽 아래로는 네모난 두부처럼 생긴 양수발전소의 투박한 건물이 보였다. 발전소 건물 뒤로 철제 빔을 엮어 만든 송전 설비가 해골 병사처럼 도열해 있었다. 차가 속력을 높이자 앙상한 나뭇가지의 얼기설기한 그림자가 보닛 위를 빠르게 스쳤다.

얼마 지나지 않아 누런 제방이 길 오른쪽에 나타났고, 오르막길을 계속 달리자 낡은 철조망 너머로 중경호의 잔잔한 수면이 드러났다. 호수 건너편의 산과 그 아래 물에 비친 산영이 완벽한 데칼코마니를 이루고 있었다. 희푸른 하늘빛을 그대로 담은 물, 빙판처럼 매끄러운 수면. 손끝으로 살짝만 건드려도 실로폰 소리가 날 것 같은 풍경이었다.

저수지 둘레를 따라 은색 가드레일과 곧은길이 계속 이어졌다. 잊을 만하면 출입금지 경고판의 붉은 글씨가 다시 나타났다.

태수가 옆자리의 유림을 힐끗거렸다.

직접 보시니까 어떻습니꺼? 중경호가 생각보다 꽤 크죠?

저기 보이는 저 건물은 뭐죠?

유림이 맞은편 산 중턱에 있는 건물을 손가락으로 가리켰다. 하얀 직사각형 건물이 공중에서 떨어뜨려 놓은 듯 산에 박혀 있었다.

요양병원입니더. 이 일대에서 규모로는 제일 크지요.

유림은 말없이 창밖의 풍경을 응시했다. 태수는 속도를 높여 길을 따라 달렸다. 물 위의 자욱한 습기가 바람을 타고 조용히 일렁였고, 차갑게 빛나는 아침 태양은 마치 끈을 놓친 은색 헬륨 풍선처럼 점점 더 높이 솟구쳤다.

27

길의 끝. 산비탈에 면한 빈터 앞에서 콘크리트 길이 끊어졌다. 진창으로 변한 흙바닥에는 설형문자 같은 타이어 자국이 어지럽게 찍혀 있었는데, 경찰 버스가 전진과 후진을 반복하며 가까스로 머리를 돌린 듯했다. 태수가 공터에 차를 세우자 유림이 조수석 창문을 내리고 안전벨트를 풀었다. 공터 오른쪽을 가로막은 어깨높이의 초록색 철망 너머로 마른 풀과 여윈 나무가 보였고, 마름모꼴 철망 구멍 사이로 천경호의 습기를 품은 바람이 불어왔다.

태수가 조수석 창문 너머를 손가락으로 가리켰다.

저기 철망 너머가 천경호입니더.

여기서는 저수지가 잘 안 보이네요.

반대편 길로 올라가야 제대로 보입니더. 그쪽에는 정자도 있고 나름 경치가 좋습니더.

이쪽에서는 아예 못 들어가게 막혀 있나요?

몰래 들어가면 되긴 합니더. 저쪽에 개구멍 있습니더.

일단 내리죠.

두 사람은 차에서 내렸다. 어디선가 산새가 날카롭게 지저귀며 닳은 칠판지우개를 문댈 때처럼 찢어지는 소리를 냈다.

유림은 눈을 가늘게 뜨고 사방을 살폈다. 철망과 한림이 포위한 뻘밭 같은 공터였다. 아래로 길게 뻗은 시멘트 포장로는 갈라지고 깨진 곳 천지였으며, 가드레일도 갓돌도 없는 탓에 벼랑에 붙은 잔도처럼 위태로웠다. 길 아래로 검은 사람 그림자가 경성드뭇 나타났고, 숲속에서 의경들이 서로 외치며 불러대는 소리도 어렴풋이 들려왔다. 유림은 쪼그려 앉아 신발 끈을 고쳐 맸다.

태수가 무전기를 챙기며 말했다.

길 따라 쭉 내려가봅시더.

철조망 너머부터 한번 보고요.

태수는 마른 풀을 헤치고 공터 안쪽으로 들어갔다. 유림이 뒤를 따랐다.

철망을 고정한 마지막 쇠기둥은 바위에 닿아 있었고, 바위와 쇠기둥 사이의 공간은 굵은 와이어 대여섯 개가 팽팽한 장력으로 가로막고 있었다. 태수는 철조망 아래쪽의 뜯어진 자리를 들어 올렸다. 사람이 기어서 지나갈 수 있을 정도의 구멍이 있었다.

진짜 개구멍이네요.

먼저 들어가이소.

유림은 무릎을 꿇고 바닥에 손을 짚었다. 그 자세로 엉금엉금 기어서 철조망 뚫린 자리를 지나 반대편에서 일어선 다음 양손을 탁

탁 털었다. 유림의 청바지 무릎노리에 가죽 패치처럼 동그랗게 검은 진흙이 묻었고, 하얀 파카의 소매도 더러워졌다. 태수는 바위를 밟고 훌쩍 뛰어올라 롤오버 자세로 철조망을 넘었다. 철조망을 전혀 건드리지 않은 채 태수의 발이 가볍게 땅을 딛자 유림이 못마땅한 표정으로 콧등을 씰룩거렸다.

갑시더.

태수가 앞장서고 유림이 뒤를 따랐다.

나무를 헤치고 나가자 험한 바윗길이 나타났다. 태수는 바위의 평평한 지점을 밟으며 천천히 걷다가 이따금 뒤돌아서서 유림의 손을 잡아주었다. 얼마 지나지 않아 천경호의 잔잔한 수면이 나타났다. 두 사람은 바위옹두라지에 올라서서 저수지를 내려다보았다. 위성사진으로 보면 뿔이 난 황소 머리처럼 삐죽삐죽하게 생긴 천경호였다. 이쪽 기슭에서 바라보면 호수 왼쪽에 곶처럼 툭 튀어나온 산자락이 겹쳐 보였는데, 그곳이 쇠뿔 난 자리였다. 반대편 기슭은 인공적으로 쌓은 둑이라 민틋했고, 제방 사면에 수위를 나타내는 표식이 도드라져 있었다. 지난밤 내린 비 덕분에 천경호에는 물이 먹차 있었다. 건너편 기슭에 의경 몇 명이 탐침 대용으로 길쭉한 시위 진압용 경찰봉을 들고 돌아다니는 모습이 보였다.

유림이 저수지를 내려다보며 눈살을 찌푸렸다.

여기서 황 검사 신분증이 발견된 거군요.

물에 빠진 거면 지금쯤 떠올라야 정상입니더.

돌 같은 거라도 묶어놨으면 빨리 떠오르지 않을 수도 있어요.

그럴 가능성도 있습니까?

뭐든 가능성이야 있죠.

뭐든?

네, 뭐든.

뭐든 가능하다니, 꽤 희망적이시네요.

유림은 표정 없이 손바닥에 묻은 흙을 천천히 문질렀다. 태수는 천경호 수면에 반짝이는 물비늘을 바라보며 말했다.

진짜 물을 한번 빼봐야 할 수도 있겠네요.

네.

여름에도 잘 안 돌리는 양수발전소, 이참에 한 번 돌리겠네요.

고인 물은 결국 흐르는 법이죠.

요새는 꼭 그렇지도 않던데요.

물이 흐르지 않으면 흐르도록 만들어야죠.

희망적이시네요.

별수 없잖아요.

뭐가요?

희망을 가져야죠, 살아가려면.

살아가려면 희망을 버려야 하는 줄 알았는데요.

어느 쪽을 바라보는지에 달려 있겠죠.

그때 태수의 손에 들린 무전기에서 지지직거리는 소리가 흘러나왔다. 태수가 무전기를 귀에 대고 잡소리 사이로 뭔가를 듣더니 경찰 음어로 간단하게 답변했다.

갑시더. 뭔가 하나 찾아낸 모양입니더.

태수와 유림은 길을 거슬러 되돌아갔다. 바위츠렁을 지나 철망을 통과해 차를 세워둔 공터로 나왔다. 두 사람은 반쯤 뛰듯 빠르게 걸어 포장로를 따라 내려갔다. 의경들이 모여 웅성거리는 모습이 보였다. 기동대장이 두 사람을 발견하고 손을 들었다. 태수가 다가서며 물었다.

뭡니꺼?

안경입니더.

기동대장이 한쪽 다리가 부러진 검은 뿔테 안경을 보여주었다. 안경알에 흙이 묻어 얼룩덜룩했다. 유림이 안경을 살펴보며 물었다.

어디서 발견했나요?

저기 안쪽 나무 밑에 떨어져 있었답니더.

진 경장님이 본 그 안경 맞아요?

비슷한 것 같긴 한데 확실치는 않습니더. 다른 사람이 떨어뜨린 걸 수도 있지요.

다른 흔적은 없던가요?

유림이 기동대장에게 물었다.

글쎄요. 어지간한 흔적은 비에 씻겨 내려갔겠죠.

일단 발견된 지점으로 한번 가보죠.

태수는 주머니에서 증거수집용 비닐 봉투를 꺼내 안경을 담았다. 기동대장이 도로 옆 비탈을 오르며 앞장섰다. 유림은 태수의 손을 잡고 단단한 돌을 디디며 산 위로 올라섰다. 나무 사이로 풀이 밟힌 자국이 길처럼 나 있었지만, 층층이 쌓인 검불은 발을 디딜 때마다 움푹 꺼졌다. 산 아래쪽 삼삼한 비탈면을 따라 모자를 눌러쓴 의경들이 긴 장대 같은 플라스틱 봉으로 바닥을 헤집으며 걸어 내려가는 모습이 보였다. 사득다리를 걷어치우며 얼마쯤 걷자 앳된 얼굴의 의경 두 명이 소나무 아래 서 있었다. 태수와 유림은 나무 근처를 유심히 살폈지만, 기동대장 말마따나 흔적이 될 만한 건 없었다.

그때 멀리서 탕, 소리가 들렸다. 모두 동시에 고개를 들어 산 위쪽을 쳐다보았다. 파드닥 날개를 치며 새들이 한꺼번에 날아올랐다. 기동대장이 무전기를 입으로 가져갔다.

전원 철수.

그 짧은 명령 한마디에 무전기에서 잡음 섞인 교신이 시끄럽게 오가기 시작했다. 이내 숲을 배회하던 검은 그림자들이 일제히 도로를 향해 빠르게 이동했다.

오늘은 여기까지인 것 같습니더, 하고 태수가 말하자 유림이 한숨을 내쉬며 고개를 끄덕였다. 두 사람은 포장로 방향으로 걸어 산을 빠져나왔다.

하얗게 말라붙은 시멘트 길로 내려서자 검은 옷을 입은 의경들이 길을 따라 쭉 늘어서 있는 모습이 보였다. 숲 깊숙이 들어간 대원들까지 하나둘 비탈을 내려왔고, 곧이어 무전과 육성으로 인원 점검을 하느라 한순간 시끌벅적해졌다.

내일도 수색하실 겁니까?

기동대장이 유림에게 물었다.

일단 그럴 예정입니다. 수고스럽겠지만 부탁드릴게요. 서장님께도 다시 한번 감사하다고 전해주시고요.

기동대장은 무표정한 얼굴로 고개를 끄덕였다. 아래쪽에서 의경들이 오와 열을 맞추며 악을 쓰듯 구호를 내지르는 소리가 들렸다.

태수와 유림은 차가 있는 공터를 향해 걸어 올라갔다. 향 사르는 연기같이 가느다란 구름이 창공을 헤가르며 길게 뻗어 있었고, 겨울치고 제법 따스한 햇살이 숲의 그늘을 비집고 생명의 잔해들을 어루만졌다. 멀리서 까마귀 우는 소리가 들려왔다.

공터에 도착한 태수는 손목시계로 시간을 확인했다. 오전 열 시 반이 지나고 있었다.

검사님, 저는 사실 근무가 끝났습니더. 어제 당직이었거든요.

알아요. 들어가서 좀 쉬세요. 저도 들어가서 좀 쉬어야겠어요. 며칠째 잠을 못 잤거든요.

태수는 유림을 차에 태워 길을 따라 내려갔다. 열을 맞춰 달리고 있던 의경들이 태수의 차를 피해 길옆으로 비켜섰다. 태수는 속도를 낮추어 기동대장에게 목례를 건넨 다음 다시 속도를 높였다. 좁은 내리막길을 달리는 내내 태수와 유림은 말이 없었다. 시멘트 포장이 패인 자리를 지날 때마다 차가 덜컹였고, 그때마다 엉덩이가 의자에서 살짝 튀어 올랐다. 빨래판 위를 달리는 기분이었다.

얼마쯤 내려가자 길이 휘어지는가 싶더니 중경호의 잔잔한 수면이 나타났다. 길가의 나무가 드리운 그늘이 차창으로 들어오는 빛을 스톱 모션 애니메이션처럼 단속적으로 끊어냈다. 철골로 만든 첨탑과 긴 송전선이 보이는 지점에서 길은 평평해지고 폭이 넓어졌다. 태수는 양수발전소 주차장에 유림을 내려주었다. 유림은 악수를 청한 다음 지친 표정으로 자신의 스포츠카로 돌아갔다.

유림의 희고 날렵한 차가 앞장서고, 태수의 검고 육중한 차가 뒤따랐다. 두 대의 차는 삼거리에서 서로 갈라졌다. 태수는 읍내 방향으로, 유림은 시계를 넘기 위해 그 반대 방향으로.

28

시멘트 담벼락 밑동은 거멓게 곰팡이가 슬어 있었다. 그늘지고 축축한 골목에 차를 세우자 피곤이 몰려왔다. 태수는 차에서 내려 열쇠로 대문을 딴 후 드라이아이스처럼 차가운 철문 손잡이를 밀고 안으로 들어섰다. 마당 한쪽의 상추를 길러 먹던 스티로폼 상자에는 검은 흙만 담겨 있었다. 태수는 부엌문을 통해 집 안으로 들어갔다.

안방의 미닫이문을 열고 전등불을 켜자 현주가 누웠던 솜이불이 대번 눈길을 끌었다. 누군가 밟아 놓은 듯 작고 둥근 아치 형태가 뭉개져 있었다. 태수는 천천히 방 안을 살폈다. 문갑과 앉은뱅이책상의 서랍이 살짝 벌어져 있었고, 부직포 옷장의 지퍼는 끝까지 잠겨 있지 않았다. 태수는 가만히 신발을 벗고 안으로 들어가 책상 서랍을 열어보았다. 누군가 뒤진 듯 내용물이 엉망으로 섞여 있었다. 옷장과 서랍장을 모두 확인했지만, 사라진 물건은 없었다.

태수는 보일러를 켠 다음 바닥에 앉아 벽에 등을 기댔다. 엉덩이에 온기가 차오르는 것을 느끼며 눈을 감고 생각에 잠겼다. 실눈으로 스며드는 희미한 빛이 검은 장막 너머에서 끊어졌다가 다시 이어지기를 반복했다. 고무찰흙을 뭉쳐 아메바 형상을 빚는 아이처럼 생각의 테두리가 가없이 흐물거렸다. 졸음이 쏟아졌다.

태수는 꿈에서 누군가에게 쫓기며 위태로운 지붕 위를 달렸다. 빨간 널이 물결무늬를 이룬 지붕이었다. 눈앞에는 뾰족한 용마루가 끝없이 뻗어 있었고, 뒤에서는 거대한 그림자가 바짝 다가왔다. 공기는 무겁고 빽빽했다. 젤리 속에서 달리는 것처럼 팔과 다리가 느리게 움직였다. 뒤쫓아오는 검은 괴물은 초콜릿을 뒤집어쓴 사람처럼 온몸이 흘러내리고 있었다. 아무리 달려도 삼각형 빨간 지붕은 끝나지 않았다. 태수는 한순간 발이 미끄러져 휘청거렸다. 등 뒤까지 바짝 다가온 괴물이 시커먼 입을 크게 벌리자 끈끈한 점액이 종유석 모양으로 흘러내렸다. 태수는 허리춤에서 권총을 뽑아 들고 몸을 날려 등을 바닥에 붙였다. 다리를 삼각형으로 곧게 펴고 고개를 든 채 팔을 뻗어 괴물을 겨냥했다. 방아쇠를 빠르게 두 번 당겼다. 가슴에 두 방. 괴물의 가슴에 희미한 파문이 일었다. 태수는 머리를 겨냥해 다시 한 발을 발사했다. 수없이 연습했던 모잠비크 드릴. 몸통에 두 방, 머리에 한 방. 다음 순간 괴물은 검은 사격 표적지로 변했고, 태수는 훈련장 흙바닥에 누워 있었다. 태수는 겸연쩍게 자리에서 일어나며 검은 군복 바지에 묻은 흙을 툭툭 털었다. 그때 뒤에서 교관의 짧은 호각 소리가 들렸다. 사격 훈련이 아직 끝나지 않았음을 알아차린 태수는 주위를 두리번거리며 눈치껏 다음 동작을 취하려고 했다. 하지만 이미 표적지는 사라지고 없었다. 다시 호각 소리가 들렸다. 휴대폰에서 전화벨이 계속 울렸다. 태수는 어섯눈을 뜨고 주머니에서 휴대폰을 꺼내 들었다. 저장되어 있지 않은 번호였다.

여보세요?

저 현주예요.

아, 현주 씨.

태수는 몸을 일으키고 손바닥으로 눈을 비비며 벽시계를 확인했다. 오후 한 시가 가까웠다.

제 번호는 어떻게 아셨습니꺼?

손 경사님한테 물어봤어요.

아, 네.

둘 사이에 침묵이 흘렀다. 꿈결에 잡은 단단한 권총 손잡이의 감촉이 아직 태수의 손에 남아 있었다.

오늘 비번이라고 하더라고요.

네. 집에서 좀 쉬고 있었습니더.

죄송해요. 쉬시는데 전화해서.

아닙니더. 어차피 낮에는 잠을 잘 못 잡니더.

그래도 밤샘 근무 끝나고 피곤하실 텐데.

익숙해서 괜찮습니더.

또다시 침묵이 이어졌다. 자전이 멈춘 듯한 어색한 정적. 한참을 머뭇거린 끝에 현주가 먼저 말을 꺼냈다.

혹시 오늘 시간 있으세요?

시간이야 많지요. 비번이니까.

만날래요? 할 이야기도 있고.

저는 좋습니더.

말씀 편하게 하셔도 돼요. 제가 나이도 훨씬 어린데.

천천히 하죠, 뭐. 그나저나 어디서 볼까요?

제가 집으로 갈까요?

저희 집이요?

네.

엉망인데.

괜찮아요. 전에 봤을 때도 엉망이었는데, 뭐.

태수는 현주가 누웠던 이불 안감에 가위로 오려낸 동그란 구멍을 바라보았다. 누렇게 변색한 이불솜이 드러나 있었다. 태수는 장판에 움푹 팬 흠집을 손톱으로 긁었다.

그러지 말고 어디 마실이나 가시죠. 제가 운전하겠습니더.

어디요?

오리백숙 같은 거라도 먹으러 가실랍니꺼?

좀 더 좋은 데는 없어요?

제가 아는 곳이 별로 없어서.

그럼 죽림사 구경이나 가요.

아……. 죽림사요?

싫어요?

아닙니더.

망설이는 것 보니까 싫은 것 같은데?

아닙니더. 무령에서 제일 유명한 관광지를 드디어 보게 된다고 생각하니까 감격스러워서 그런 겁니더.

세 시에 죽림사 주차장에서 봐요.

따로 운전해서 가시게요?

그게 편해요.

그럼 도착해서 전화 주이소.

아, 그리고 전부터 이 말은 꼭 하고 싶었는데요. 일부러 사투리 안 쓰셔도 돼요.

이게 편합니더. 본토 발음을 계속 연습해야 되니까.

현주는 희미한 웃음소리를 남기고 전화를 끊었다.

태수는 곧바로 옷을 벗고 샤워를 했다. 샤워기에서 쏟아져 나오는 더운물이 목에서 가슴을 타고 사타구니로 흘러내렸다. 태수는 뿌연 거울을 손바닥으로 닦았다. 입술 옆에 찍힌 작은 점을 검지로 문질러 지운 다음 빽빽한 면도날로 수염을 깎고 샴푸를 짜서 머리를 감았다. 검은 털이 엉긴 수챗구멍이 하얀 거품 소용돌이를 빨아들였다. 태수는 찬물을 틀어 몸을 식혔다.

벌거벗은 채 수건으로 머리카락을 박박 문지르며 방으로 돌아와 옷장에서 흰 셔츠와 양복을 꺼냈다. 대문을 나선 태수는 반드러운 얼굴과 잘 차려입은 양복의 매무새를 차창에 슬쩍 비추어보고는 차에 올라탔다. 한낮의 햇살이 대시보드 위로 가만히 내려앉았다.

시동을 걸자 룸미러에 달린 나무 부적의 빨간 술이 가늘게 떨렸다.

읍내 북쪽 무령 인터체인지 방향으로 달렸다. 왕복 사차선의 잘 닦인 길 왼쪽에는 거무스름한 산줄기가, 오른쪽에는 누런 겨울 논과 길쭉한 비닐하우스 단지들이 펼쳐졌다. 발뒤꿈치처럼 쩍쩍 갈라진 털쌘구름이 하늘 반쪽을 뒤덮고 있었다. 해진 방수포 자락을 팔랑거리는 과적 트럭을 앞지르기 위해 태수는 속도를 높였다. 가드레일을 따라 산불 조심이라는 붉은 글자가 적힌 노란 깃발들이 일제히 휘날렸고, 그 너머로 보이는 공사 중인 교각은 상판 없이 굵은 기둥만 덩그러니 박혀 있어 마치 버려진 유적지 같았다.

화장터와 공동묘지가 있는 나지막한 동산을 지난 지점부터 아스팔트 포장에 갈라진 곳이 늘어났다. 산을 깎아내 만든 길이라 왼쪽 사면에는 돌망태를 둘러친 회색 옹벽이 이어졌고, 도로 오른쪽의 움푹 꺼진 강은 수량마저 줄어 잿빛 자갈이 그대로 드러나 보였다. 암자 이름이 적힌 작은 표지판들은 끝도 없이 길가에 나타났다.

로터리에서 태수는 오른쪽 길로 빠졌다. 그러자 왕복 이차선의 좁은 포장길을 따라 단층집들의 낡은 회벽이 이어졌다. 허물어져 가는 담장 너머 농가 마당에는 비료 부대와 노란 플라스틱 박스가 널려 있었고, 도로변의 말라비틀어진 가로수는 제대로 전정을 하지 않아 나무초리가 사방을 찔렀다. 길을 따라 계속 들어가자 간간이 보이던 민박집과 식당도 드물어졌고, 이내 길 양쪽으로 가파른 산이 나타났다. 태수는 잎 떨어진 가지들이 그늘을 드리운 텅 빈 도로를 홀로 달렸다. 이윽고 죽림사를 가리키는 표지판이 나타났다.

소로를 타고 계속 들어가자, 고로쇠 물 팝니다, 라고 적힌 노란 현수막이 차창을 스쳤다. 곧이어 희끔한 산을 배경으로 선 육중한 일주문과 그 옆의 너른 주차장이 나타났다. 태수는 매표소에서 표를 끊고 차단기를 통과한 다음 햇살이 곱게 내리쬐는 주차장 한복판에 차를 세웠다. 시동을 끄자 사위가 조용해졌다.

태수는 차에서 내려 주위를 둘러보았다. 동서남북 어디를 보나 산이었다. 겹겹이 둘러친 산에 포위된 고찰. 산 중턱 군데군데 소나무가 모여 초록색 숲을 이룬 자리가 브로콜리 꽃술처럼 보일 뿐, 나머지 겨울 산은 모두 나목의 차지였다. 한기를 실은 남실바람이 뺨을 스쳤다. 어디선가 목탁 소리가 희미하게 들려왔다.

29

이상한 꿈이었다. 바니걸 복장을 한 여자가 커다란 실크해트에서 하얀 토끼를 꺼냈다. 여자는 광택 없는 군용 단검으로 토끼의 목덜미를 그었다. 붉은 피가 콸콸 쏟아졌다. 여자가 손등에 묻은 피를 입으로 쭉 빨았다. 그러고는 능숙하게 토끼 가죽을 벗기기 시작했다. 태수는 생존 훈련 중에 토끼 고기를 맛보는 건 행운이라고 생각하며 입맛을 다셨다. 불을 피우려면 연기가 잘 나지 않는 싸리나무가 필요했다. 여자는 가죽이 벗겨져 붉은 근육이 드러난 토끼를 손에 들고 칼로 배를 그었다. 토끼 내장이 왈칵 쏟아졌다. 태수는 여자의 얼굴을 보려 했으나 제대로 보이지 않았다. 하지만 무척 아름답다는 느낌이 들었다. 태수는 그 여자가 고유림 검사일 거라고 생각했다.

똑똑. 차창을 두드리는 소리에 태수는 눈을 떴다. 현주가 창문에 얼굴을 바짝 붙인 채 안을 들여다보고 있었다. 태수는 양쪽 중지로 눈 안쪽을 문질러 닦아낸 다음 레버를 당겨 운전석 등받이를 세웠다. 차 문을 열자 현주가 한 걸음 뒤로 물러났다. 태수는 차에서 내려 문을 닫았다.

기다리다가 깜빡 졸았네요.

현주는 고동색 캐시미어 코트를 입고 머리에는 두툼한 버빠깨를 쓰고 있었다. 모자 아래 둥근 얼굴에는 연하게 화장을 했고, 옆통수에 붙은 모피 귀덮개의 부드러운 털은 햇살을 받아 황금색으로 반짝였다.

현주가 벙어리장갑을 낀 양손을 맞잡으며 작은 소리로 우물거렸다.

많이 피곤하신가 봐요. 괜히 불러냈나 봐.

아닙니더.

태수는 어깨를 펴서 근육을 풀었다. 현주가 양복 차림의 태수를 위아래로 훑어보았다.

엄청 빼입고 오셨네요.

현주 씨는 뭘 그렇게 꽁꽁 싸매고 왔습니꺼? 많이 춥지도 않은데.

이상해요?

이상한 건 아니고. 꼭 소련 사람 같아서.

태수는 주차장을 둘러보았다. 구석 자리에 작은 딱정벌레 모양의 녹색 차가 서 있었다.

좀 걸을래요?

현주는 태수의 대답을 듣지도 않고 주차장 입구 쪽으로 타박타

박 걷기 시작했다. 태수는 천천히 뒤를 따랐다. 현주의 펑퍼짐한 코트 자락 아래로 물 빠진 청바지와 하얀 운동화가 가볍게 움직였다. 겨울 공기는 청량했고 햇살은 따사로웠다.

두 사람은 굵은 나무 기둥을 지나 좁은 길을 걸었다. 길가를 따라 듬성듬성 자란 고목이 흙길에 시커먼 그림자 그물을 드리웠고, 주차장과 길을 가로막으며 울퉁불퉁 이어진 바위틈에는 썩은 낙엽과 이끼가 치석처럼 끼어 있었다. 두 사람은 말없이 계속 걸었다. 말라붙은 개천을 가로지르는 작은 다리를 지나자 현판에 흰 글씨로 寺林竹라고 적힌 작은 산문이 나타났다.

태수는 현주의 옆에서 걸으며 나지막이 말을 건넸다.

죽림사인데 주위에 대나무는 없네요.

원래는 다른 곳에 있던 절인데 조선 시대에 이쪽으로 옮겼대요.

원래는 어디 있었는데요?

저도 몰라요.

현주는 땅을 바라보며 계속 걸었다.

굵은 나무 사이로 난 흙길을 한참 걸어가자 좌우로 이어진 담벼락과 입구 역할을 하는 누각이 나타났다. 팔작지붕 처마는 화려한 단청으로 장식했고, 템플스테이 프로그램을 홍보하는 커다란 플래카드가 난간두겁대 아래에 팽팽하게 펼쳐져 있었다. 현주와 태수는 기둥 사이로 걸어 들어갔다. 빛이 쏟아져 들어오는 위쪽을 바라보며 천천히 계단을 올라 누각의 어두운 그늘을 통과하자 눈앞에 너른 흙 마당이 펼쳐졌다. 띄엄띄엄 자리한 크고 작은 법당이 시야에 들어왔다. 세월에 삭아 희끗해진 기와지붕과 갈라진 나무 기둥 그리고 색 바랜 단청. 마치 조금씩 투명해져서는 머지않아 완전히 사라질 문명의 흔적을 보는 듯했다.

겨울철 평일이라 그런지 관광객은 별로 없었다. 두꺼운 파카를 껴입은 아주머니 세 사람이 법당 출입금지 팻말 앞에 서서 내부를 기웃거리다가 서로 돌아가며 사진을 찍었다. 어디선가 딸랑딸랑 풍경 소리가 들렸다.

현주는 안뜰 한복판에서 걸음을 멈추고 고개를 돌려 태수를 바라보았다.

어렸을 때 한 번 와봤는데, 꼭 오늘 처음 온 것 같아요.

저는 진짜 처음 와봤습니더.

종교 있어요?

아니요.

그럼 사람이 죽으면 어떻게 되는지 모르겠네요.

종교가 있으면 아나요?

다시 태어나는 거잖아요. 불교 믿으면.

현주가 커다란 범종이 걸린 누각을 손가락으로 가리켰다.

저쪽으로 가봐요.

묵묵히 걷는 현주를 따라 태수는 발걸음을 옮겼다. 아주머니들이 깔깔거리는 소리와 산새 지저귀는 소리가 들렸다. 태수의 구두 표면에 연하게 흙가루가 앉았다.

쇠사슬을 둘러친 누각의 안둘렛간 한가운데에는 사람 키보다 큰

청동 범종이 자리했고, 이 층에는 가죽이 누렇게 변한 법고가 마구리를 정면으로 내보이며 걸려 있었다. 누각 기둥 아랫부분은 밤색 석간주 칠이 벗겨져 허옇게 나무가 드러나 있었고, 뇌록을 바른 창방이며 화반도 퇴색을 거듭해 대충 파스텔을 문질러놓은 듯했다. 현주와 태수는 거리를 두고 나란히 서서 누각 안을 살펴보았다.

태수가 코트 주머니에 손을 찌르며 현주를 곁눈질했다.

현주 씨, 할 말 있다면서요.

할 말이요?

아까 전화했을 때 그랬잖아요. 할 말도 있다고.

현주는 대답 대신 고개를 푹 숙였다. 괴괴한 정적이 산사를 감쌌다. 해는 중천을 지나 서쪽으로 조금씩 움직였고, 젖은 자국 같은 발밑 그림자는 동쪽으로 번졌다. 현주가 고개를 반대로 돌려 먼산바라기를 했다.

참, 시체는 찾았어요?

어떤 시체요?

아침에 대대적으로 수색했다면서요.

어떻게 알았어요?

그냥 들었어요. 소문이 빠른 동네니까.

현주는 고개를 숙이고 자신의 가지런한 두 발을 내려다보았다. 바람이 한 번 크게 불자 마당에서 흙먼지가 일었다. 태수는 몸을 떨며 어깨를 움츠렸다. 현주의 눈동자가 태수의 얼굴을 힐끔거리고는 다시 아래로 향했다.

찾았어요?

못 찾았습니더. 내일 다시 수색할 겁니더. 곧 찾겠지요.

현주는 고개를 주억거렸다. 그러고는 주머니에서 은색 방울 모양의 초콜릿을 꺼냈다. 벙어리장갑을 벗고 파르르 떨리는 맨손으로 힘겹게 은박지를 깐 다음 초콜릿을 입에 쏙 집어넣었다. 현주의 작은 입이 빠르게 오물거렸다. 태수는 멍한 눈으로 현주를 바라보았다.

할 말이 그거였습니꺼?

네?

시체 찾았는지 물어보려고 만나자고 한 겁니꺼?

아, 아니요.

그럼 왜 보자고 한 겁니꺼?

현주가 겁에 질린 표정으로 태수를 쳐다보았다.

왜 그렇게 무섭게 말해요?

태수는 치아 검사를 받는 사람처럼 억지웃음을 지었다. 현주가 초콜릿을 마저 삼켰다.

난 그냥……. 우리 키스했잖아요. 그러니까…… 뭔가 말을 해야 할 것 같아서요.

어떤 말이요?

그냥 아무 말이나.

태수는 투수판 위의 흙을 걷어내는 야구 선수처럼 구두창으로 바닥을 한 번 쓸고는 콧물을 들이마셨다.

고마 갑시더. 춥고 볼 것도 없네요.

태수는 뒤돌아서 뚜벅뚜벅 걸었다. 현주는 휘청이듯 걸어 태수의 뒤를 따랐다. 마당의 누런 흙바닥 위로 바짝 마른 낙엽이 굴렀다. 현주가 뒤에서 다가와 태수의 옆에 바투 붙어 팔짱을 꼈다. 은은한 향수 냄새가 태수의 코에 훅 끼쳤다. 태수는 걸음을 멈추고 팔을 뺐다.

현주 씨, 이건 좀 아닌 것 같습니더.

왜요? 제가 싫어요?

차라리 그랬으면 좋겠네요.

무슨 말이에요?

현주가 뒤로 한 걸음 물러섰다. 눈꺼풀이 가늘게 떨렸다. 태수는 오른손으로 자신의 목덜미와 뺨 그리고 입을 차례로 쓸었다. 그러고는 성난 눈길로 주위를 둘러보았다. 아주머니들은 어디로 갔는지 보이지 않았고, 경내에는 태수와 현주 외에 아무도 없었다.

태수는 현주의 눈을 정면으로 바라보았다. 태수의 눈썹이 빳빳하게 섰다.

시체 얼굴을 봤습니꺼?

현주의 얼굴이 하얗게 질리면서 턱이 덜덜 떨리기 시작했다. 현주의 두 눈에는 순식간에 그렁그렁 눈물이 고였다. 태수는 양손으로 현주의 양쪽 위팔을 잡았다.

울지 말고 대답해요. 얼굴을 봤어요?

현주의 볼을 타고 눈물이 흘렀다. 태수는 팔죽지를 잡은 손에 힘을 주고 가볍게 현주를 흔들었다. 현주의 머리가 목 위에 얹어 놓은 물건처럼 맥없이 하느작거렸다. 태수는 현주와 눈을 맞추며 대답을 강요했다.

똑바로 대답해요. 얼굴을 봤어요?

현주는 입술을 깨문 채 천천히 고개를 가로저었다. 콧물에 젖은 인중이 번들거렸다. 현주는 울먹이며 목소리를 힘겹게 짜냈다.

피범벅이라 못 봤어요.

태수는 현주를 놓아주었다. 현주는 그 자리에 쪼그려 앉아 손으로 얼굴을 감싸고 펑펑 울기 시작했다. 태수는 찡그린 얼굴로 서서 그 모습을 물끄러미 내려다보았다.

30

태수와 현주는 대웅전 앞 돌층계에 나란히 앉아 있었다. 현주는 여전히 훌쩍거리기는 했지만 어느 정도 마음을 진정한 듯했다. 해는 점차 기울고 바람은 선득했다. 날개를 활짝 펴고 유유히 먼 하늘을 나는 솔개의 실루엣이 마치 접어서 오린 색종이 같았다. 희푸른 장막 위를 미끄러져 가는 의미 없는 그림자극.

현주는 빨개진 코와 뺨을 손수건으로 문질렀다. 태수는 웅크린 자세로 바닥을 내려다보며 말했다.

처음부터 다시 정리해보죠. 덜컹거리는 느낌을 받고 차를 세운 다음 차에서 내려보니까 이미 죽어 있었다……. 그 말은 피해자가 길에 누워 있었다는 뜻이죠?

언제부터인가 태수는 사투리가 아닌 서울말을 쓰고 있었다.

현주가 가만히 고개를 끄덕였다.

확실히 죽었는지 확인했어요? 경동맥을 짚어본다든지 했냐는 말이에요.

아니요. 그래도 숨을 안 쉬었던 건 맞아요. 추웠으니까……. 입에서 김이 안 나왔어요.

시체를 건드린 적은 없다는 말이죠?

현주는 고개를 끄덕였다.

피투성이라서 무서웠던 거죠?

네. 얼굴이 완전히 뭉개져 있었어요.

태수는 입을 닫고 마당 귀퉁이의 누각 안 범종을 뚫어지게 노려보았다. 현주는 두 팔로 자신의 다리를 감싼 채 고개를 두 무릎 위에 올렸다. 그러고는 애써 무덤덤한 어투로 물어왔다.

저 이제 감옥에 가는 거예요?

감옥에 가는 게 무서워서 저한테 키스했어요?

현주는 무릎 사이로 고개를 숙이며 천천히 길게 숨을 내쉬었다.

모르겠어요. 그냥 하고 싶었어요. 미안해요.

쪼그려 앉은 두 사람의 그림자가 등 뒤로 늘어졌다. 태수는 눈을 가늘게 뜨고 정면을 바라보았다. 늦은 오후의 태양이 구름 뒤로 숨었고, 서서히 어스름이 깔리기 시작했다.

현주가 고개를 천천히 들었다.

그런 생각도 했어요. 차라리 감옥에 다녀오면 마음이 편해지지 않을까 하는 생각이요. 진짜 미칠 것 같아요. 자살해버릴까, 하는 생각도 들고……. 내가 사람을 죽인 거예요. 살인자…….

현주는 혼잣말처럼 살인자라는 단어를 두어 번 반복했다.

살아 있는 사람을 친 거면 그렇죠. 죽은 사람을 친 거면 아니고.

네?

시체를 치었을 가능성도 있다는 말이에요. 시체를 만져보지 않았다면서요. 이미 차갑게 식어 있었는지 확인해봤어야 해요. 진짜 현주 씨 때문에 죽은 거라면, 조금이라도 체온이 남아 있었어야 해요.

현주가 어리벙벙한 표정으로 태수를 돌아보았다.

그런 생각은 미처 못 했어요.

석구 씨가 몇 분 정도 뒤에 왔어요?

정확히는 모르겠어요. 얼마 안 걸렸어요. 울고 있었는데 길 아래에서 불빛이 보이고 차 소리가 났어요. 사고 일어나고 얼마 안 지나서 나타났어요.

석구 씨는 시체를 만졌어요?

네. 맞아요. 석구 씨가 시체를 살펴보고 만져도 보고 그랬던 것 같아요. 그러니까 알 거예요. 체온이 남아 있었는지 아닌지.

석구 씨가 천만 원만 주면 시체를 알아서 처리해주겠다고 제안한 게 시체를 살펴본 이후였어요?

네.

사체유기도 범죄예요. 사람을 죽인 것보다 처벌은 가볍지만.

미안해요.

현주는 고개를 떨구며 다시 울먹거리기 시작했다.

너무 무서워서 그랬어요. 미안해요. 정말 미안해요…….

나한테 미안할 필요는 없어요. 피해자한테 미안해야지.

현주는 고개를 끄덕이며 울었다. 잠시 울고 난 다음 다시 호흡을 가다듬고 눈물을 닦았다.

지금이라도 자수할까요?

현주 씨한테 달려 있겠지요. 경찰로서 말하자면 자수하는 쪽이 정상 참작이 됩니다.

자수하지 않으면요? 태수 씨가 저를 잡아넣을 거예요?

제가 아니라도 곧 밝혀질 거예요.

시체가 없으면요?

아마 금방 찾을 겁니다. 온 나라의 야산이란 야산은 몽땅 파헤치고 물속이란 물속은 다 뒤져서라도 찾을 거예요. 피해자가 좀 대단한 사람이라서요.

현주의 시무룩한 얼굴 위로 노란 노을이 드리웠다.

석구 씨가 시체를 어디 버렸는지는 알아요?

저는 몰라요. 정말 몰라요.

석구 씨랑 나 말고 이 일을 아는 사람이 또 누가 있어요?

없어요. 아무도 몰라요.

부모님도 몰라요?

아직 모르세요. 말을 할 수가 없었어요.

그럼 석구 씨한테 준 천만 원은 어디서 났어요?

제 돈으로 줬어요.

학생이 무슨 돈이 있어서요?

어렸을 때부터 용돈이랑 세뱃돈 같은 걸 모은 게 조금 있었어요.

태수는 코끝을 찡긋하고는 고개를 주억거렸다.

현주는 양쪽 뺨을 부풀리며 크게 심호흡을 했다.

그래도 털어놓고 나니까 좀 나은 것 같아요.

다행이네요. 그만 가죠. 해도 지고 추워지네요.

태수는 다리에 힘을 주고 일어나 코트 엉덩이를 손으로 툭툭 털었다. 현주도 자리에서 일어났다. 쌀쌀한 바람이 불자 코트 끝자락이 팔락거렸다.

두 사람은 나란히 발을 맞춰 계단을 내려갔다. 텅 빈 마당을 가로지른 다음 누각 아래 계단을 통과해 경내를 빠져나갔다. 사방은 이미 제법 어둑해져서 길가의 구불구불한 나무들이 먹물로 그린 듯 윤곽만 보였다. 해는 빠르게 저물어갔다. 맞은편에서 검은 파카를 입은 사람이 이쪽으로 걸어왔다. 처음에는 실루엣만 보였지만, 거리가 가까워지자 파카 안에 입은 담묵색 장삼과 파르스름하게 삭발한 머리가 드러났다. 스님이 먼저 두 사람에게 합장하며 고개를 숙였고, 두 사람도 따라서 손을 모으고 인사했다. 스님은 휘적휘적 걸어 두 사람을 지나쳤다.

주차장까지 걸어왔을 때는 빨갛게 달아오른 태양이 산과 하늘의 경계에 닿아 마치 거대한 붉은 물방울처럼 능선에 맺혀 있었다. 현주의 얼굴 반쪽이 어둠에 잠겼고 콧날은 노란빛으로 물들었다. 태수는 주차장 안쪽에 있는 현주의 차까지 함께 걸었다. 작은 초록색 승용차는 상한 곳이 하나도 없어 보였다.

운전 조심해서 가이소.

태수의 말투는 어색한 사투리로 되돌아갔다.

현주가 고개를 들어 태수의 눈을 쳐다보았다. 현주의 눈동자가 노을을 반사하며 빨간 구슬처럼 빛났다. 태수는 시선을 산으로 돌렸다. 현주가 팔을 벌리고 가만히 태수를 껴안았다. 뭉클한 젖가슴이 태수의 명치에 닿았고, 현주의 털모자가 태수의 아래턱을 간질였다. 태수는 코트 주머니에 들어 있는 두 손을 빼지 않았다. 현주는 태수의 가슴에 뺨을 대고 한참을 그대로 있었다. 바람이 지나가면서 숲에서 스산한 낙엽 소리가 들려왔다. 향수보다 진한 살냄새. 태수는 자신의 심장이 쿵쾅거리는 소리를 들었다. 현주가 고개를 위로 들며 두 손으로 태수의 머리를 잡아 끌어내렸다. 두 입술이 비스듬히 포개어졌다. 현주의 몰캉한 혀끝에서 초콜릿 맛이 났다. 태수는 주머니에서 양손을 꺼내 현주의 허리를 잡았다. 현주의 모자가 뒤로 떨어졌고, 몸과 몸이 맞닿은 자리에서 뜨거운 기운이 올라왔다. 현주의 아랫배가 태수의 단단한 성기를 짓누르자 두 사람의 숨결이 점점 거칠어졌다. 축축한 키스는 길게 이어졌고, 마침내 태수의 오른손이 현주의 등을 타고 내려가 엉덩이를 쓰다듬었다.

현주가 팔을 태수의 목에 감은 채 입술을 뗐다.

지금 할래요?

진짜 괜찮겠어?

난 지금 하고 싶어. 나 스트레스가 너무 쌓였어.

어디서 하지? 차에서?

차는 싫어. 모텔로 가요.

현주의 입이 다시 태수의 입술을 빨아들였다.

두 사람은 아쉬운 듯 키스를 끝냈다. 태수는 땅에 떨어진 현주의 모자를 주웠다. 둘은 서로 손을 잡고 태수의 차로 빠르게 걸었다. 태수는 조수석에 현주를 태운 다음 차 앞으로 돌아가 운전석에 올라탔다. 시동을 걸자 현주가 입술을 내민 채 고개를 들이밀었다. 태수는 팔을 둘러 현주를 안으며 키스했다. 현주의 차가운 손이 태수의 와이셔츠 위로 올라왔다. 태수의 가슴을 쓰다듬으며 아래로 내려간 작은 손은 불룩한 바지 지퍼 위에서 잠깐 멈칫하더니 옷 위로 성기를 잡았다. 태수의 코에서 나는 씩씩거리는 숨소리가 점점 커졌다. 현주는 입술을 떼면서 손으로 태수의 상체를 밀어냈다.

빨리 가요.

두 사람은 안전벨트를 맸다. 검은 폴리에스터 띠를 가슴골에 비스듬히 걸치자 현주의 불룩한 젖무덤이 도드라졌다. 현주가 허벅지 위의 털모자를 두 손으로 잡았다.

모텔 아는 곳 있어요?

하나 있긴 있는데…….

태수는 얼굴을 붉히며 거친 숨을 내쉬었다. 그때 태수의 주머니에서 휴대폰이 울렸다. 태수는 휴대폰을 꺼내 액정을 확인했다. 김한수 경감이었다.

네, 계장님.

태수야, 피 묻은 천 쪼가리, 이거 니가 감식반에 맡겼다면서.

31

태수는 휴대폰을 귀에 붙인 채 차에서 내렸다. 조수석에 앉은 현주가 물끄러미 태수를 바라보았다. 태수는 운전석 문을 닫고 차에서 몇 걸음 떨어졌다. 해는 거의 서산 너머로 가라앉아 산등성이만이 금색 테두리를 입힌 듯 가늘게 빛났다.

뭐 좀 알아냈습니꺼?

아무것도 없다. 부검까지 했는데 나온 게 없다. 아니, 더 큰 문제는 이게 어떻게 죽었는지도 애매하다는 거다. 부검의가 하는 말이, 할마시를 누가 죽인 걸 수도 있고 아니면 그냥 사고사일 가능성도 있단다.

사고사요? 말이 됩니꺼? 두개골이 박살 났는데.

나도 이해가 안 간다. 그런데 말을 들어보니까 비슷한 경우가 전에 있기는 있었더라. 사람 눈두덩 있는 자리는 뼈가 잘아서 충격 한 번으로도 산산조각이 날 수 있다 카더라. 할마시가 그냥 혼자 자빠져서 벽에 머리를 박았을 수도 있다는 거지.

머리털도 쥐어뜯겨 있었지 않습니꺼?

전에 있었던 사건도 똑같았다더라. 그때는 실내에서 벌어진 일이라는 차이밖에 없지. 그런데 전에 그 사건이 대법원까지 갔는데, 결국 무죄가 나왔단다. 머리가 아프니까 고통스러워서 피해자 스스로 머리도 쥐어뜯고 가슴도 쥐어뜯고 했을 가능성도 배제할 수 없다는 거지. 그리고 또 중요한 게, 피해자가 저항한 흔적이 하나도 없다는 거다.

그래요? 그래도 저는 사고사는 아닌 것 같던데.

수사를 계속해봐야지. 아무튼 현장에서 수집한 증거랑 부검 결과랑 다 봤는데 아무것도 없어. 그런데 태수 니가 맡긴 그 천 쪼가리에서 뭐가 나왔다. 본청에서 혈흔 디엔에이를 분석한 다음에 범죄자 데이터베이스에 넣고 돌렸는데, 엉뚱한 놈이 툭 튀어나온 기라. 니는 아마 잘 모를 낀데, 고창혁이라고 한때 무령에서 유명했던 놈이 있다.

고창혁이요?

응. 고창혁 인마 때문에 몇 년 전에 시끄러운 일이 좀 있었거든. 요새 통 안 보인다 싶었더니만, 부랴부랴 조회해보니까 그간 교도소에 가 있었던 모양이라. 부산에 가서 밀수에 손을 댔던 것 같은데, 감방 갔다가 한 달 전에 출소했더라. 우째된 영문인지 가석방으로 금방 나왔더라고. 인마가 무령에서 어슬렁거렸으면 분명히 소문이 돌았을 낀데, 참 이상하네. 니는 천 조각 이거 어디서 수집했노? 목록에는 피해자 집에서 찾았다고 되어 있더구만.

혹시 손 선배가 팼다는 그 고창혁입니꺼?

어? 니도 아나? 하긴, 이 동네에는 비밀이라는 게 없다.

태수는 목 아래 깊은 곳에서부터 낮은 신음을 내뱉었다.

계장님, 지금 서에 계십니꺼?

응.

강모 선배는요? 같이 있습니꺼?

강모? 어디 잠깐 다녀온다면서 나갔다.

손 선배도 감식 결과 봤습니꺼?

응.

제가 지금 서로 가겠습니더. 자세한 이야기는 가서 하겠습니더.

태수는 전화를 끊고 긴 한숨을 내쉬었다. 차 쪽을 흘끔 돌아보니 현주는 머리를 뒤로 기댄 채 눈을 감고 있었다. 사방에는 차가운 어둠이 깔렸고, 주차장 입구의 가로등에는 노란 불이 켜졌다. 멀리서 행성의 핵을 때리는 듯한 범종 소리가 울렸다. 뒤이어 기나긴 맥놀이가 끊어질 듯 끊어질 듯 다시 이어지며 세상의 검은 변두리로 퍼져나갔다. 천 번의 환생처럼 끝없이 되풀이되는 여음, 그리고 또 여음…….

태수는 차로 돌아가 운전석에 올라탔다.

현주 씨, 저는 지금 가봐야 할 것 같습니더.

급한 일이에요?

태수는 운전대를 양손으로 움켜잡았다.

현주 씨, 저는 머리가 별로 안 좋습니더.

왜 그런 말을 해요?

제가 추리하는 건 거의 다 틀리거든요. 이번에도 틀렸습니더.

무슨 말이에요?

자세한 이야기는 다음에 할게요. 대신 하나만 약속해줘요.

뭐요?

나쁜 생각은 하지 말고 조용히 있어요. 자수도 하지 마요. 진짜 무슨 일이 일어났는지 내가 알아낼 때까지 기다려요.

현주의 눈에 슬며시 눈물이 고였다.

고마워요.

지금 바로 가봐야 해요. 혼자 운전해서 갈 수 있겠어요?

경찰서로 가는 거면 읍내까지 태워다 줘요. 제 차는 다음에 와서 가져가면 돼요.

방향이 달라요.

태수는 시동을 걸고 현주의 차가 주차된 곳까지 운전했다. 현주는 태수에게 가볍게 입을 맞추고 차에서 내린 다음 자신의 초록색 차에 올라타 시동을 걸었다. 태수의 차가 앞장서고 현주의 차가 뒤를 따랐다. 어둑한 좁은 도로를 따라 네 개의 헤드라이트 불빛이 미끄러지듯 움직였다.

칠흑같이 어두운 산을 돌아 인가가 보이는 지점까지 달리자 비로소 가로등이 도로를 밝혔다. 텅 빈 로터리에서 태수는 차를 멈췄다. 현주의 차가 태수의 옆으로 붙어 섰다.

태수는 차창을 내린 다음 현주에게 소리쳤다.

저는 반대편 길로 갈 거예요. 운전 조심해서 들어가요.

현주가 고개를 끄덕였다. 태수는 먼저 가라고 현주에게 손짓했다. 현주의 차는 로터리를 돌아 태수가 올 때 이용했던 큰 도로로 진입했다. 작은 차의 붉은 미등이 조용히 멀어져갔다.

태수는 현주가 간 반대쪽으로 달렸다. 얼마쯤 달린 다음 남쪽으로 이어지는 좁은 이차선 도로로 빠졌다. 가로등도 없는 외진 도로였다. 첩첩으로 두른 산 사이로 쥐어짜듯 일군 비좁은 논배미와 버려진 집, 밋대로 자란 나무들이 전조등 불빛 안으로 나타났다가 금방 사라졌다. 도로 바닥은 쩍쩍 갈라져 있었고, 군데군데 아스팔트를 땜질한 자리는 살에 앉은 피딱지처럼 새카맣고 불룩했다. 과속방지턱을 연이어 넘으며 인가 십여 호가 모인 작은 촌락을 지나자 마침내 평평한 고래실이 동났다. 산비탈이 도로 왼쪽을 암막처럼 막아섰고, 휘어지는 길 오른쪽으로 비치는 잡풀 웃자란 다랑논은 전조등 불빛을 수평으로 쪼갰다.

태수는 주머니에서 휴대폰을 꺼내 강모에게 전화를 걸었다. 신호만 여러 번 울릴 뿐 전화를 받지 않았다. 지금은 전화를 받을 수 없다는 녹음 메시지가 나오자 태수는 전화를 끊었다.

산중으로 이어진 길은 군데군데 빙판이 번들거렸고, 비탈의 빽빽한 나무 밑에는 하얗게 눈이 쌓인 곳도 있었다. 토사가 흘러내려 진창으로 변한 곳을 조심히 통과해 다시 속도를 높였다. 급경사와 이중으로 굽은 도로를 알리는 노란 세모꼴 경고판이 수시로 나타났다. 낙석방지망을 둘러친 급사면과 까마득한 낭떠러지를 길 양쪽에 끼고 꼬불꼬불한 내리막을 달려 마침내 개활지로 접어들었다. 기천면을 알리는 표지판이 눈에 들어왔다. 태수는 기천파출소를 지나쳐 곧바로 양수발전소를 향해 달렸다.

썰렁한 홍보관 주차장이 보였다. 다들 퇴근한 듯 차는 한 대도 없었고, 돌아가지 않는 물레방아 모형만이 흰색 조명을 아래에서부터 받으며 쓸쓸하게 서 있었다.

태수는 차를 몰아 좁은 길을 올라갔다. 조수석 차창 너머로 중경천이 나타났다. 저수지는 거대한 괴물처럼 하늘을 향해 검은 아가리를 벌리고 있었다. 태수는 석구의 집으로 통하는 샛길로 들어섰다. 질퍽한 비포장 산길에 타이어 자국이 길게 이어져 있었고, 조금 더 들어가자 길을 막고 있는 은색 갤로퍼가 나타났다. 강모의 차였다.

낡은 갤로퍼 뒤에 차를 세운 태수는 시동을 끄고 콘솔 박스를 뒤져 작은 휴대용 손전등을 꺼냈다. 문을 열고 차에서 내리자 구두창이 진흙에 움푹 박혔다. 태수는 갤로퍼로 다가가 손전등을 켜고 차 내부를 살펴보았다. 이십 년도 넘은 차답게 가죽시트의 옆쪽 이음매가 뜨어 있었고, 조수석 바닥에는 주유소에서 나눠 주는 공짜 휴지와 구겨진 햄버거 포장지가 널브러져 있었다. 그리고 뒤쪽 짐칸 바닥에는 흙 묻은 운동화와 알루미늄 야구방망이가 나뒹굴었다. 태수는 수동 변속기 레버 뒤에 놓인 가죽 총집에 불빛을 비추었다. 스미스앤드웨슨 38구경 리볼버의 검은 손잡이가 비죽이 튀어나와 있었다.

태수는 휴대폰을 꺼내 경찰서 상황실로 전화를 걸었다.

네, 무령경찰서입니다.

저 형사계 진태수 경장입니더. 그런데 유지나 경장님이 왜 상황실에 있습니꺼?

아, 당직을 바꿨어요.

유 경장님, 혹시 무기고에서 권총 출고되었는지 확인해볼 수 있습니꺼?

왜요?

그럴 일이 좀 있습니더.

총기 관리 대장 확인해보고 다시 전화 드릴게요.

태수는 전화를 끊고 휴대폰을 진동 모드로 바꾼 다음 플래시 불빛에 의존해 오르막을 올랐다. 이윽고 반쯤 허물어진 시커먼 담벼락이 눈에 들어왔다. 담장 너머의 단층집 창문에서 하얀 불빛이 흘러나오고 있었다. 태수는 손전등을 끄고 숲의 어둠에 몸을 숨긴 채 조용한 걸음으로 집을 향해 다가갔다.

무너진 담벼락 너머로 마당과 건물의 윤곽이 드러났다. 시멘트로 벽을 바른 직사각형 모양의 낡은 집은 한쪽 끝에 작은 광을 달아낸 단순한 구조였다. 마당에는 잡동사니가 굴러다녔고, 구석에 놓인 평상과 그 너머의 검은 장독들도 보였다. 태수는 자세를 낮춘 채 담장의 성한 부분을 따라 대문 쪽으로 이동했다. 대문은 문짝도 없이 녹슨 쇠기둥만 담장에 붙어 있었다. 태수는 담장 벽에 등을 기댄 채 고개만 대문 안으로 들이밀어 집을 살폈다.

그때 태수의 손에 들린 휴대폰에서 진동이 울렸다. 태수는 속삭이는 듯한 소리로 전화를 받았다.

네, 유 경장님.

오늘 낮에 손강모 경사님이 권총 출고하신 걸로 기록되어 있어요.

아직 입고는 안 되었지요?

네. 무슨 일 있어요?

별일 아닙니더. 다음에 말씀 드리겠습니더.

태수는 전화를 끊었다. 그런 다음 허리를 숙인 채 살그머니 대문 안으로 발을 내디뎠다. 그 순간 탕, 총소리가 울렸다. 반사적으로 뒷걸음질 친 태수는 다시 담장 뒤로 몸을 숨겼다. 총소리는 분명 집 안에서 들려왔다. 권총 소리는 아니었다. 산탄총 소리였다. 태수는 미동도 없이 서서 온 신경을 청각에 집중했다. 하지만 더 이상 아무 소리도 들리지 않았다.

태수는 허리를 숙인 채 담장의 성한 부분을 따라 빠르게 걸어 숲의 그늘 속으로 돌아간 후 흙길을 되짚어 내려갔다. 강모의 갤로퍼가 서 있는 곳까지 달려 내려온 태수는 곧바로 운전석 문손잡이를 당겼다. 잠겨 있었다. 손전등을 켜서 운전석과 조수석의 창문턱을 비추어 보니 양쪽 문 모두 잠금장치의 버튼이 눌려져 있었다. 태수는 불빛으로 차 주위의 바닥을 비추었다. 그러고는 커다란 돌을 하나 찾아서 집어 들고 조수석 쪽으로 돌아갔다. 돌로 창문을 내리치자 유리가 산산조각이 났다. 태수는 깨진 유리창 사이로 손을 집어

넣어 잠금장치의 버튼을 당겨 올린 다음 다시 손을 밖으로 빼서 문 손잡이를 잡고 문을 열었다. 유리 파편이 쏟아졌다.

태수는 허리를 숙여 기어 레버 뒤의 권총집으로 손을 뻗었다. 플래시를 입에 물고 고개를 숙여 총집에서 리볼버를 뽑은 다음 총집은 조수석에 던져두었다. 양손으로 약실을 끌러보니 공포탄 한 발과 실탄 네 발이 고스란히 장전되어 있었다. 방아쇠를 당기면 곧바로 실탄이 발사되게끔 실린더를 돌려 실탄을 두 시 방향으로 맞춘 후 다시 실린더를 닫았다. 손전등은 꺼서 주머니에 넣었다.

오르막길 너머로 네모난 창문에서 흘러나오는 하얀 불빛이 보였다. 태수는 오른손에 권총을 쥔 채 조용하고도 빠른 걸음으로 불빛을 향해 다가갔다.

32

태수는 대문 옆 담벼락에 등을 붙이고 서서 숨을 죽인 채 귀를 기울였다. 여전히 특별한 소리는 들리지 않았다. 바람이 나뭇가지를 긁는 소리만이 사각사각 들릴 뿐이었다. 손에 쥔 권총 손잡이는 차갑고 단단했다.

태수는 몸을 낮추고 조용히 걸어 단층집 마당을 가로질렀다. 불 켜진 서리유리 창문 오른쪽에 검은 철제 현관문이 있었다. 태수는 문 옆에 바짝 붙어 섰다. 그런 다음 벽에 귀를 대고 안에서 무슨 소리가 들리지나 않는지 확인했다. 인기척이 아주 작게 들렸다. 흐느끼는 소리 같기도 하고 숨죽여 웃는 소리 같기도 했다.

그때 태수의 주머니에서 휴대폰의 진동이 울렸다. 태수는 어금니를 사리물며 얼른 주머니에 손을 넣어 벨을 껐다. 그 순간 집 안에서 부스럭 소리가 나더니 창문의 불이 꺼졌다. 태수는 주머니에서 손전등을 꺼내 왼손에 들었다. 총을 든 오른손을 가슴에 바짝 붙이고, 왼손으로 현관문 손잡이를 조용히 돌렸다.

그때 집 뒤쪽에서 문이 벌컥 열리는 소리가 났고, 뒤이어 누군가가 뛰어가는 소리가 들렸다. 태수는 건물 외벽을 따라 빠르게 걸어 집 뒤쪽으로 돌아갔다. 산비탈을 타고 숲으로 도망치는 검은 그림자가 보였다. 녀석의 손에 들린 길쭉한 물건은 산탄총 같았다. 태수는 권총의 약실을 끌러 공포탄을 두 시 방향으로 맞춘 후 약실을 닫았다. 그런 다음 재빨리 산을 향해 공포탄을 한 발 발사했다. 탕 소리와 함께 숲에서 새들이 일제히 날아올랐다. 검은 그림자는 빠르게 달아나서 숲에 스미듯 사라졌다.

태수는 집 뒤로 돌아가 방금 도망친 녀석이 열어둔 쪽문을 통해 집 안으로 들어갔다. 오른손의 총구는 앞을 겨냥하고 왼손으로는 손전등을 머리 위로 높이 들어 실내를 비추었다. 한 평 남짓한 다용도실이 불빛 속에 드러났다. 문 바로 옆에 세탁기가 놓여 있었고, 벽을 따라 빙 둘러친 선반에는 망치와 톱, 까뀌, 전동드릴, 예초기 등 각종 공구가 빼곡히 들어차 있었다.

태수는 다용도실 안쪽 문 너머를 비추었다. 거실 벽에 등을 기대고 앉은 강모가 보였다. 두 다리를 앞으로 쭉 뻗은 채 고개를 한쪽으로 꺾고 있었는데, 산탄을 맞아 너덜너덜해진 파카 가슴께가 피로 붉게 물들어 있었다. 그리고 그 뒤쪽 벽에는 검은 핏자국이 세로로 길게 나 있었다. 바닥에 흩뿌려진 하얀 오리털 몇 개가 하늘거렸다. 태수는 가만히 다가가 강모의 턱 아래에 손가락을 짚어 보았다. 맥박은 없었다.

태수는 손전등으로 거실 내부를 빙 둘러 가며 비추었다. 낡은 가죽 소파는 찢어진 곳을 청테이프로 발라놓았고, 통나무로 만든 접대용 테이블에는 뜨거운 냄비를 그냥 놓은 듯 검게 탄 자국이 둥글게 나 있었다. 소파 맞은편 텔레비전 뒤에 가족사진이 걸려 있었는데, 노부부와 두 아들이었다.

그때 안방 문 너머에서 작은 신음 소리가 들려왔다. 태수는 총을 앞세우고 방문을 열었다. 건장한 남자가 밧줄로 손발이 묶인 채 바닥에 모로 누워 있었다. 태수는 남자의 얼굴을 손전등으로 비추었다. 청테이프로 입을 발라놓았지만 얼굴을 알아볼 수 있었다. 석구였다. 태수는 벽에 붙은 스위치를 눌러 불을 켠 다음 석구의 입에서 테이프를 뗐다. 석구는 눈이 부신지 얼굴을 찡그렸다.

진 경장님……?

석구가 태수의 얼굴을 알아보더니 울음을 터뜨렸다.

어떻게 된 거예요?

행님은요? 강모 행님은 우째 됐습니꺼?

죽었습니다.

석구의 얼굴이 일그러졌다. 태수는 총을 코트 주머니에 넣은 다음 석구의 손목을 묶은 밧줄을 풀었다. 손목에 붉은 자국이 선명히 남은 석구는 주저앉은 채 계속 울어댔다. 태수는 석구의 발목을 묶은 밧줄을 마저 풀었다. 석구는 엉금엉금 밖으로 기어 나와 거실에 죽어 있는 강모를 보았다. 울부짖으며 강모에게 다가가려는 석구를 태수가 제지했다.

건드리면 안 됩니다. 사건 현장입니다.

석구는 비틀거리며 일어나 주방으로 걸어가서 무너지듯 식탁 의자에 앉았다. 태수는 주머니에서 휴대폰을 꺼냈다. 김한수 경감에게서 부재중 전화가 와 있었다. 태수는 한수에게 전화를 걸었다.

계장님, 저 태숩니더.

그래. 온다고 해서 기다리고 있는데 왜 이리 늦노?

계장님, 김석구 씨 집 아십니꺼?

석구? 양수발전소 옆에 사는 그 김석구?

네.

잘 알지.

석구 씨 집으로 좀 오셔야겠습니더. 살인사건이 벌어졌습니더.

뭐? 누가 죽었는데?

손 선배가 죽었습니더.

뭐? 그게 무슨 말이고? 강모가 죽다니?

산탄총에 맞아서 즉사한 것 같습니더.

누가 총을 쐈는데?

그건 아직 모릅니더. 범인이 산으로 도망쳤습니더. 일단 이 일대 초소랑 길목마다 바리케이드 설치하고 검문검색 들어가야 됩니더. 석구 씨 집에 감시반도 보내주셔야 합니더.

알겠다. 지금 간다. 현장 보존 잘하고 있거라.

태수는 벽에 붙은 스위치를 눌러 거실의 불을 켰다. 식탁에 앉은 석구는 머리를 얼싸쥔 채 울고 있었다. 태수는 석구의 맞은편 의자를 빼서 앉았다.

말해 보이소. 어떻게 된 겁니까? 도망친 사람이 누굽니까?

모릅니더. 복면을 쓰고 있었습니더.

단순 강도라는 말입니까?

석구는 대답 없이 울기만 했다.

이 외진 곳에 단순 강도가 든다는 게 말이 됩니까? 그것도 산탄총을 들고.

저도 모릅니더.

석구는 고개를 숙인 채 콧물을 훌쩍였다. 둘 사이에 침묵이 흘렀다. 태수는 주머니에서 권총을 꺼내 식탁 위에 올려놓았다.

이거 손 선배 총입니다. 손 경사님은 이 시간에 왜 권총을 가지고 여기 왔습니까?

석구는 총을 흘깃 바라보고는 다시 말없이 고개를 푹 숙였다.

말을 해야 손 선배 죽인 범인을 잡을 거 아닙니까?

모릅니더. 저는 아무것도 모릅니더.

그럼 고창혁은 누가 죽였습니까?

석구의 어깨가 순간적으로 얼어붙었다. 식탁 위에 올린 석구의 두 손이 부들부들 떨렸다.

사실대로 말해야 범인을 잡습니다.

저는 아무것도 모릅니더.

석구 씨가 입을 다물고 있을 수 있는 상황이 아닙니다. 생각해보세요. 현직 경찰이 총에 맞아 죽은 겁니다. 그냥 덮고 넘어갈 수 있는 일이 아니에요.

석구가 벌건 핏발이 돋은 눈으로 태수를 쳐다보며 파르르 떨리는 음성을 쥐어짰다.

저는 모르는 일입니더.

고창혁 시체는 어떻게 했어요?

모릅니더.

석구 씨가 죽였습니까?

석구는 입을 삐죽 내민 채 묵묵부답이었다.

석구 씨가 고창혁을 죽인 겁니까?

석구는 곁눈질로 강모의 시체를 힐끔 내려다보았다.

아마 강모 행님이 죽였을 겁니더.

좀 전에는 모르는 일이라면서요.

석구는 다시 고개를 숙이고 입을 닫았다. 태수가 손으로 식탁을 톡톡 쳤다.

석구 씨, 저를 좀 보이소.

……묵비권 행사할랍니더.

그러면 이것만이라도 이야기해봐요. 총을 쏜 사람은 누굽니까? 석구 씨는 왜 묶여 있었던 겁니까?

눈알을 좌우로 굴리며 잠시 고민하던 석구는 작은 소리로 말했다.

숫자를 알려달라고 계속 협박했습니더.

무슨 숫자?

제가 외우고 있는 숫자.

외우고 있는 숫자라니요?

있습니더, 숫자하고 영어하고 섞인 거…….

뭐에 쓰는 숫자인데요?

모릅니더.

모른다고요?

행님이 외우라고 해서 외운 겁니더. 절대 까먹으면 안 된다고 해서 외우고 있습니더.

행님이요?

네. 저희 친행님.

돌아가셨잖아요.

네.

그런데 아직 외우고 있어요?

행님이 죽기 전날 그랬습니더. 절대 까먹지 말라고. 언젠가 쓸모가 있을 거라고 했습니더. 그게 행님이 남긴 마지막 말이었습니더.

그 숫자를 알려달라고 누군가 협박했다는 말이죠?

네.

언제부터요? 고창혁 시체를 처리한 다음부터?

석구는 다시 고개를 숙이고 입을 다물었다.

석구 씨가 그 숫자를 외우고 있다는 걸 고창혁도 알고 있었습니까?

석구는 눈을 치켜뜨며 잠시 뭔가를 생각하더니 고개를 끄덕였다.

아마 그럴 겁니다.

석구 씨 친형은 생전에 무슨 일을 하셨습니까?

그냥……. 이것저것 했습니다.

질 나쁜 사람들하고도 어울렸죠?

저는 잘 모릅니다.

그때 밖에서 부스럭거리는 소리가 들렸다. 태수는 식탁 위의 권총을 집어 들고 조용히 현관 쪽으로 걸어가 창문을 살짝 열고 밖을 내다보았다. 담장 너머로 붉은빛과 푸른빛이 희미하게 비쳤고, 길 아래에서 경찰 점퍼를 입은 두 사람이 걸어 올라오고 있었다. 기천 파출소장 손정길 경감과 여자 경관이었다. 여자 경관은 허리춤에 찬 권총을 빼서 양손으로 파지하고 있었다. 두 사람은 주위를 두리번거리며 천천히 집을 향해 다가왔다.

태수는 현관문을 열고 밖으로 나갔다. 여자 경관이 반사적으로 권총을 들어 태수를 겨냥했다. 태수는 두 손을 어깨높이로 천천히 들어 올렸다.

소장님.

어? 니는 태수 아니가?

여자 경관이 총구를 내렸다.

형사계에서 연락받고 오셨습니까?

형사계? 무슨 연락?

그러면 여기는 어떻게 오신 겁니까?

양수발전소 경비 직원이 총소리 같은 게 들렸다고 하길래 혹시

나 싶어서 와봤다. 요새 해 떨어지고도 불법으로 수렵하는 놈들이 하도 많아서, 순찰 도느라 마침 요 근처에 있었거든. 그런데 저 밑에 차 유리가 박살이 나 있길래 무슨 일 있나 싶어서 여기까지 올라왔지.

손 경감은 태수의 손에 들린 총을 물끄러미 바라보았다.

진짜 무슨 일이 있나?

33

손정길 경감은 자웅눈이처럼 오른쪽 눈만 가늘게 뜬 채 강모의 시체를 물끄러미 내려다보았다. 정길의 축 처진 눈꺼풀이 바르르 떨렸다. 핏기가 빠져나간 강모의 얼굴은 도자기로 빚은 것 같은 흰 빛이었다. 부릅뜬 두 눈과 벌어진 입 그리고 턱을 타고 흘러내린 붉은 피.

식탁에 앉은 석구는 내내 낮은 소리로 흐느끼고 있었다. 설거지통 옆에 엎어놓은 커다란 양은 냄비에 전등불이 반사되어 둔탁한 노란빛이 감돌았다. 여자 경관은 속이 메슥거리는지 인상을 찌푸리며 슬그머니 밖으로 걸어나갔다. 열린 문으로 차가운 산바람이 솔솔 불어 들어왔다.

경찰 점퍼 주머니에 양손을 찌른 채 한참 말이 없던 정길이 마침내 입을 열었다.

판단 잘했다. 안 쫓아가는 게 맞다. 총 들고 있는 놈 쫓아갔다가 잘못하면 더 큰 사달이 나지.

정길은 범인이 빠져나간 쪽문으로 걸어가 고개를 비스듬히 내밀고 밖을 내다보았다. 가파른 경사를 이룬 숲에서 을씨년스러운 바람 소리가 들렸다.

산으로 기어올라 도망쳤으면 당장 잡기는 쉽지 않겠네. 포위망을 쳐도 어떻게든 빠져나갈 거다. 이 동네에 산이라는 게 어디 끝이 있어야지. 그래도 엽총을 사용했으면 결국 잡기는 안 잡겠나.

미등록 총기라면 힘들 수도 있습니더. 범인이 산에 총을 묻어버릴 수도 있고요.

우짜겠노.

정길은 천천히 걸음을 옮겨 주방으로 향했다. 싱크대 바로 옆에 플라스틱 외장재가 누렇게 변한 냉장고가 놓여 있었다. 정길이 냉장고 문을 열어 안을 뒤적거리더니 소주병을 꺼내 뚜껑을 돌려 땄다.

컵 없나?

석구가 손바닥으로 눈물을 닦고 의자에서 일어나 살강에서 유리잔을 하나 꺼냈다. 유리잔 겉면에 인쇄된 맥주 제조사 마크가 닳아서 희미했다. 정길이 싱크대 수도꼭지를 틀어 석구에게서 건네받은 잔을 한 번 헹군 다음 맥주잔에 소주를 손마디 깊이만큼 따라 단번에 들이켰다. 녹슨 배수관을 타고 물 내려가는 소리가 꿀렁꿀렁 들려왔다.

태수가 식탁으로 걸어와 정길 앞에 섰다.

소장님은 아시죠?

뭘?

손 선배하고 고창혁이라는 사람 사이에 무슨 일이 있었던 겁니까?

엉거주춤 서 있던 석구가 코를 훅 들이마셨다. 정길의 시선이 태수의 얼굴로 향했다가 슬며시 석구 쪽으로 돌아갔다. 석구는 턱을 떨며 정길의 시선을 피했다. 정길은 다시 태수를 바라보았다. 정길의 눈빛이 차갑게 번들거렸다.

고창혁이라는 이름이 갑자기 왜 나오노?

이번 사건하고 연관이 있습니더.

무슨 연관이 있는데?

그냥 제 추측입니더.

정길이 죽은 강모를 돌아보며 길게 숨을 내쉬었다. 주름진 입술 사이로 알코올 섞인 쉰내가 뿜어져 나왔다.

진구도 딱 저렇게 죽었지.

석구 씨 형님도 엽총에 맞아 죽었습니꺼?

고창혁 글마 총이었다. 사건 전날 경찰서에서 총기 출고도 창혁이가 직접 했고. 그런데 우짜겠노, 총을 도둑맞았다고 바득바득 우기는 걸. 강모가 빡돌았지……. 그래도 그때 우리가 강모를 말렸어야 하는 건데.

손 선배가 자백을 받으려고 고창혁을 때린 겁니까?

야밤에 조서 치다 말고 창혁이 멱살 잡고 논두렁으로 끌고 갔지. 자기가 다 책임진다면서…….

그 새끼는 죽어도 싼 놈입니더, 하고 석구가 이를 갈 듯 말하더니 의자에 털썩 주저앉았다.

정길이 맥주잔을 쥔 손에 힘을 주었다.

강모랑 진구랑 창혁이. 그 셋이 어려서부터 친했다. 무령에서 알아주는 삼총사였지. 그런데 그중에 두 명이 벌써 죽었구나. 그것도 넨장맞을 총에 맞아서. 사람 팔자 참 얄궂다.

고창혁하고 석구 씨 형님 사이에 무슨 원한 관계가 있었습니꺼? 죽일 만한 이유가 있었든지.

모르겠다. 세상만사에 사연 없는 죽음이 있겠나? 문제는 그 사연을 다 알 수가 없다는 거지.

그럼 그 사건은 미제로 남은 겁니꺼?

그래.

고창혁 총이었다면서요.

알리바이가 있었지. 나중에 밝혀졌지만.

정길의 말을 들은 석구가 다시 볼멘소리를 했다.

그것도 다 지어낸 겁니더.

그때 열린 문을 통해 여자 경관이 거실 안으로 들어왔다.

고유림 검사라는 분이 오셨는데요.

경관의 말이 끝나기가 무섭게 유림이 모습을 드러냈다. 말총머리에 검은 캡을 단단히 눌러쓴 유림은 오전과 마찬가지로 흰색 파카와 청바지 차림이었다. 강모의 시체를 발견한 유림이 입을 딱 벌렸다. 태수가 거실 쪽으로 걸어왔다.

검사님이 어떻게 여기를 알고 오셨습니꺼?

천경호에 물을 방류하는 문제로 양수발전소 소장을 좀 만났어요. 회의가 길어져서 나오니까 벌써 해가 졌더라고요. 진 경장님이 밤에 황 검사를 목격했다는 말이 생각나서 혹시나 싶어 좀 살펴보려고 플래시를 들고 이쪽 길을 따라 걷고 있었는데, 순찰차 불빛이 보였어요. 그래서 올라와봤는데 살인사건이라고 하더라고요.

유림은 모자를 벗어 구긴 다음 파카 주머니에 쑤셔 넣었다.

죽은 거예요?

네. 보시다시피.

여자 경관이 눈살을 찌푸리며 다시 슬그머니 밖으로 나갔다. 유림은 강모의 시체와 실내에 있는 세 사람을 차례로 훑어보았다. 태수가 유림에게 말했다.

마침 잘 왔습니더. 그때 황 검사 신분증에 묻어 있던 혈흔은 분석해보셨습니꺼?

유림은 경계하는 눈초리로 태수와 그 뒤의 정길을 쳐다보았다. 정길은 묵묵히 조리대에 놓인 병을 들어 소주를 한 잔 더 따랐다. 태수가 다시 말했다.

검사님, 기밀 사항이고 나발이고 일단 말씀해 보이소. 지금 그런 거 따질 때가 아닙니더. 현직 경찰이 총에 맞아 죽었습니더.

무슨 일이 벌어진 거예요? 범인은 잡았어요?

범인은 달아났습니더. 황 검사가 찾아 헤매던 그 암호가 문제인 것 같습니더. 그리고 검사님께도 분명히 말씀드리는데, 황 검사도 유력한 용의자 중 한 사람입니다.

유림이 시체를 물끄러미 내려다보았다. 태수가 재차 물었다.

신분증에 묻은 게 황 검사 혈액입니꺼?

아뇨.

그럼 고창혁?

어떻게 알았어요?

결론은 이렇네요. 고창혁을 죽인 사람과 손 선배를 죽인 사람은 동일 인물일 가능성이 크고, 범인은 황 검사 아니면 황 검사랑 함께 움직인 누군가일 겁니다. 만약 황 검사도 이미 죽었다면, 그것 역시 같은 사람 소행이겠죠.

석구와 정길, 유림이 동시에 놀란 눈으로 태수를 바라보았다. 정길이 미간을 찌푸렸다.

고창혁이 죽었다꼬?

누가, 어떻게, 왜 죽였는지는 몰라도 죽은 건 확실합니다. 석구 씨가 시체를 치웠으니까요.

식탁 앞에 앉은 석구가 고개를 푹 숙였다. 김치 국물이 말라붙은 식탁 유리에 석구의 그늘진 얼굴이 흐릿하게 비쳤다. 정길이 싱크대에 몸을 기대며 손에 든 잔을 빙빙 돌렸다. 맥주잔에 든 소주가 찰랑거리며 투명한 소용돌이를 그렸다.

지금 일이 우째 돌아가고 있는 건지 나는 도통 모르겠다.

저도 잘은 모릅니다. 하지만 한 가지는 확실합니다. 석구 씨가 외우고 있는 암호가 이 모든 사태의 원인이라는 거죠.

암호를 외우고 있다고요?

유림이 눈을 크게 뜨고 석구를 바라보았다. 그러자 석구가 유림의 시선을 피하며 불편한 듯 몸을 뒤틀었다.

황 검사가 찾으려고 했던 암호가 아마 그걸 겁니다.

범인이 암호를 알아냈나요?

유림이 석구에게 다그쳐 물었지만, 석구는 입을 꾹 다문 채 말이 없었다. 태수가 석구의 등 뒤로 돌아가서 가만히 석구의 어깨에 손을 올렸다.

석구 씨는 지금 묵비권 행사 중입니다. 사체유기는 범죄니까요.

석구는 이를 악문 채 고개만 푹 숙였다. 유림이 가만히 식탁으로 다가와 석구 옆에 앉았다.

하나만 물어볼게요. 외우고 있다는 그 암호가 어디에 쓰는 건지 알아요?

모릅니다. 그냥 외우고 있습니다.

정말 몰라요?

네.

솔직하게 말해줘요. 지금 살아 있을 수도 있는 한 사람의 목숨이 걸린 일이에요.

행님이 그냥 외우라고 했습니다.

석구는 입술을 깨물며 잠시 고민했다. 그러더니 작은 소리로 덧붙였다.

일억짜리라고 그랬습니다.

유림이 석구의 허벅지에 가만히 손을 올렸다.

그 일억, 내가 줄게요.

석구가 고개를 들어 멍청한 표정으로 유림을 바라보았다.

거짓말이 아니에요. 이상한 돈도 아니고요. 법적으로 범죄수익 환수 포상금이라는 게 있어요.

석구는 자신의 뒤에 서 있는 태수를 돌아보았다. 태수가 고개를 끄덕였다.

검사님 말이 맞습니더.

석구 씨, 감옥에 가는 게 겁나서 그러는 거죠?

유림의 물음에 석구가 고개를 끄덕였다. 유림이 석구의 허벅지를 다정하게 손으로 토닥였다.

걱정 말아요. 관할 검찰청 검사로서 최대한 선처해줄게요. 절대 석구 씨가 감옥에 가는 일은 없을 거예요. 집행유예라는 거 들어봤죠? 내가 약속할게요. 제발 있었던 일만 솔직하게 말해줘요.

석구는 두 손을 식탁 위에 모은 채 정길을 힐끗거렸다. 정길이 소주를 입안에 털어 넣고는 곰팡이 핀 나무 도마 옆에 잔을 탁 내려놓았다. 석구가 입을 삐죽거렸다.

그 말을 어떻게 믿습니꺼? 전에 행님한테도 그랬습니더. 그냥 조사만 한 번 받으면 된다고. 별일 아니라고. 그런데 그때 우쨌습니꺼? 그때 우리 행님 감옥에 일 년이나 갔다 왔습니더.

석구가 고개를 휙 돌리더니 정길을 노려보며 따지듯 외쳤다.

우리 행님이 뭘 잘못했습니꺼? 시키는 대로 한 것밖에 더 있습니꺼?

정길이 붉게 상기된 얼굴로 빈 잔을 움켜쥐었다.

다 지난 옛날 일을 왜 또 꺼내노? 석구 니 아직 감옥에 한 번도 안 갔다 와서 법 무서운 줄을 영 모르제?

석구가 어깨를 움츠리고 고개를 푹 숙였다. 유림이 석구의 어깨를 잡고 상체를 자기 쪽으로 돌렸다.

석구 씨, 내 말 믿어요.

나는 경찰이 하는 말은 안 믿습니더.

난 경찰 아니에요. 검사예요.

저는 그런 거는 잘 모릅니더. 아무튼 안 믿습니더. 팥으로 메주를 쑨다 캐도 안 믿습니더.

34

태수는 식탁에 비스듬히 엉덩이를 걸쳤다. 태수의 코트 주머니에 든 총이 식탁 가장자리에 닿아 달그락 소리가 났다. 석구는 토라진 아이처럼 모두의 시선을 피해 얼굴을 돌렸다. 유림은 눈살을 찌푸리며 긴 한숨을 내쉬었다.

태수가 주머니에 손을 넣어 리볼버 손잡이를 잡았다.

석구 씨, 손 선배 죽인 범인을 잡아야 되지 않겠습니꺼?

그래 치면 우리 행님 죽인 놈은 왜 못 잡았는데예?

한 걸음 떨어져서 듣고 있던 정길이 불쾌한 얼굴을 들어 석구를 노려보았다.

그래서 범인 못 잡으니까 좋더나?

누가 좋다 캤습니꺼?

다른 사람은 몰라도 석구 니가 강모한테 이러면 안 되지. 강모가 니를 얼마나 챙겼노? 죽은 강모가 불쌍하지도 않나? 저거 봐라. 눈도 못 감고 저래 있다.

석구가 입을 비죽거리기 시작했다. 눈에 슬며시 눈물도 고였다. 태수가 석구의 어깨에 손을 올리며 나지막이 중얼거렸다.

저렇게 가실 줄 알았으면 같이 낚시 가자고 했을 때 따라가는 거였는데…….

매운탕 참 맛있었는데…….

석구의 입술 사이로 거친 날숨이 새어 나오며 침방울이 튀었다. 석구가 손바닥으로 눈물을 닦았다. 유림이 혀로 입술을 촉촉이 적신 나음 석구의 손등에 자신의 손을 올렸다.

그러면 이렇게 해요. 시체가 있는 위치는 말하지 않아도 돼요. 시체가 없으면 석구 씨가 처벌을 받는 일은 없을 거예요. 법적으로 그래요. 본인의 자백만으로는 범죄가 성립하지 않아요. 그냥 무슨 일이 있었는지만 말해요.

석구는 여전히 불신을 버리지 못한 눈초리로 유림을 바라보았다. 태수가 한 걸음 앞으로 나섰다.

이렇게 합시더. 제가 묻는 말에 예, 아니오로만 답을 하이소. 답을 하기 싫으면 안 해도 됩니더.

석구는 태수를 비스듬히 올려다보았다. 석구의 젖은 눈시울이 불그스름했다.

석구 씨가 고창혁을 죽인 건 아니지요?

예. 진짜 아닙니더.

고창혁 시체를 본 건 맞습니꺼?

석구가 마지못해 고개를 끄덕였다.

외우고 있는 숫자를 말해달라고 협박을 받은 것도 맞습니꺼?

예.

말은 안 해줬고요?

예.

석구의 대답이 나오는 간격이 점점 짧아지자 유림의 얼굴에 가느다란 미소가 떠올랐다.

어떻게 협박을 했습니꺼?

전화가 왔습니더.

전화요?

네. 강모 행님한테 물어봤는데 알아보시더니 공중전화번호라고 그랬습니더.

뭐라고 협박을 했어요? 숫자를 알려주지 않으면 죽여버린다고 그래요?

아니예. 제가 고창혁을 죽였다면서 경찰에 확 신고해뿐다고 그랬습니더. 그런데 진짜 제가 안 죽였습니더.

그래서요? 손 선배한테 도움을 청했어요?

아닙니더. 저 혼자 해결하려고 했습니더.

그럼 오늘 일은 어떻게 된 거예요?

저도 모르겠습니더. 그냥 한 대 얻어맞고 정신 차려보니까 묶여 있었습니더. 밖에서 강모 행님 목소리가 들렸는데, 갑자기 총소리가 났습니더.

손 선배가 왜 권총을 들고 여기 왔는지도 몰라요?

진짜 모릅니더.

태수는 귓바퀴 뒤를 검지로 긁으며 고민에 빠졌다. 유림도 눈을 내리깔고 뭔가를 골똘히 생각했다. 정길이 내쉬는 한숨 소리만이 싸늘한 부엌을 채웠다.

잠시 후 유림이 입을 열었다.

석구 씨, 외우고 있다는 그 숫자가 전부 몇 자리예요?

엄청 깁니더. 정확하게는 모르겠습니더. 아무튼 엄청 깁니더.

유림이 검지 손톱 끝으로 식탁을 두 번 가볍게 쳤다.

오케이. 이렇게 합시다. 범인의 목표는 단 하나예요. 석구 씨가 알고 있는 암호키. 이걸 이용하면 범인을 잡을 수 있어요.

어떻게요?

태수가 물었다.

제 계획은 이래요. 지금부터 이번 사건의 유력 용의자는 고창혁입니다. 언론에 그렇게 흘리고 고창혁을 전국에 지명수배해요. 범인은 석구 씨가 경찰에 거짓말을 했다고 생각할 거예요. 석구 씨가 나름대로 머리를 썼다고 짐작하겠죠. 이미 죽은 고창혁을 범인으로 지목하면 석구 씨가 고창혁을 죽였다는 혐의를 아예 피할 수 있으니까요. 범인은 일단 방심할 거예요. 전혀 다른 사람이, 그것도 이미 죽은 사람이 용의선상에 올라와 있는 거니까. 범인 입장에서도 나쁠 것 없는 상황이죠. 일단 범인이 방심하도록 만들어야 해요. 그리고 석구 씨는 그 암호를 저한테 알려줘요. 중앙지검 범죄수익환수부에 비트코인 전자지갑 주소가 있을 거예요. 거기서 아주 소액만 이체하는 거죠. 비트코인은 특성상 누구나 전자지갑 주소만 알면 거래 내역을 볼 수 있어요. 돈이 움직이는 걸 보는 순간 범인은 다급해질 거예요. 누군가 자신보다 먼저 암호를 알아낸 사람이 있다는 거니까. 빨리 움직이지 않으면 돈이 모두 날아간다는 뜻이죠. 놈은 어떻게든 석구 씨를 다시 노릴 거예요.

말하자면, 석구 씨를 미끼로 쓰자는 거네요.

이 집 근처는 모두 숲이잖아요. 좀 춥겠지만, 잠복할 수 있겠죠?

필요하면 위장복 입고 매복이라도 해야죠.

유림이 석구를 똑바로 마주보았다.

석구 씨 의견은 어때요?

석구가 멍청한 표정으로 유림을 바라보았다.

이 계획은 석구 씨가 동의하지 않으면 안 돼요. 아주 위험하니까. 지금부터 제 말 잘 듣고 신중하게 생각한 다음 대답해줘요. 석구 씨, 알았어요?

석구가 고개를 끄덕였다.

지금까지 범인은 석구 씨를 죽일 생각이 없었어요. 다른 사람은 다 죽여도 석구 씨는 안 죽여요. 죽일 수가 없어요. 왜냐? 석구 씨가 죽어버리면 모든 게 허사니까. 하지만 이번에는 다를 거예요. 여차하면 석구 씨까지 죽일 거예요. 무슨 말인지 이해했어요?

석구가 탁자 위에 올린 두 주먹을 꽉 쥐었다.

석구 씨, 목숨을 걸고 해줄 수 있겠어요?

석구는 고개를 돌려 죽은 강모의 얼굴을 바라보았다. 시체는 검은 입을 반쯤 벌리고 있었다. 영원히 내뱉지 못할 말을 머금은 듯이.

석구가 비장한 얼굴로 유림을 향해 고개를 끄덕였다. 유림이 탁자 위로 손을 뻗어 석구의 손등을 감싸며 부드럽게 쓰다듬었다. 그러고는 의자에서 일어서서 정길을 향해 몸을 돌렸다.

소장님도 협조해주세요. 아는 사람이 적을수록 성공 가능성이 높아요. 이 작전은 지금부터 우리 네 사람만 아는 겁니다.

태수하고 나하고 둘이서 되겠습니꺼? 인원이 더 필요할 텐데?

저희 쪽에서 더 동원할 수 있어요. 필요하면 저라도 잠복할게요.

총 쏘실 줄 압니꺼?

태수가 물었다.

이참에 배우죠, 뭐.

그때 밖에서 사이렌 소리와 사람들의 발소리가 들렸다. 김한수 경감과 박남호 경사 그리고 위생복을 입은 과학수사팀 두 사람이 집 안으로 들어왔다. 그 뒤로 땅딸막한 신철수 정보과장과 얼굴이 하얗게 질린 서장까지 나타났다. 신 과장은 늘 그렇듯 양복과 코트 차림이었고, 서장은 검은 파카에 하얀 추리닝 바지를 입고 있었다. 시체를 본 서장의 턱이 아래로 뚝 떨어졌다.

이게 도대체 무슨 일이고?

서장은 다리까지 후들거렸다. 과학수사팀 신태명 경사가 손뼉을 탁 쳤다.

일단 전부 밖으로 나가주이소. 현장 보존 좀 합시더.

다들 마당으로 나와 웅기중기 모여 섰다. 순찰차 경광등에서 뿜어져 나온 불빛이 담장 너머로 비쳐 들었고, 사람들의 반면은 저마다 붉으락푸르락했다. 서장에게 조곤조곤 전말을 보고하는 태수의 입만 벙긋거릴 뿐 모두 입을 다물고 있었다. 사람들의 코에서 허연 김이 뿜어져 나왔다. 다들 말과 숨을 아꼈고, 맨살이 드러난 얼굴과 손은 겨울 공기 속에서 차갑게 식어 갔다. 얼어서 발개진 귀와 코, 그리고 발밑을 향한 부질없는 시선.

태수가 손가락을 들어 범인이 달아난 방향을 가리켰다.

제가 공포탄을 발사하니까 뒤도 안 돌아보고 달아났습니더. 아마 산 너머로 도망쳤을 겁니더. 범인이 엽총도 가지고 있고 집 안에 부상자가 있을 수도 있겠다 싶어서 굳이 쫓아가지는 않았습니더.

잘했다.

서장이 태수의 어깨를 다독이고는 정보과장 신철수 경감에게 흥분한 어조로 명령했다.

신 과장! 당장 모든 인력을 총동원해서 천경산 일대를 완전히 봉쇄해라. 개미 새끼 한 마리도 빠져나가믄 안 된다.

길목은 다 차단하고 검문검색을 철저히 하고 있습니더. 그래도 산에서 산으로 걸어서 넘어가면 현실적으로 당장 잡기는 힘듭니더.

의경들 동원해서 산을 빵 둘러서 막아뿌믄 안 되나? 옛날에 무장 공비 잡을 때맨치로.

쉽지 않습니더. 그랄라믄 경남 도내 의경을 싹 다 동원해야 됩니더. 무장 공비 잡을 때맨치로.

신 경감의 말을 들은 서장은 시무룩한 표정으로 잠시 말이 없었다. 태수가 입을 열었다.

서장님, 범인은 고창혁일 가능성이 큽니더.

고창혁?

네. 석구 씨 말이 그렇습니더. 복면을 쓰긴 했는데 고창혁이 틀림없딥니더.

잔뜩 주눅 들어 우두커니 서 있던 석구가 고개를 몇 번 끄덕였다. 유림이 석구의 등을 한 번 쓰다듬었다.

신 과장! 당장 전국에 고창혁 이 새끼 지명수배 내려라. 현상금도 걸어라. 이 새끼가 사람 죽이고도 빠져나가 버릇하니까 이제 아주 간땡이가 배 밖으로 나왔는갑다. 이런 상놈의 새끼. 배 밖으로 나온 간은 퍼뜩 잘라 내야 된다.

김한수 경감이 마당에 굴러다니는 썩은 나무토막을 툭 차서 구석으로 보냈다. 그러고는 귀를 늘어뜨린 늙은 개처럼 맥없이 중얼거렸다.

이거 강모 가족들한테 뭐라고 해야 좋겠습니꺼?

다들 입을 다물고 한숨만 길게 내쉬었다.

열린 현관문으로 찰칵거리는 셔터 소리와 카메라 플래시의 섬광이 새어 나오기 시작했다. 산에서 검은 새가 날았다. 낡은 집을 둘러싼 축축하고 시커먼 숲. 헐벗은 나무들이 그리는 빽빽한 수직선이 마치 미늘창을 곧추세우고 포위망을 좁혀오는 죽음의 기병대처럼 보였다.

박남호 경사가 가죽점퍼 안주머니를 뒤적거리더니 담뱃갑을 꺼냈다. 서장이 남호의 손에 들린 구깃구깃한 담뱃갑을 힐끔 내려다보며 물었다.

니 아직도 한라산 피우나?

하도 오래 피웠더니 이제 인이 박여서 다른 거는 못 피우겠더라고예.

나도 하나 줘봐라.

서장이 손을 내밀자 남호가 들고 있던 궐련을 건넸다.

유림이 슬그머니 석구의 소매를 잡고 마당을 가로질러 구석진 자리로 데려갔다. 태수도 담뱃불을 붙이는 일행 사이를 빠져나와 유림과 석구에게 다가갔다. 유림이 휴대폰에서 디지털 펜을 뽑아 받아 적을 준비를 했다.

석구 씨, 그 암호 지금 불러봐요.

사, 에이, 구, 구, 둘, 디, 이, 팔, 일, 둘, 비, 디…….

석구는 또박또박 한 글자씩 불렀다. 스무 개를 채 넘기지 못했을 때, 석구가 오른손을 냄비 뚜껑처럼 자신의 정수리에 턱 얹으며 인상을 썼다. 그와 더불어 점점 기억을 짜내는 시간이 길어졌다.

……삼. 아니, 사. 그다음에…… 칠! 그리고……. 아…….아……. 그다음에 뭐였더라?

유림이 눈을 부릅떴다.

외우고 있다면서요?

아, 진짜 전에는 줄줄 외웠는데…….

석구가 두 눈을 투미하게 끔뻑였다.

35

석구가 느닷없이 점퍼의 지퍼를 내렸다. 그러더니 점퍼를 벗어 태수에게 떠안기다시피 하고는 스웨터와 속옷을 단번에 머리 위로 올려 벗었다. 순식간에 피둥피둥한 석구의 상체가 드러났다. 젖꼭지는 추위 때문에 단단하게 굳었고, 팔뚝에는 닭살이 돋았다. 석구는 몸을 떨며 뒤로 돌아섰다. 등짝의 견갑골 위치에 가로로 길게 검은 선이 한 줄 있었다. 무작위처럼 보이는 숫자와 영문자 조합을 작은 글씨로 새겨놓은 문신이었다.

행님 죽고 나서 까먹을까 봐 걱정이 되더라고예. 만약을 대비해서 이래 문신으로 새겨놨습니더.

석구는 유림에게 등을 보여주며 히죽거렸다.

유림은 휴대폰 카메라를 작동시킨 다음 한 걸음 뒤로 물러서서 석구의 등에 있는 문신을 촬영했다. 카메라 플래시가 터지자 마당 건너편에서 담배를 피우던 사람들이 일제히 유림을 향해 고개를 돌렸다. 벌거벗은 석구를 보며 다들 눈살을 찌푸렸다.

뭐 하노?

서장이 외쳐 물었다.

아무것도 아닙니더, 하고 태수가 대답했다. 그냥 몸에 남은 피해 흔적 좀 보고 있습니더.

서장과 일행은 다시 입에서 담배 연기를 뿜으며 원래 하던 이야기로 되돌아갔다. 죽은 강모를 빼닮은 사고뭉치 아들과 고등학교를 자퇴한 딸, 월급에 차압이 들어오자 냉큼 이혼소송을 걸어온 사박스리운 진처, 그리고 이제는 차가운 시체로 변해버린 한 남자. 기회가 있을 때마다 윗물에 몰래 낚싯대를 드리우던 남자는 무엇을 꿈꾸었을까? 세상이라는 곳이 저마다의 꿈이 모두 이루어지는 찬란한 곳이었다면, 그랬다면 지금쯤 태평양 한복판에서 참다랑어를 낚아 올리고 있었을까? 별 없는 밤처럼 우울한 이야기였다.

그사이 석구는 부들부들 온몸을 떨며 다시 옷을 껴입었다. 유림은 미간을 찌푸린 채 석구의 등을 찍은 휴대폰 속 사진을 뚫어지게 들여다보았다. 태수가 유림에게 다가서며 물었다.

무슨 문제가 있습니꺼?

너무 짧아요. 서른두 개뿐이에요. 암호키는 예순네 자리라야 해요. 지금은 딱 절반뿐이에요.

유림의 말을 들은 석구가 뒷머리를 긁적였다.

그래예? 그라믄 행님이 외우고 있던 숫자가 나머지 절반인가?

뭐라고요?

행님도 저랑 비슷한 걸 하나 외우고 있었거든예.

밤바람에 석구의 바지 자락이 펄럭였다. 유림이 자신의 이마에 손을 짚었다.

태수가 석구에게 물었다.

그 숫자를 지금 알 수 있는 방법이 없을까요?

돌아가셨으니까 알 수가 없지예.

유림이 고개를 가로저었다.

애당초 다 부질없는 짓이었네요.

형체 없는 차가운 바람이 세 사람의 목덜미를 스쳤다. 유림은 힘없이 고개를 떨궜고, 태수는 고개를 들어 사라진 달의 반쪽을 쳐다보았다. 유림의 입에서 새어 나온 뿌연 입김이 순식간에 어둠 속으로 흩어져 흔적 없이 사라졌다. 마치 기록되지 않은 역사처럼.

다음 순간, 태수가 날카롭게 눈을 빛내며 석구를 돌아보았다.

석구 씨 형은 진짜 외우고 있었어요?

예.

제 말은, 석구 씨처럼 만일을 대비해서 문신으로 새겨놓지 않았냐는 겁니더.

유림도 고개를 치켜들었다.

사실 행님도 저처럼 등에 새겨놨습니더. 저도 그거 보고 따라 한 거지예. 그런데 지금 그게 무슨 소용이 있겠습니꺼? 몸도 벌써 다 썩어 문드러졌을 건데.

형님 무덤이 집 뒤에 있죠?

네.

태수가 유림을 돌아보며 물었다.

혹시 모르니까 무덤을 한번 파보면 어떨까요?

죽은 지 몇 년이나 되었죠?

무덤을 왜 파노?

어느새 손정길 경감이 슬그머니 태수의 뒤로 다가와 이야기를 듣고 있었다. 태수가 정길에게 설명했다.

석구 씨가 외우고 있는 암호는 절반뿐입니더. 돌아가신 형님이 나머지 절반을 알고 있었다는데, 등짝에 암호를 문신으로 새겨놨답니더.

등짝?

네.

그라믄 경찰서 문서고에 가서 장기 미제 사건 기록 뒤져보면 된다. 진구 부검했을 때 찍어놓은 사진이 있을 거라. 총을 정면에서 맞았거든. 산탄이라 몸 앞쪽은 너덜너덜해도 관통상은 별로 없었지. 등 쪽은 손상이 없었을 거다.

그때 집 현관에서 흰 천을 덮은 강모의 시신이 들것에 실려 나왔다. 구급 요원들이 길을 따라 내려가 들것을 앰뷸런스에 실었다. 사람들은 몸을 떨며 그 장면을 조용히 지켜보았다. 밤하늘의 별이 가만히 땅으로 내려앉듯 아무도 말이 없었다. 앰뷸런스는 사이렌 없이 붉은 경광등만 반짝이며 길을 따라 산 아래로 멀어져 갔다. 태수는 처음 강모의 파드너로 배정된 날을 떠올렸다. 그날 강모는 낚시로 잡았다면서 파란 플라스틱 들통에 붕어 두 마리를 담아 태수에게 선물로 주었는데, 태수는 퇴근길에 그 붕어를 논도랑에 버렸다. 입을 빼끔거리며 죽어가던 붕어가 떠올랐다. 문득 태수는 궁금해졌다. 사람이 죽으면 어떻게 되는 걸까?

서장과 정보과장이 반질반질 닦인 검은 지프에 올랐다. 신 경감이 운전대를 잡았고, 서장은 지친 표정으로 조수석에 앉아 눈을 감았다. 두 사람이 먼저 떠난 후 손정길 소장은 여자 경관에게 순찰차를 몰고 먼저 파출소로 돌아가라고 지시했다.

김한수 경감이 주위를 둘러보며 외쳤다.

현장은 감식반에서 정리하도록 하고 나머지는 일단 경찰서로 복귀하자.

김한수 경감과 박남호 경사가 타고 온 회색 싼타페가 태수의 차 뒤에 서 있었다. 감식반의 유창수 경장이 강모의 갤로퍼 운전석에 조심스럽게 올라탄 다음 차를 운전해 마당 앞 빈터 구석으로 옮겼다. 남호는 싼타페의 운전대를 잡고 조수석 헤드레스트에 오른팔을 걸친 채 뒤를 돌아보며 능숙하게 후진해 포장로까지 내려갔다. 태수는 자신의 모하비에 시동을 걸어 마당 앞까지 올라와서 전진과 후진을 반복해 방향을 돌렸다.

태수가 조수석 창문을 내리며 유림에게 물었다.

검사님 차는 어디 있습니까?

양수발전소 주차장에 있어요.

경찰서로 같이 가실 거지요?

네. 주차장까지만 태워줘요.

석구 씨도 경찰서로 일단 같이 가셔야 합니더. 석구 씨 차는 어디 있습니꺼?

저기 있습니더.

석구가 손가락을 뻗어 담장이 꺾어지는 모서리 너머를 가리켰다. 늘어진 잡목 가지 때문에 숲인 줄 알았는데 자세히 보니 나무 그늘 깊숙한 곳에 검은 차가 주차되어 있었다. 이십 년 전에 출시된 사륜구동 코란도였다.

손정길 경감이 운진식 옆으로 다가왔나.

나도 서로 따라가야 되겠나? 작전 회의를 좀 해야 될 것 같으면 나도 같이 가고.

그렇게 하시죠.

태수가 유림을 쳐다보자 유림도 고개를 끄덕였다.

유림이 먼저 모하비의 조수석에 올라탔다. 정길은 운전석 옆에 그대로 서 있었다.

소장님, 안 타십니꺼?

나는 석구 차 타고 갈란다. 석구하고 둘이 할 이야기도 좀 있고.

정길이 발끝으로 흙바닥에 초승달을 새기며 석구를 향해 눈짓했다.

태수는 차를 몰고 길을 내려가기 시작했다. 울퉁불퉁한 노면을 타고 차가 위아래로 흔들렸다. 시멘트로 포장된 길까지 내려오자 남호의 싼타페가 멈춰 서서 기다리고 있었다. 잠시 후 석구가 운전하는 검은 코란도도 산길을 내려와 태수의 차 뒤로 붙었고, 곧이어 세 대의 자동차가 좁은 포장길을 줄지어 내려가기 시작했다. 도로 오른쪽에는 검은 숲이, 왼쪽 아래로는 중경천의 먹빛 수면이 펼쳐졌다.

조수석에 앉은 유림은 명상에 잠긴 사람처럼 눈을 내리깐 채 말이 없었다. 유림의 파카 왼쪽 주머니에는 검은 모자챙이 비죽 튀어나와 있었다. 태수가 조용히 말을 붙였다.

황 검사는 어떻게 된 걸까요?

유림은 대답 없이 낮게 한숨만 내쉬었다. 태수가 다시 물었다.

검사님 생각은 어떻습니꺼? 황 검사가 용의자에 가깝습니꺼 아니면 피해자에 가깝습니꺼?

진 경장님은 어떻게 생각해요?

모르겠습니더.

저도 모르겠어요.

두 사람은 말없이 앞만 바라보았다. 아스팔트가 깨진 자리를 지나며 차가 덜컹거렸다. 문득 유림이 고개를 돌려 태수를 바라보았다.

오늘 죽은 사람이 진 경장님 파트너죠?

네.

진 경장님은 그렇게 되지 마세요.

네?

무령에 물들지 말라는 뜻이에요.

유림은 창밖으로 시선을 돌렸다.

검찰에 도는 말이 있어요. 무령군수도 경찰서장도 오래 못 버틸 거예요. 물이 고이면 썩는 법이죠. 동료들을 너무 믿지 말아요.

무슨 말씀이신지 모르겠습니더.

아니에요. 신경 쓰지 말아요. 어차피 시간 지나면 알게 되겠죠.

그렇게 말씀하시면 신경 쓰고 싶지 않아도 신경이 쓰입니더.

미안해요. 쓸데없는 말을 지껄였네요.

쓸데없는 말은 아닌 것 같은데요.

유림은 계속 창밖만 바라보았다. 조수석 유리창에 유림의 그늘진 얼굴이 희미하게 비쳤다.

제가 보기에 진 경장님은 본인 나름의 정의감을 가진 사람 같아요. 그냥 아무 말이라도 해주고 싶었어요.

태수는 입을 다물고 뭔가를 생각했다. 차창으로 거대한 금속 송전탑이 스쳐 지나갔다.

그 비트코인이 범죄수익이라고 하셨잖아요. 혹시 그게 저희랑 무슨 관계가 있습니꺼?

나도 확실한 건 몰라요. 다만……. 아니에요.

말씀해 보이소.

석구 씨 형이랑 고창혁이라는 남자, 그리고 총에 맞은 현직 형사. 세상에 이미 끝난 이야기라는 건 없어요. 모든 역사는 현재 진행 중이죠.

너무 어렵게 말씀하시면 저는 못 알아듣습니더.

진 경장님.

네.

세상이 바뀔 것 같아요?

좋은 쪽으로요? 아니면 나쁜 쪽으로요?

어느 쪽이든.

글쎄요. 누군가는 바꾸겠죠.

누군가는?

네. 누군가는.

길이 넓어지자 곧 양수발전소 주차장이 나타났다. 태수는 차머리를 주차장 쪽으로 돌렸다. 주차장 안쪽 그늘진 자리에 하얀 포르쉐가 빛바랜 흑백사진처럼 서 있었다. 태수가 주차장 입구에 차를 세우자 유림이 문을 열고 내렸다. 유림은 문을 닫으려다 말고 허리를 숙여 태수를 바라보았다.

진 경장님은 옳은 일을 했어요.

네?

그저 세상을 바꿀 힘이 없었던 것뿐이죠.

태수는 말없이 쓴웃음만 지었다. 유림이 주머니에서 모자를 꺼내 구겨진 부분을 손으로 폈다.

진 경장님.

네.

혹시 세상을 바꿀 힘을 달라고 기도해본 적 있어요?

저는 종교가 없어서요.

유림이 모자를 눌러쓰고 문을 닫았다. 그러고는 자신의 차를 향해 걸어갔다. 스포츠카 조수석 문이 열리더니 양복을 입은 남자가 내렸다. 경찰서에서 한 번 본 남자였다. 남자는 유림에게 가볍게 고개를 숙여 인사하고는 양팔을 뻗어 기지개를 켰다. 태수는 힘없이 걷는 유림의 뒷모습을 물끄러미 바라보았다. 조명을 받아 하얗게 빛나는 물레방아 조형물 옆으로 유림의 그림자가 스르르 지나갔다. 돌아가지 않는 물레방아와 지친 영혼.

태수는 차를 출발시켰다. 태수의 차 뒤로 유림의 차가 따라왔다. 양수발전소 초입 갈림목에서 두 차는 읍내 방향으로 꺾어 계속 달렸다. 면 소재지를 지나 들판을 가로지르는 한적한 도로로 접어들자 태수는 속력을 높였다. 저만치 앞서가는 남호의 차와 석구의 차가 보였다.

뒤따라오던 유림의 차 전조등 빛이 사라졌다. 룸미러를 보니 포르쉐가 속도를 줄이며 길가에 멈추는 듯했다. 태수도 따라서 속도를 늦췄다. 이내 휴대폰이 울렸다.

네, 검사님.

지금 급히 검찰청으로 가봐야 할 일이 생겼어요.

그래요?

내일 다시 봐요. 작전 회의도 내일 하고요. 진 경장님은 경찰서 도착하자마자 사건 기록부터 확인해주세요. 부검 사진 찾으면 휴대폰으로 찍어서 저한테 바로 보내주시고요. 그리고 일단 석구 씨는 진 경장님이 계속 보호하고 있어요. 괜찮죠?

네.

전화가 끊어짐과 동시에 유림의 차가 불법 유턴하는 모습이 후사경에 비쳤다.

태수는 컵 홀더에 휴대폰을 내려놓고 다시 가속기 페달을 밟았다. 도로 표면에 딱 달라붙은 듯한 포르쉐의 빨간 미등이 사이드미러 속에서 미끄러지듯 멀어졌다. 다음 순간 태수는 입으로 욕을 내뱉으며 브레이크 페달을 밟았다. 끼익하는 소리가 밤공기를 찢었고, 안전벨트가 태수의 가슴을 강하게 압박했다. 휴대폰은 조수석 바닥에 나동그라졌다.

태수는 빠르게 차를 돌려 유림의 포르쉐를 쫓아가기 시작했다.

36

포르쉐는 빨랐다. 태수는 멀어져 가는 빨간 점 두 개를 노려보며 가속기 페달을 깊이 밟았다. 노란 불을 켠 비닐하우스들이 순식간에 차창을 스쳐 지나갔다. 포르쉐가 속도를 줄였다가 중앙선을 넘어 낡은 트럭을 앞질렀다. 태수는 속도를 줄이지 않고 트럭을 추월했다. 유림의 차를 향해 상향등 불빛을 깜빡거리며 쏘아댔지만, 포르쉐는 속도를 줄일 기미가 없었다.

흰색 차는 길이 갈라지는 지점에서 북쪽으로 빠졌다. 태수는 유림의 차를 쫓아 산으로 난 좁은 도로로 들어섰다. 구불구불한 오르막을 타고 두 대의 차가 곡예를 하듯 휘청거리며 커브를 돌았고, 그러자 노면에 타이어가 밀리면서 몸이 왼쪽으로 쏠렸다가 다시 오른쪽으로 쏠렸다. 낭떠러지가 내려다보이는 위태로운 이차선 도로에는 가드레일조차 드문드문했다.

성능 면에서는 유림의 차가 월등히 빨랐지만 길에 익숙한 쪽은 태수였다. 두 차의 간격은 점점 좁혀졌다. 유림의 차가 빨간 경차를 순식간에 추월했고, 태수도 브레이크와 액셀러레이터를 번갈아 밟으며 중앙선을 넘었다. 잡힐 듯 잡힐 듯 잡히지 않는 흰 토끼의 환영처럼 유림의 차는 멀어졌다가 가까워지기를 반복했다. 길이 조금이라도 곧게 뻗으면 유림의 차는 멀찍이 달아났지만, 고팽이를 돌 때면 다시 꼬리를 덥석 물 수 있을 만큼 가까워졌다. 태수는 이를 악물고 운전대를 두 손으로 움켜쥐었다. 포르쉐 꽁무니에 가로걸린 한일자 모양의 붉은 정지등이 태수를 비웃듯이 선명해졌다가 다시 희미해졌다.

산을 끼고 오른쪽으로 휘어지는 등굽잇길에서 오 톤 트럭 한 대가 진로를 방해했다. 적재함 철판이 새카맣게 녹슨 고물차는 폐병쟁이처럼 검은 매연을 쿨럭거리며 힘겹게 달리고 있었다. 트럭을 추월하기 위해 유림의 차가 속도를 줄이지 않고 크게 원을 그리며 중앙선을 넘었다. 그 순간 맞은편에서 오던 차의 전조등 불빛이 번쩍였고, 두 대의 차가 맞부딪히며 마른천둥처럼 굉음이 울렸다.

태수는 브레이크를 밟는 동시에 핸들을 꺾었다. 타이어와 지면이 마찰하며 비명 같은 소리가 났다. 유림의 차와 충돌한 승합차는 한쪽 바퀴가 들린 채 산비탈에 차머리를 처박았고, 동시에 흰색 포르쉐가 연약한 알루미늄 가드레일을 뚫고 낭떠러지 아래로 사라졌다. 태수의 차는 빙판 위로 미끄러지듯 수평으로 한 바퀴 돌아 멈추었다. 정신을 차려보니 태수의 눈앞에 승합차의 찌그러진 보닛이 입을 벌리고 있었다. 승합차 엔진에서 흰 연기가 모락모락 피어올랐다.

태수는 안전띠를 풀고 차에서 내렸다. 승합차의 깨진 앞유리 너머로 에어백에 머리를 파묻고 있는 운전자가 보였다. 앞서가던 고물 트럭이 저 멀리서 멈추어 섰다. 태수가 승합차 문을 열자 운전석에 앉은 남자가 천천히 고개를 들었다. 남자는 코피를 흘리며 멍한 눈으로 태수를 쳐다보았다.

괜찮습니꺼?

태수의 물음에 남자는 얼이 빠진 듯 아무 말도 하지 않았지만, 크게 다친 것 같지는 않았다. 남자는 직접 안전띠를 풀고 휘청거리며 밖으로 나왔다. 다행히 동승자는 없었다.

멀리서 국방색 작업복을 입은 트럭 운전수가 이쪽으로 달려왔다. 태수는 승합차 운전자에게 심호흡을 시킨 다음 자신의 차 조수석에 앉혔다. 그러고는 낭떠러지 쪽으로 가서 아래를 내려다보았다. 흙과 바위가 드러난 절벽이 십 미터 정도 수직으로 내리뻗어 있었고, 그 아래로는 가파른 경사를 따라 잡목림이 펼쳐져 있었다. 검은 나무 그림자 틈에 거꾸로 뒤집힌 포르쉐가 구겨진 하부 프레임을 드러낸 채 처박혀 있었다.

태수는 자신의 차로 돌아왔다. 승합차 운전자는 태수의 차 조수석에 앉아 온몸을 바들바들 떨고 있었다. 태수는 트렁크를 열어 포승줄을 꺼냈다.

멀리서 뛰어온 트럭 운전수가 숨을 몰아쉬며 외쳤다.

와, 저거 완전 미친놈이리. 중앙선 침범한 거 아저씨도 봤지요? 저거 분명히 술 묵었다.

빨리 경찰에 신고 좀 해주이소.

태수는 트럭 운전수에게 그렇게 부탁하고는 포승줄을 들고 종이처럼 찢어진 가드레일로 갔다. 그런 다음 가드레일 기둥에 줄을 단단히 옭매고는 조심스레 줄을 타고 절벽을 내려가기 시작했다. 포승줄의 길이가 모자라는 지점에서 태수는 땅으로 뛰어내렸다. 켜켜이 쌓인 낙엽 더미 사이로 발이 쑥 빠졌지만, 다행히 넘어지지는 않았다. 태수는 주머니에서 손전등을 꺼내 부러진 나무줄기 사이를 비추었다. 아코디언처럼 찌그러진 포르쉐에서 모락모락 흰 연기가 피어올랐다.

태수는 조심스럽게 운전석 쪽으로 다가가 허리를 숙이고 내부를 비추었다. 에어백 틈으로 거꾸로 매달린 얼굴이 보였다. 피에 젖어 붉게 물든 남자의 얼굴. 부릅뜬 두 눈만이 흰빛으로 번들거렸다. 태수는 자신을 정면으로 바라보는 죽은 눈동자를 응시했다. 가만히 에어백을 옆으로 젖혀보았다. 부러진 나무줄기가 앞유리를 뚫고 들어와 남자의 목 아래쪽에 박혀 있었다. 태수는 손을 뻗어 남자의 경동맥을 짚어 보았다. 이미 숨은 끊어져 있었다.

태수는 조수석 쪽으로 돌아갔다. 조수석은 운전석보다 훨씬 심하게 짜부라져서, 우그러진 합금 프레임이 파카를 입은 유림의 상체를 압착기처럼 짓누르고 있었다. 그때 유림이 쿨럭 소리를 내며 피거품을 토했다. 태수는 서둘러 조수석 문손잡이를 당겼지만 꿈쩍도 하지 않았다. 플래시를 입에 문 채 양손으로 문틀을 잡고 체중을 실어 당기자 문이 통째로 떨어져 나왔다.

유림의 고개가 천천히 움직이더니 흐릿한 눈동자가 태수를 향했다. 한줄기 붉은 피가 유림의 목 아래에서부터 흘러내려 턱과 뺨을 거쳐 눈가를 타고 이마로 흘렀다. 유림의 입에서 숨이 가늘게 새어 나왔다. 태수는 안전벨트를 풀기 위해 조수석 안으로 상체를 집어 넣다가 유림의 파카 아랫부분이 붉은 피로 흠뻑 젖어 있음을 알아챘다. 안전벨트 버클의 단추를 누르자 유림의 상체가 거꾸로 흘러내렸다.

태수는 바닥에 누운 채 팔로 유림의 목과 어깨를 받치고는 두 다리로 차체를 밀며 유림의 몸을 차 밖으로 끌어냈다. 연료 탱크에서 새어 나온 휘발유 냄새가 숲에 자욱했다. 태수는 고깃덩어리나 다름없는 유림의 몸을 질질 끌어 차에서 최대한 빨리 멀어졌다.

가까이 있는 큰 나무까지 유림을 끌고 가서 둥치에 등을 기대어 세웠다. 유림이 또다시 쿨럭거리며 피를 토했다. 팔과 다리를 제각각 다른 방향으로 늘어뜨린 유림은 초점이 어긋난 두 눈으로 힘겹게 태수를 쳐다보았다. 유림의 입술이 살짝 움직였다. 숨소리에 묻혀 들리지 않았지만, 분명 뭔가를 말하고 있었다. 태수는 무릎을 꿇고 가만히 유림의 입으로 자신의 귀를 가져갔다.

모르겠어…….

입술 사이로 겨우 새어 나온 말이었다. 태수는 눈가를 찌푸렸다.

뭘 모른다는 거예요?

유림의 오른쪽 어깨가 약간 움찔거렸다. 팔을 들려고 시도한 모양이었다. 팔이 움직이지 않자 유림이 다시 입을 움직였다. 태수는 다시 한번 귀를 기울여 유림이 가까스로 짜내는 작은 음성에 신경을 집중했다.

모르겠어…….

그 말을 끝으로 유림의 호흡이 점점 가늘어졌다.

태수는 피 묻은 자신의 손바닥을 코트 자락에 문지른 다음 유림의 얼굴에 묻은 피와 흙을 손으로 닦아 냈다. 뺨은 차가웠다. 너무 차가웠다. 하얀 얼굴과 졸린 듯 반쯤 뜬 눈.

조금만 버텨봐요. 구급차가 올 거예요.

하지만 피를 너무 많이 흘렸다는 걸 태수는 직감적으로 알았다.

유림의 반쯤 감긴 눈꺼풀 아래에서 눈동자가 좌우로 움직였다. 그리고 입꼬리가 살짝 올라갔다. 마지막 꿈을 꾸는 듯한 옅은 미소. 이윽고 살갗의 미세한 떨림까지 모두 멎었다. 태수는 유림의 손목에 손가락을 짚어보았다. 맥박은 없었다. 태수는 가만히 유림의 눈을 감겨준 후 다리에 힘을 주고 일어섰다. 멀리서 사이렌 소리가 들려왔다.

태수는 뒤집힌 차 쪽으로 걸어가 전면부 트렁크에 손전등을 비추었다. 제멋대로 구겨진 후드와 마치 짐승 내장처럼 흘러내린 라디에이터 배관 사이로 산탄총의 검은 총신이 보였다. 바람이 불어와 겨울 숲의 마른 나뭇가지를 뒤흔들었다.

태수는 절벽으로 되돌아갔다. 가풀막을 몇 미터쯤 기어오르자 늘어뜨린 밧줄이 눈앞에 달랑거렸다. 태수는 줄을 잡고 빠르게 위로 올라간 다음 가드레일을 넘어 도로로 나왔다. 구급차의 붉은 불빛과 견인차의 노란 불빛이 길 아래에서 올라오고 있었다. 그 뒤로 순찰차의 불빛도 나타났다. 트럭 운전수가 백 미터쯤 떨어진 지점에 세워놓은 비상용 안전표지에서 붉은 삼각형 반사광이 흘렀다. 그사이 정신을 차린 승합차 운전자는 휴대폰으로 부지런히 사고 현장 사진을 찍어 댔다. 카메라 플래시의 섬광이 총구에서 튀는 불꽃처럼 번쩍였다.

트럭 운전수가 태수에게 걸어왔다. 운전수는 피로 흠뻑 젖은 태수의 셔츠와 코트를 보며 눈을 둥그렇게 떴다.

이거 전화가 계속 오던데.

운전수가 태수의 휴대폰을 불쑥 내밀었다. 태수는 휴대폰을 건네받아 부재중 전화를 확인했다. 손정길 소장에게서 전화가 네 통이나 와 있었다. 때마침 다시 휴대폰이 울렸다.

네, 소장님.

태수야, 니 지금 어디고? 고 검사랑 둘이 어디 갔나? 나는 지금 퍼뜩 파출소로 들어가야 된다. 교통사고가 크게 났단다.

고 검사 짓입니더.

응?

강모 선배 죽인 게 고 검사 짓입니더.

뭐라 카노?

소장님, 아까 순찰차 타고 석구 씨 집으로 올라오실 때 혹시 양수발전소 주차장 보셨습니꺼?

주차장?

네. 그때 고 검사 차가 있었습니까?

어? 가만있자……. 차가 한 대도 없었지?

제가 갈 때도 없었습니더.

그래. 내가 갈 때도 없었다.

고 검사 말로는 양수발전소에서 회의가 있었다고 했는데, 아마 아닐 겁니더. 고 검사는 누구를 데리러 온 겁니더. 소장님도 보셨죠? 전에 경찰서에 고 검사랑 같이 온 남자.

그래. 기억난다.

그 남자가 강모 선배를 쐈을 겁니더.

무슨 말이고? 글마가 왜 강모를 쏘노?

저도 모릅니더.

지금 일이 우째 돌아가는 거고? 내 머리로는 도저히 정리가 안 된다.

저도 확실한 건 모릅니더. 아무튼 범인이 도망치면서 고 검사한테 연락했을 겁니더. 포위망을 뚫고 탈출하려면 고 검사랑 동행하는 것보다 쉬운 방법이 없으니까요.

아무튼 그래서? 니는 지금 어디 있는데?

지금 교통사고 현장에 있습니더.

교통사고?

네. 고 검사가 죽었습니더.

뭐?

저한테서 도망치다가 사고가 나는 바람에 차가 절벽 아래로 떨어졌습니더. 같이 있던 남자도 죽었고요.

이거 돌아뿌겠네. 니가 고 검사를 쫓아갔다고?

네. 고 검사가 급한 일이 생겼다고 중간에 차를 돌리더라고요. 엄청난 돈이 걸린 판인데, 아무리 급한 일이 있어도 차를 돌릴 리가 없지 않습니꺼. 순간적으로 속았다는 느낌이 확 들면서 양수발전소 주차장에 차가 한 대도 없었던 게 퍼뜩 떠오르더라고요. 그래서 고 검사 뒤를 쫓아갔습니더. 그런데 안 멈추더라고요.

허허.

순찰차가 태수의 차 옆으로 와서 섰다. 석구의 집에서 봤던 여자 경관이 순찰차에서 내리다가 태수를 발견하고는 깜짝 놀라 눈을 둥그렇게 떴다. 태수는 고개만 살짝 끄덕여 보였다.

전화기 너머에서 손 경감의 굳은 음성이 들렸다.

태수야, 증거가 있나? 형사는 모름지기 증거가 있어야 된다.

차 트렁크에 산탄총이 들어 있는 걸 직접 확인했습니더.

그래?

네.

그라믄 고마 됐다. 오늘 참 많이들 죽네.

태수는 통화를 마치고 전화를 끊었다.

순찰차와 앰뷸런스와 레커차가 서로 다른 색깔의 경광등으로 검은 숲을 물들였다. 태수는 길가 벼랑 끝으로 나가 산 아래 골짜기를 내려다보며 숨을 깊이 들이마셨다. 산비탈을 타고 내려온 차가운 바람이 발아래에서 휘몰아쳤다.

가죽 잠바를 입은 레커차 기사가 담배를 입에 문 채 태수 곁으로 다가왔다. 남자가 담배 연기를 길게 내뿜으며 혼잣말처럼 중얼거렸다.

한동안 음주 단속 또 빡세게 하게 생겼네예. 올 연말에는 일도 없겠다.

남자가 입술에 물고 있던 담배꽁초를 빼서 손가락으로 불씨를 탁 튕겼다. 빨간 불똥이 잠시 어둠 속에 날리다가 곧 사라졌다. 마치 세상의 마지막 입자가 사라지듯 혹은 믿음 없는 자의 죽음처럼, 흔적도 없이 사라져 깊은 어둠만이 남았다.

태수는 코트 주머니에 손을 넣어 묵직한 리볼버의 손잡이를 쥐었다. 차갑고 단단한 죽음의 감촉이 느껴졌다. 태수는 눈을 들어 사방을 둘러보았다. 끝없이 둘러친 검은 산과 소금기처럼 묻은 잔별. 맞은편 산어귀에서 인가 불빛 하나가 작고 노란 점으로 반짝였고, 나무 때는 흰 연기가 가느다란 물음표를 그리며 굴뚝 위 공중에 걸려 있었다. 해결되지 않은 수많은 질문과 죽은 자가 입에 물고 떠난 영원한 비밀들.

북쪽에서 다시 바람이 불어왔다. 바람은 차가웠다. 삼라만상에 처음 온기를 불어넣었던 누군가가 그 태초의 숨결을 도로 거두어들이기라도 하듯……. 그리고 그 숨결이 사라진 낯선 공백 안으로 새로운 어둠이 밀려들었다. 단 한 번도 약속되거나 기록되지 않은 어둠이.

죽은 새는

울지 않는다

37

검은 양복과 검찰공무원 신분증으로 무장한 한 무리의 점령군이 경찰서를 덮쳤다. 모든 서류와 증거물은 검찰 손으로 넘어갔다. 심지어 시체까지. 샛별이 뜨기도 전에 모든 작업이 끝났다. 부검을 마친 강모의 시신은 다음날 오후 늦게야 무령으로 돌아왔다.

강모의 빈소는 무령 병원 장례식장에 마련되었다. 태수는 근무가 끝나자마자 빈소를 찾아 내내 자리를 지켰다. 검은 옷을 입은 강모의 아들과 딸은 분향소 옆 바닥에 앉아 강모의 영정 사진을 멍하게 올려다보았다. 그러다가 문상객이 오면 자리에서 일어나 기계적으로 맞절을 했다.

자정 무렵 태수는 테이블이 줄줄이 놓인 접객실 맨 안쪽 구석에서 웅크린 채 잠이 들었다. 새벽에 깨어보니 사람이 아무도 없었다. 분향소로 가보니 거기에도 사람이 없었고, 향불도 꺼져 있었다. 제단 양쪽의 촛불 두 개만이 조용히 타오르고 있었다. 태수는 새 향에 불을 붙여 향로에 꽂았다. 그때 분향소 옆에 있는 상주 휴게실 문이 열리더니 상복을 입은 중년 여자가 걸어 나왔다. 강모의 전처였다. 여자가 태수에게 이른 아침 식사를 차려주었다. 기름방울이 둥둥 뜬 국과 쌀밥, 수육, 떡, 이쑤시개를 꽂아 만든 산적, 방울토마토와 밀감을 스티로폼 접시에 담아 내왔다. 강모의 전처는 사람들이 뒤에서 수군거리던 말과는 달랐다. 새벽 세 시처럼 조용한 여자였다.

태수가 국에 밥을 말아 먹는 동안 여자는 테이블 맞은편에 한쪽 무릎을 세우고 앉아 물끄러미 태수를 바라보았다. 문득 여자가 말했다. 자신이 전남편의 빈소를 지키는 이유는 오직 연금 때문이라고. 빈소를 지키면 연금을 받을 수 있다고. 여자는 그렇게 믿는 것 같았다. 관 뚜껑을 열고 시체에 침을 뱉어도 달라지는 건 없다고 말해줄 수도 있었지만, 태수는 그러지 않았다.

빈소 출입구 쪽에서 인기척이 났다. 목이 늘어난 회색 스웨터와 낡은 코르덴 바지 차림의 공복남이 딸꾹질을 하며 들어와 현관에서 슬리퍼를 벗었다. 그러더니 분향소 쪽은 쳐다보지도 않고 접객실 안까지 비틀비틀 걸어왔다. 양말조차 신지 않은 맨발이었다. 복남은 멍한 눈으로 내부를 빙 둘러보았다. 텅 빈 접객실에는 태수와 강모의 전처 두 사람뿐이었다.

태수를 발견한 복남은 비틀거리며 걸어와 태수 옆에 털썩 주저앉았다. 그러고는 테이블에 놓인 소주병을 들어 뚜껑을 딴 다음 작은 종이컵에 소주를 부었다. 복남이 술을 입에 탁 털어 넣고는 짧은 탄식과 함께 가는귀먹은 사람 특유의 커다란 음성으로 말했다.

양산댁이 고생만 하다가 이리 가는구나. 참 애통하다.

강모의 전처가 복남을 빤히 쳐다보았다. 태수가 복남의 귀에 대고 말했다.

어르신, 옆방입니다.

응?

양산댁 할머니 빈소는 옆 호실이라고요.

복남이 멍한 얼굴로 주위를 둘러보았다. 그러고는 태수를 바라보며 눈을 끔벅였다.

여기는 어딘데?

다른 데요.

우짠지, 내 잠바가 없더라.

복남은 소주를 한 잔 더 따라 마시고는 비틀거리며 일어서서 밖으로 나갔다.

발인 전 마지막 밤, 태수는 텅 빈 접객실 맨 안쪽 테이블 뒤에서 방석을 말아 머리에 베고 누워 있었다. 잠은 오지 않았다. 그러다가 문득 여자가 흐느끼는 소리를 들었다. 가만히 상체를 일으켜 분향소 쪽을 바라보니 제단 앞에 강모의 전처가 혼자 앉아 두 팔로 무릎을 감싼 채 조용히 울고 있었다. 태수는 다시 누워 웅크린 채 잠이 들었다. 강모의 시신은 유족의 요청에 따라 화장했다.

강모의 상을 다 치를 때까지 태수는 아무 이야기도 듣지 못했다. 이후에도 마찬가지였다. 한수와 남호에게 물어봐도 검찰에서 조사 중일 거라는 말뿐이었다. 두 사람 모두 태수에게 말을 아꼈다.

두 사람뿐만 아니라 경찰서 직원들 모두가 태수에게 말을 아꼈다. 구내식당에 태수가 들어서면 날벌레가 흩어지듯 말소리가 사라졌다. 태수는 검찰에서 자신을 부를 거라고 생각했지만, 그렇지 않았다. 청문감사실에서도 연락이 없었다. 어느새 강모의 책상은 깨끗하게 치워졌다. 애시당초 그곳에 아무도 없었다는 듯이.

사흘 후 유지나 경장이 골판지 상자를 들고 와 강모의 자리였던 빈 책상에 얹었다. 아무도 인사하지 않았다. 환영식도 없었다.

다음날 오전, 사무실에 단둘이 남았을 때 유지나 경장이 조심스레 태수의 책상 옆으로 다가왔다. 그러고는 자신의 휴대폰을 꺼내 화면을 보여주었다.

어제서야 알았어요.

태수는 휴대폰 화면을 꼼꼼히 살펴보았다. 그러고는 화면에서 눈을 떼고 의자 등받이를 뒤로 젖힌 채 창밖을 내다보며 한참 무언가를 생각했다. 지나는 휴대폰을 다시 자신의 호주머니에 집어넣었다.

데이트 신청이든 감사의 인사든, 아무튼 어마어마하네요.

이천 비트코인이면 얼마죠?

현시세로 백억 원 정도 되던데요.

말씀대로 어마어마하네요.

고맙게 받을게요.

유 경장님 외에 또 아는 사람이 있습니까?

아뇨.

지나가 팔짱을 낀 채 책상에 기대서서 태수와 나란히 창밖을 내다보았다. 두 사람은 한동안 말없이 그대로 있었다. 그러다가 지나가 먼저 입을 열었다.

어렸을 때 동네에 좀 웃긴 오빠가 있었어요. 아홉 살 때였는데, 그 오빠가 저보다 두 살 많았으니까 아마 열한 살이었을 거예요. 어느 날 그 오빠가 골목길에서 자동차 키를 하나 주웠어요. 엄청나게 낡은 열쇠였어요. 버튼 같은 것도 없었던 걸 보면 구형 트럭 열쇠였던 것 같기도 하고요. 아무튼 그 오빠가 저한테 몰래 그길 보여주더라고요. 무슨 대단한 거라도 보여주는 듯이. 그러면서 그러더라고요. 이제 이 열쇠에 맞는 자동차만 한 대 주우면 된다고.

유 경장님.

네.

그날 새벽에 검찰에서 나온 사람들이 문서고에 들어가서 김진구 사건 기록을 열람했다고 했죠?

네. 사진만 찍어갔어요.

그리고 그 사람들이 김석구도 데려갔고요?

네.

혹시 그 이후로 김석구 본 적 있어요?

아뇨.

어디 있을까요?

저도 모르죠.

태수는 사흘 연속으로 석구의 집을 찾아갔지만 아무도 없었다.

혹시나 해서 무지개 아파트 육백사 호도 찾아가보았지만, 거기에도 사람이 없었다. 옆집에 물어보니 여자는 이미 일주일 전에 이사를 갔다고 했다.

크리스마스 전날 오후에 태수는 읍내의 유일한 서점에 들렀다. 손님은 아무도 없었다. 들뜬 화장으로 잔주름을 가린 중년 여인 혼자 계산대를 지키고 있었다. 여자는 그다지 어울리지 않는 헵번스타일 머리를 하고 있었다.

태수는 문학 코너로 가서 서가를 훑어보며 시집들의 제목을 읽었다. 그러다가 시집을 한 권 꺼내 중간쯤 아무 곳이나 펼쳤다. 가장자리가 살짝 변색된 종이에 짧은 시가 인쇄되어 있었다. 태수는 소리 없이 눈으로 시를 읽었다. 그런 다음 시집을 덮고 마지막 구절을 입안에서 조용히 굴려보았다.

전쟁이 나고 사람들은 제 목을 자르며 차가운 땅속으로 들어가고
늙은 새는 날아간다

그때 뒤에서 여자의 음성이 들렸다.

시 좋아하세요?

돌아보니 계산대 너머의 여자가 태수에게 눈웃음을 흘리고 있었다. 여자가 태수에게 윙크했다. 태수는 시집을 다시 제자리에 꽂은 다음 빈손으로 서점을 나왔다.

태수는 차를 세워 둔 고수부지 공영 주차장을 향해 걸었다. 먼지

뭉텅이 같은 회색 구름이 해를 가렸다. 길을 건던 태수는 문득 길가에 서 있는 검은색 구형 코란도를 발견했다. 유심히 주위를 둘러보았다. 차에서 이십 미터쯤 떨어진 지점에 천막 노점이 있었고, 얼룩덜룩한 점퍼를 입은 석구가 그 앞에 서서 어묵을 먹고 있었다.

태수는 석구가 눈치채지 못하게 노점 뒤로 조용히 걸어갔다. 천막의 벌어진 틈으로 노점 주인의 뒷모습이 보였고, 어묵 국물에서 피어오르는 수증기 너머로 석구의 얼굴이 얼핏 드러났다.

노점 주인의 목소리가 들렸다.

석구 니 자꾸 거짓말할래?

진짭니더.

감옥에 갔다가 열흘 만에 나오는 법이 어디 있노?

와, 진짜라니까.

지랄한다.

아저씨는 감옥에 한 번도 안 갔다 와서 모릅니더.

자랑이다. 감옥 갔다 온 게.

태수가 노점 앞으로 돌아가서 석구의 어깨에 손을 얹었다.

석구 씨, 나랑 이야기 좀 합시다.

석구가 고개를 돌려 태수를 보더니 먹고 있던 어묵을 꼬챙이째 내던지고 자신의 차를 향해 달리기 시작했다. 태수는 곧바로 쫓아갔다. 운전석에 반쯤 올라탄 석구의 뒷덜미를 잡아 끌어내린 다음 보닛 위로 상체를 밀어붙이면서 오른팔을 뒤로 꺾어 제압했다. 뒤에서 앞치마를 입은 노점 주인이 달려왔다.

석구가 몸부림을 그치자 태수는 가만히 있겠다는 약속을 받고 석구의 팔을 풀어주었다. 석구의 뺨이 닿았던 차 표면에 개기름 자국이 선명히 남았다. 태수는 노점 주인에게 석구 대신 어묵값을 치러 돌려보냈다.

태수가 손짓하자 석구는 순순히 조수석에 올라탔다. 태수는 운전석에 앉아 문을 닫았다.

석구 씨, 진짜 감옥에 갔다 왔습니까?

네.

가서 누구랑 무슨 이야기를 했어요?

석구는 대답 없이 자신의 팔과 어깨만 주물럭거렸다.

대답 안 할 겁니까?

저는 진 경장님이랑 할 말 없습니더.

강모 선배 죽인 범인을 잡아야죠.

더 할 게 뭐 있습니꺼? 다 죽었는데.

석구 씨.

네.

감옥에 다시 갈 수도 있습니다.

석구는 태수를 흘겨보며 싱긋거렸다. 마치 비웃듯이.

나는 감옥 안 갑니더.

왜요?

아무튼 안 갑니더. 진 경장님보다 훨씬 높은 사람이 내 편이니까.

그게 누군데요?

검사.

검사 이름이 뭡니까?

석구가 두 눈을 끔뻑거리며 뭔가를 고민하더니 입을 삐죽 내밀었다.

이름은 모릅니더.

몇 호 검사실인데요?

이백삼 호.

거기서 검사랑 무슨 말을 했어요?

비밀입니더.

이럴 거예요?

석구가 이를 드러내며 이죽거렸다.

진 경장님은 내한테 안 됩니더.

태수가 인상을 쓰며 주먹을 들어 올리자 석구는 재빨리 두 팔을 들어 자신의 얼굴을 가렸다. 태수는 주먹을 내리고 주머니에서 휴대폰을 꺼냈다.

옷 벗어.

가드를 올린 석구가 자신의 팔 사이로 태수의 표정을 살폈다.

윗도리 벗으라고, 이 새끼야. 진짜 처맞기 싫으면.

태수의 말에 석구는 파카의 지퍼를 내린 다음 꾸물거리며 외투를 벗었다. 태수가 인상을 쓰며 위협하자 석구는 서둘러 윗도리를 마저 벗었다. 태수는 석구의 등에 있는 문신을 휴대폰 카메라로 촬영했다. 그러고는 벌거벗은 석구를 내버려 둔 채 차에서 내렸다.

태수는 자신의 차로 돌아가는 대신 읍내 길거리를 잠시 혼자 걸었다. 어디서나 캐럴이 흘러나왔지만, 길에 사람이 많지는 않았다. 해를 가린 구름이 행인들의 그림자를 지웠다. 중학생쯤으로 보이는 남자아이와 여자아이가 서로 손을 잡고 나란히 보도를 걸어갔다. 태수는 발길이 닿는 대로 걷다가 서점 간판을 보고서야 자신이 원래 있던 곳으로 되돌아왔음을 깨달았다. 서점 유리문 너머의 주인 여자가 웃으며 태수에게 손을 들어 보였다.

태수는 발길을 틀어 공영 주차장을 향해 걸으면서 현주의 휴대폰으로 전화를 걸었다. 없는 번호라는 안내음이 흘러나왔다. 태수는 차로 돌아가서 시동을 건 다음 군청으로 향했다.

38

군수 집무실 앞 복도에는 커다란 액자에 든 사진이 걸려 있었다. 사진 속에서는 1976년 무렵 양수발전소 착공식 현장을 배경으로 양복 차림의 두 남자가 웃으며 악수를 나누고 있었다. 한 사람은 사십여 년 전 총에 맞아 죽은 독재자였고, 다른 한 사람은 박칠구 군수와 꼭 닮은 중년 남자였다. 태수는 대기실에 놓인 모리스식 안락의자에 앉아 기다렸다. 이윽고 비서실의 문이 열렸고, 태수는 비서의 안내를 받아 군수 집무실로 들어섰다.

박칠구 군수는 문간까지 나와 태수를 맞은 다음 소파로 이끌었다. 푹신한 양탄자가 두 사람의 발소리를 삼켰다. 테이블에는 이미 차가 준비되어 있었다. 두 사람은 소파에 앉았다.

현주 씨는 어디 있습니까?

미국에 있네.

다 알고 계시죠?

고맙게 생각하고 있네.

군수는 소파 옆 서랍장에서 하얀 봉투를 꺼내 테이블 위에 올렸다. 봉투는 꽤 두툼했다. 군수가 태수 쪽으로 봉투를 밀었다. 태수는 다시 봉투를 군수 쪽으로 밀었다.

이런 걸 바라고 온 게 아닙니다.

과분한 걸 바라지 말라는 뜻이기도 하네.

그럴 생각 없습니다.

그럼 왜 왔나?

궁금해서요.

뭐가?

검찰과 무슨 거래를 어떻게 하셨는지.

왜 그런 생각을 하나?

네 명이나 죽었는데 너무 조용해서요.

세 명이지.

네 명입니다.

세 명이네.

시체가 없을 뿐이죠.

앞으로도 없을 걸세.

장담하시는군요.

군수는 눈살을 찌푸리며 창밖을 바라보았다. 겨울바람이 갈고리발톱으로 할퀴고 간 먹구름 가장자리에서 레몬 과즙이 튀듯 시디신 빛깔의 햇살이 번져 나오고 있었다. 군청 부지에 펼쳐진 노란 잔디밭 위로는 이미 노을이 내려앉았다.

현주가 마음에 드나?

상관이 있습니까?

결혼할 자신이 있나?

태수는 대답하지 않았다.

딸을 지키려는 아비는 뭐든지 하는 법이지. 원하는 게 있으면 말을 하게.

원하는 건 없습니다.

그럼 그만 돌아가게.

진실을 알고 싶습니다.

거짓을 한 겹 더 벗겨낸다고 진실을 볼 수 있는 건 아니지. 어차피 서로 다른 거니까.

가진 게 거짓밖에 없으십니까?

돈과 권력도 있네.

그럼 진실을 알아내는 건 제 몫이겠군요.

한 번 물속에 잠기면 다시 떠오르지 않는 것들도 있는 법일세.

두고 보면 알겠죠.

태수는 자리에서 일어났다. 군수가 공중에 천천히 손을 저으며 다시 앉으라고 고갯짓했다. 태수는 다시 앉았다.

군수는 잠시 생각을 정리한 다음 입을 열었다.

자네는 내 딸을 사랑하지 않는구만.

그런 것 같습니다.

내가 딸을 잘못 키운 건 알고 있네.

확실히 그런 것 같습니다.

군수는 천천히 고개를 끄덕였다.

그래도 난 내 딸을 사랑하네. 현주가 엄마 배 속에서 나왔던 그 순간부터 사랑했지. 그 애가 내 평생 유일하게 사랑했던 한 여자를 죽인 그날부터.

군수는 오른손 엄지와 중지로 왼손 무명지에 낀 금반지를 한 바퀴 돌렸다. 군수는 태수를 보지 않았다. 그 무엇도 보지 않았다. 남자의 공허한 시선은 이미 먼 과거로 향해 있었다.

보통 애비들이 딸을 사랑하는 것보다 나는 훨씬 더 그 애를 사랑하네. 현주가 커 가는 모습을 지켜보는 건 기쁨이자 고통이었지. 정말이지 꼭 닮아가더군. 젖을 빨고 걸음마를 떼고 말을 하고 글을 깨치고 학교에 가는 모습을 봤지. 그건 뭐랄까? 내 모든 슬픔과 고통의 근원을 바라보는 일이었네. 이걸 어떻게 설명해야 할지 모르겠군. 그건 말하자면 살이 아물지 못하도록 매일 겸자로 상처를 다시 벌리는 것과 비슷하네. 그러니 그 애가 삐뚤어진 게 내 탓일 수도 있다는 생각이 들어. 내가 그 애를 보면서 뭘 느끼는지 그 애도 모르지는 않을 테니까.

군수가 눈을 들어 태수를 바라보며 물어왔다.

사람의 가슴에 사랑을 각인시키는 가장 강력한 수단이 뭐라고 생각하나?

글쎄요.

고통이지. 당연히 고통이야. 인간은 고통을 통해서만 무언가를 기억하거든.

태수는 말없이 듣고만 있었다. 군수는 다시 손에 낀 금반지를 만지작거렸다.

고통으로 새긴 사랑은 강력하다네. 돌에 새긴 글자보다 강하지.

군수실 창을 통해 들어온 길쭉한 햇살 끝자락이 테이블 귀퉁이에 걸렸다. 두 사람은 찻잔에 손도 대지 않았다. 태수는 군수의 말이 이어지기를 기다렸다. 문득 군수가 입에 가느다란 미소를 띠며 태수를 바라보았다.

그거 아나? 지금 현주 나이가 딱 제 어미랑 같아. 그게 무슨 뜻이겠나? 지금부터 나는 현주를 통해 내 잃어버린 미래를 볼 수 있다는 뜻이지. 차 좀 들게.

괜찮습니다.

두 사람은 말없이 찻잔만 바라보았다. 군수가 물어왔다.

자네는 누군가를 진심으로 사랑해본 적이 있나?

글쎄요.

없구만.

왜 그렇게 생각하십니까?

누군가를 진심으로 사랑해본 사람만 알거든. 진실 따위는 아무 의미가 없다는 걸.

태수는 대꾸하지 않았다. 군수가 다시 물었다.

자네한테는 진실이 그렇게 중요한가?

달리 뭘 어쩌겠습니까?

솔직히 말하지. 만약 자네와 현주가 결혼해서 모든 게 깨끗이 정리될 수 있다면 난 그렇게라도 했을 걸세.

그런 일은 없을 겁니다.

그럼 확실히 말해두지. 현주를 지키기 위해서라면 난 뭐든 할 걸세.

알고 있습니다.

일종의 경고라고 생각해도 좋네.

경고라고 생각하겠습니다.

나중에 원망하지는 말게.

살아오면서 누구를 원망해본 적은 없습니다.

아직 젊군. 나이가 들면 달라질 거야.

어떻게 달라집니까?

나이가 들수록 점점 힘들어지지. 희망이 사라진 자리에 새로운 희망을 채워 넣는 일이 점점 힘들어져. 절망은 달콤하지. 하지만 금방 휘발하네. 그리고 인간의 마음은 진공을 허락하지 않아. 누구나 늙고 병들게 마련일세. 희망이 사라지지. 절망에 취하는 짓거리도 언제까지나 계속할 수는 없다네. 결국 그 빈자리에 뭐라도 채워 넣어야 하지. 보통은 원망이 좋은 아말감 역할을 하더군. 원망하게 될 거야.

두고 보면 알겠죠.

그만 가보게.

크리스마스 당일에는 비가 내렸다. 태수는 지나와 단둘이 창원

시내의 레스토랑에서 점심을 먹었다. 창밖으로는 축축이 젖은 산업 도시의 풍경이 펼쳐졌다. 삼 층에서 내려다보이는 아스팔트 도로 위로는 차들이 느릿느릿 기어갔고, 젖은 신문지가 바람에 날아다녔다.

맞은편 유흥가 건물에는 불 꺼진 네온사인 간판이 줄줄이 붙어 있었다. 저마다 색색으로 발광하기 위해 어둠을 기다리는 단조로운 쾌락의 목록들. 레스토랑이 자리한 곳은 공장 지대의 외로운 남자들을 위한 거리였다. 작업복 소매에 붙은 쪼그만 나래송곳 모양의 쇳밥, 술잔을 기울이는 굳은살 박인 손, 길바닥에 뿌려진 반라의 여자 사진과 그 사진을 보며 호주머니 속에서 몰래 지폐를 헤아리는 남자들. 그런 남자들을 위한 거리.

종업원의 안내를 받아 창가 자리에 앉으며 태수는 지나에게 사과부터 했다.

미안해요. 예약이 되는 곳이 여기밖에 없었어요.

두 사람은 내내 말없이 밥만 먹었다. 스테이크는 질겼고, 파스타는 흐물거렸으며, 식탁보 귀퉁이에는 희미한 와인 얼룩이 남아 있었다. 창턱에 놓인 작은 화분에는 노란 팬지가 활짝 피어 있었지만, 플라스틱과 나일론으로 만든 조화인데다가 꽃잎마저 손때가 묻어 거무스름했다.

식사가 거의 끝날 무렵, 태수가 딱 한 번 입을 열어 지나에게 물었다. 늙은 새는 날아간다, 라는 시를 아느냐고. 지나는 모른다고 했다.

종업원이 접시를 치우고 커피를 내왔다. 지나는 커피를 스푼으로 저었다. 블랙이라 저을 필요가 없는데도. 두 사람은 한참을 커피잔만 바라보았다.

결국 지나가 먼저 입을 열었다.

도저히 안 되겠네요. 그냥 일 이야기나 합시다.

태수가 고개를 끄덕였다. 지나가 커피를 한 모금 삼켰다.

유 경장님은 참 대단하네요.

뭐가요?

알고 있었어요? 비트코인 공개키도 원래는 개인키처럼 예순네 자리로 이루어진다는 거.

공부했죠.

그것도 대단하네요.

누구라도 안 그랬겠어요? 여차하면 백억 원을 거저먹게 생겼는데.

그래도 대단하죠. 하루 만에 알아낸 거잖아요.

사실 공대 박사 과정 밟고 있는 언니한테 물어봤어요. 김석구 등에 있는 문신이랑 김진구 부검 사진에 있는 문신, 그 두 개를 아무리 조합해봐도 안 되더라고요. 혹시나 싶어서 언니한테 물어봤는데 금방 알아내더라고요. 개인키가 아니라 공개키라고. 그래서 변환하면 진 경장님이 저한테 보내준 그 큐아르 코드에 담긴 전자지갑 주소가 나온다고요.

형제가 외우고 있던 게 비밀번호가 아니라 계좌번호였던 셈이네요.

네.

결국 비트코인을 차지한 사람은 아무도 없군요.

애초에 열쇠가 없었던 건지도 모르죠.

태수는 비 내리는 창밖을 물끄러미 쳐다보았다. 바람에 날린 빗방울이 후드득 소리를 내며 유리를 두드렸다. 지나가 커피를 홀짝거렸다. 태수가 창에서 눈을 떼지 않은 채 말했다.

손 선배가 고창혁을 논두렁으로 끌고 가서 두들겨 팼다고 했잖아요.

네.

자백을 받아내려고 그런 게 아니었어요.

고창혁이 개인키를 가지고 있었을까요?

누가 알겠어요.

태수는 천천히 커피를 마셨다. 지나는 따뜻한 머그잔을 양손으로 잡고 창밖을 바라보았다.

유 경장님.

네.

양산댁 할머니 사건은 어떡하죠? 단서도 증거도 없는데.

사고사로 종결해도 유족들 반발은 없을 것 같아요.

지나는 그렇게 말하며 쓴웃음을 지었다. 그러다가 문득 생각난 듯 태수에게 말했다.

참, 그 할머니 아들이 그러던데요. 사건 다음 날 손 경사님한테 무슨 전자담배를 줬답니더. 혹시 아세요?

할머니 집에 있던 전자담배일 거예요.

그런데 아무 데도 없어요. 어디 갔지?

손 선배 유품에도 없었어요?

네.

그럼 검찰에 있겠네요.

지나가 고개를 끄덕였다.

다 드셨어요?

네.

두 사람은 우산을 챙겨 자리에서 일어섰다.

계산을 마치고 식당을 나와 엘리베이터 앞에 섰을 때 지나가 태수를 돌아보며 말했다.

그런데 진 경장님 요새 사투리를 안 쓰시네요.

깨달았거든요.

뭘요?

뭐든 자연스러운 게 중요하다는 걸.

그해 마지막 날, 태수는 혼자 운전해 창원으로 갔다. 당직실을 통해 불 꺼진 건물 안으로 들어간 다음 어둑한 계단을 걸어 올라 이백삼호 검사실로 갔다. 가볍게 두 번 노크하자 안에서 여자 목소리가 들렸다.

들어오세요.

태수는 문을 열고 들어갔다. 입구 맞은편 창가의 철제 책상 너머에 흰 블라우스를 입은 단발머리 중년 여자가 앉아 있었다. 수사관과 실무관은 다들 퇴근한 듯 검사실 내의 다른 책상들은 비어 있었다. 의자에 앉은 여자가 태수를 바라보았다.

진태수 경장입니다.

기다리고 있었어요.

여자가 회전의자에 앉은 채 몸을 옆으로 돌리더니 지팡이를 짚고 일어섰다. 여자는 불그스름한 나무 지팡이에 의지해 왼쪽 다리를 절뚝거리며 책상 앞으로 걸어 나왔나. 태수는 여자의 안내에 따라 검사실 안쪽에 마련된 내실로 들어갔다. 낡은 가죽 소파와 접대용 테이블이 놓인 두 평 남짓한 공간이었다. 여자가 먼저 소파 상석에 앉으며 지팡이를 소파 팔걸이에 걸쳐두었다. 여자가 태수에게도 앉으라고 손짓했다. 태수는 코트 앞섶의 단추를 풀고 소파에 앉았다.

시간 내주셔서 감사합니다, 검사님.

별말씀을요.

여자는 짧게 미소 지었지만 태수를 바라보지는 않았다. 두 사람은 잠시 입을 다물고 그대로 앉아 있었다.

여자가 먼저 입을 열었다.

보자고 하신 이유가 뭐죠?

일이 정확히 어떻게 된 건지 알고 싶어서요.

이미 아시잖아요.

들었는데 너무 이상해서요.

뭐가 이상하죠?

그날 양수발전소에서 진짜 회의가 있었습니까?

네.

손 선배가 죽은 이유도 총기 오발 사고 때문이고요?

네.

황 검사랑 고 검사는 아무것도 몰랐던 거고요?

네.

이상하네요.

뭐가요?

상식적으로 말이 안 되니까요.

여자는 시선을 돌려 검은 창문을 물끄러미 바라보았다. 도시의 저녁 불빛이 박제된 반딧불처럼 창유리에 맺혀 있었다.

이상할 것 없어요. 진 경장님이 모르는 걸 제가 알고 있을 뿐이죠.

어떤 거요?

증거들이요.

증거요?

각종 기록, 통화 내역, 관련자의 진술 같은 것들.

마약이 든 전자담배 카트리지도 거기에 포함됩니까?

여자는 대답 대신 희미하게 웃었다.

비트코인은 어떻게 된 겁니까?

비트코인이요?

태수는 주머니에서 휴대폰을 꺼내 테이블 위에 올려놓았다. 그런 다음 비트코인 전자지갑 어플을 실행했다.

이것 말입니다.

여자가 고개를 앞으로 내밀어 테이블 위 휴대폰을 내려다본 다음 다시 자세를 바로 했다. 태수가 말을 이었다.

총 이천 비트코인이 고스란히 남아 있습니다.

저랑 무관한 일이군요.

검사님이 모르는 걸 제가 알고 있는 겁니까?

협박인가요?

그냥 알려드리는 겁니다.

여자가 태수의 얼굴을 똑바로 바라보았다. 태수는 휴대폰을 다시 코트 주머니에 집어넣었다. 여자는 두 손을 포개어 검은 정장 바지의 허벅지에 올려놓고 잠시 뭔가를 생각했다. 그러고는 입을 열었다.

그날 손강모 경사가 왜 총을 가지고 그곳에 갔는지 알아요?

모릅니다.

여자가 소파에 등을 기대고 양쪽 팔꿈치를 팔걸이에 받친 채 손을 아랫배에 붙였다. 그러고는 차분한 음성으로 말했다.

이야기를 하나 해드리죠. 재미있을 거예요. 진 경장님도 잘 아는 사람들이 등장하거든요.

39

여자는 검은 눈동자의 절반을 얇은 눈꺼풀 아래 감춘 채 차분히 말을 이었다.

한 남자가 있었어요. 실력 있는 베테랑 형사죠. 동시에 타락한 남자입니다. 누구나 그렇듯, 위로 올라가고 싶은 욕망의 높이만큼 정확히 같은 깊이로 타락했죠. 순진한 노인네들에게 마약이나 팔아먹는 인간들과 어울리고, 또 그걸 눈감아주고 잇속이나 챙기는 그런 인간이었어요. 그리고 한 여자가 있어요. 소도시 권력자의 딸이자 통제가 불가능한 사고뭉치죠. 두 사람 모두 진 경장님이 잘 아는 사람일 겁니다.

어느 날 밤, 여자는 술에 취해 눈 쌓인 산길로 차를 몰고 가다가 사람을 치었어요. 피투성이 시체가 하나 생겼죠. 동네 얼간이 하나가 그 현장을 발견합니다. 그 얼간이는 여자한테서 돈을 받고 시체를 처리해주죠. 베테랑 형사는 그 직후에 현장으로 왔지만, 그 사실을 몰랐어요. 처음에는 몰랐죠. 하지만 다음날 뭔가 이상한 낌새를 채죠. 형사답게 확실히 남다른 촉이 있었던 것 같아요. 남자는 킁킁거리며 냄새를 맡고 다녔어요. 이내 뭔가 사건이 벌어졌다는 걸 알아챘죠. 여자가 저지른 짓을 눈치챈 남자는 여자의 아버지를 찾아갔어요. 돈이 필요했거든요. 거래가 성립했어요. 하지만 조건이 있었죠. 시체를 처리한 그 얼간이, 시체의 위치를 알고 있는 그 얼간이까지 확실히 없애주면 거액을 주겠다는 거래였죠.

베테랑 형사는 나름대로 작전을 짰어요. 그 얼간이의 집에 몰래 엽총을 심어두려고 했죠. 정당방위를 가장해서 권총으로 쏴버릴 작정이었던 것 같아요. 형사는 엽총을 들고 얼간이의 집으로 갔어요. 오래전 자신의 친구이자 그 얼간이의 친형이었던 한 남자를 쏘았던 바로 그 엽총이었죠. 그런데 이상한 상황에 휘말립니다. 전혀 예측하지 못한 상황이었어요. 집에 다른 누군가가 있었던 거죠. 몸싸움이 벌어졌고, 당황한 그 누군가가 엽총을 빼앗는 과정에서 방아쇠가 당겨졌죠.

태수가 손을 들어 여자의 말을 멈추었다.

확실한 이야기입니까?

무슨 뜻이죠?

증거가 있느냐는 말입니다.

증거까지 제시해야 하나요?

확실한 근거가 있는 이야기인지를 묻는 겁니다.

모든 이야기에 꼭 확실한 근거가 있어야 하나요?

근거 없는 이야기가 소용이 있습니까?

아마 소용이 없겠죠.

그러면 왜 이런 말씀을 하시는 겁니까?

적어도 흥미롭긴 하잖아요. 인간은 누구나 흥미로운 이야기를 듣고 싶어 하죠. 그리고 만들고 싶어 하고.

형사는 증거로 말하는 거라고 배워서요.

누가 그러던가요?

다들.

여자가 몸을 뒤로 젖히며 희미하게 웃었다. 악마 숭배자의 숨은 징표 같은 하얀 송곳니가 살짝 드러났다. 여자가 고개를 가로저었다.

증거는 아무 말도 하지 않아요. 사람이 말을 하죠.

그래도 증거는 필요하죠. 그래야 진실과 거짓을 구별할 수 있으니까.

진실이라는 게 존재한다면 그렇겠죠.

무슨 뜻이죠?

여자가 천천히 고개를 들어 태수를 바라보았다. 여자의 검은 눈동자에 형광등 불빛이 맺혔다가 사라졌다. 여자의 두 눈동자는 어둡고도 깊었다. 마치 우주를 숨긴 밤처럼.

여자가 다시 입을 열었다.

제 어머니는 소설가였어요. 제가 아홉 살 때 돌아가셨죠. 아직도 가끔 어릴 때 기억이 나요. 어머니는 종종 저를 앉혀 놓고 즉석에서 이야기를 지어내서 들려주곤 하셨죠. 어머니에게는 많은 게 필요하지 않았어요. 낡은 봉제 인형이나 플라스틱 장난감 몇 개만 있으면 충분했죠. 그걸 한 줄로 죽 늘어놓은 다음 순서대로 등장시키면서 이야기를 이어나가셨어요. 순서가 달라질 때마다 매번 새로운 이야기가 탄생했고, 그래서 난 늘 새로운 이야기를 들을 수 있었죠. 어쩌면 내가 그런 어머니의 재능을 물려받았는지도 모르겠네요. 나한테는 많은 게 필요하지 않거든요. 증거 몇 개만 있으면 충분하죠.

제가 원하는 건 지어낸 이야기가 아니라 진실입니다.

진 경장님.

네.

우리는 모두 이야기를 만들며 살아갑니다. 먼 옛날 목동들이 밤하늘의 별을 쳐다보며 그랬듯, 점과 점을 이어 기묘한 형상을 만들고 엉뚱한 신화를 잔뜩 지어내죠. 우리는 작은 단서들을 연결해 최대한 그럴듯한 이야기를 만들어요. 하지만 우리가 만드는 이야기 대부분은 그다지 정교하지 않습니다. 흩어진 단서 조각들을 더덕더덕 기워서 엉성한 이야기를 만들 뿐이에요. 그렇게 해서 대충 뭔가가 그려지면 섣불리 거기에 진실이라는 이름표를 붙이죠. 순진한 사람들은 그걸 진실이라고 믿기도 하고요. 때로는 그런 이야기를 믿으라고 타인에게 강요하기도 하죠. 어떤 이야기가 유일한 진실이니까 그것을 믿으라고 강요하는 것, 그것이 권력의 본질이죠. 어쨌든 우리는 모두 이야기에 의존해서 살아갑니다. 곳곳에 이야기가 있고 각자 나름의 이야기가 있죠. 세상 모든 이야기는 서로 연결되어 있고, 또 서로 모순되는 이야기가 공존하기도 하죠. 과거의 이야기는 미래의 이야기를 통해 만들어지고, 미래의 이야기는 과거의 이야기를 통해 만들어집니다. 하나의 이야기 속에는 더 작은 이야기가 무수히 숨어 있고, 동시에 하나의 이야기는 언제나 더 큰 이야기의 일부분이죠. 마치 셰에라자드의 이야기처럼. 혹은 세상의 모든 동그라미처럼.

무슨 말씀을 하시는 겁니까?

제 어머니는 자살했어요. 소설가 진수림……. 들어본 적 있어요?

이름은 들어봤습니다.

다들 그렇죠. 보통 어머니의 이름은 한 번쯤 들어봤더군요. 어머니 소설은 읽지 않았어도.

유명하시니까요.

자살 때문에 유명해진 거죠. 지금도 어머니가 쓴 소설이 매년 일정하게 팔려요. 사람들이 왜 어머니의 소설을 읽겠어요? 자살로 생을 마감한 비운의 작가이기 때문이죠. 어머니의 소설, 어머니가 책으로 쓴 이야기, 그건 더 큰 이야기의 일부분인 셈이죠. 어머니의 삶과 죽음이라는 더 큰 이야기 말이에요. 사람들은 비극적 죽음에 관한 이야기를 좋아해요. 그렇지 않나요? 헤밍웨이, 전혜린, 기형도, 김광석, 엘비스 프레슬리, 그리고 예수. 사람들은 영웅을 원해요. 그리고 영웅보다 위대한 건 하나뿐이죠. 비극적으로 죽은 영웅.

그게 이 사건과 무슨 상관이 있습니까?

우선 이걸 지적하고 싶군요. 언제나 더 큰 이야기가 있다는 것.

더 큰 이야기요?

증거를 통해 진실을 알 수 있다고 했죠?

네.

그렇다면 더 큰 이야기를 믿는다는 뜻이군요. 진실이라는 게 존재한다는 이야기.

애당초 진실이라는 게 존재하지 않는다는 말씀을 하는 겁니까?

진실은 소설 속에나 존재하는 거죠. 소설 속에서는 명탐정 한 명만 있으면 모든 게 명백하게 밝혀지죠. 하지만 실제 세상은 달라요. 실제 세상에서는 내 등 뒤에서 무슨 일이 벌어지는지도 제대로 알지 못하죠. 하물며 죽음이라는 장막 뒤로 숨어버린 일을 우리가 무슨 수로 다 알 수 있겠어요?

진실이 없다면 이게 다 무슨 의미가 있습니까? 검사님이나 저나 지금 하는 일, 사건을 수사하고 범인을 밝혀내는 일, 이런 건 아무 의미도 없지 않습니까?

이야기를 만들어내는 일이 아무 의미가 없다고 생각하나요?

그 이야기가 진실이 아니라면요.

여자가 천천히 다리를 움직여 두 발목을 교차시켰다. 옷자락이 스치면서 사각거리는 소리가 났다. 여자는 행복한 시절을 상상하기라도 하듯 양쪽 입꼬리를 올렸다.

난 처음에 검사로 법조인 일을 시작했어요. 그러다가 검사 생활이 지겨워졌죠. 그래서 경력직 판사에 지원해서 법복으로 갈아입었어요. 그 무렵 정권이 바뀌더군요. 그러자 검사 시절 내 손으로 감옥에 집어넣은 인간을 대법원에서 풀어주더라고……. 그땐 나도 어렸어요. 자신의 능력을 과신하는 애송이는 회의감을 잘 견디지 못하죠. 홧김에 판사를 때려치웠어요. 그리고 변호사 일을 했죠. 나름대로 재미있었어요. 어머니의 명성 때문이었는지 몰라도 상류층 사람들과 어울리며 큰 사건을 제법 다루었죠. 그러면서 차츰 알게 되었어요. 세상에는 말하지 못하는 비밀이 참 많다는 걸.

우리가 흔히 진실이라고 부르는 건 서로 합의된 이야기에 불과하죠. 판사든 검사든 모든 걸 알 수는 없어요. 인간이 알 수 있는 건 매우 제한적이죠. 검사에게 주어지는 건 고작해야 조각난 증거 몇 개랑 표면적인 이야기 혹은 왜곡된 이야기 따위가 전부죠. 검사로 있을 때는 그걸 제대로 몰랐어요. 판사는 더 심하죠. 법정에서 판사 앞에 드러나는 이야기라는 건 참 우습죠. 많은 이야기가 수면 아래에 가라앉아 있고, 그런 이야기들은 앞으로도 영원히 드러나지 않을 그런 이야기들이죠. 판사가 재판을 통해 진실을 가려낼 수 있을 것 같아요? 그건 술병 바닥을 통해 별을 바라보며 우주의 진리를 알아내겠다는 거나 다름없어요. 다들 말로는 진실을 추구한다고 하죠. 하지만 기실 합의된 이야기를 원할 뿐이에요. 진 경장님도 수사를 해봤으니까 알겠죠. 어때요? 범인의 자백을 받아야만 마음이 편해지지 않던가요? 검사나 판사도 마찬가지죠. 어디선가 합의된 이야기가 나타나주기를 간절히 바라죠. 만약 그게 없으면 아이처럼 어쩔 줄 몰라 하다가 그냥 어느 한쪽 이야기에 손을 들어 주는 거예요. 그건 동전 던지기랑 크게 다를 게 없어요.

변호사 일을 하다가 난 다시 검찰로 돌아왔어요. 나한테 어떤 비극적인 사건이 벌어졌고, 그래서 나 자신을 보호하고 싶었죠. 나에게는 권력이 필요했어요. 그래서 검찰로 돌아온 거죠. 얼마 후 또 다시 정권이 바뀌더군요. 아주 역사적인 방식으로 말이죠. 재미있게 지켜봤어요. 비극적으로 죽은 두 정치인의 혼령이 광장에서 맞붙었죠. 비극적 죽음이란 건 멋진 이야기예요. 추운 날 수많은 사람을 광장으로 끌어낼 만큼 강력한 이야기죠. 어쨌든 그렇게 정권이 바뀌었어요. 검찰처럼 권력의 중심부와 가까운 곳에 앉아서 세상을 관찰하면 신기한 일을 많이 볼 수 있죠. 특히 정권이 바뀔 때는 더욱 그래요. 다들 살아남기 위해 누군가를 공격하거든요. 필사적으로. 그러면서 모든 이야기가 달라지죠. 어제의 범죄자가 오늘의 영웅이 되고 어제의 영웅이 오늘의 범죄자가 되죠. 신기하지 않아요? 시간과 장소와 상황이 달라지면 같은 이야기가 완전히 다른 의미를 지닌다는 게. 한번 곰곰이 생각해봤어요. 도대체 왜 이럴까? 내 결론은 이랬어요. 우리가 진심으로 믿는 이야기가 무척 드물기 때문이라고. 인간은 의심이 많은 동물이죠. 우리는 대부분의 이야기를 진심으로 믿지 않아요. 믿는 척할 뿐이죠. 나에게 이익이 되기 때문에 혹은 나에게 위안을 주기 때문에 그 이야기를 믿는 척하죠.

우리가 진심으로 믿는 이야기는 아주 적어요. 하지만 반드시 존재하죠. 이게 중요해요. 누구나 진심으로 믿는 핵심 이야기 하나쯤은 반드시 품고 있어요. 그리고 우리가 어떤 이야기를 진심으로 믿는지는 단 하나의 기준에 따라 결정되죠. 그 이야기를 믿지 않으면 내 존재의 가치가 사라지는가? 우리는 모두 가느다란 줄 하나를 붙들고 절벽에 매달린 사람과 같아요. 우리는 간절하게 어떤 핵심적인 이야기를 믿죠. 그것이 어떤 이야기이든 상관없어요. 아무리 허무맹랑한 이야기라 해도 그 이야기에 내 존재의 가치가 걸려 있는 한 그 이야기를 믿어요. 그것이 그저 이야기일 뿐이라는 걸 인정할 수는 없어요. 다른 모든 이야기는 의심할 수 있고, 때로 내 이익에 따라 태도를 바꾸어 부정할 수 있겠죠. 하지만 단 하나의 이야기만큼은 간절하게 믿습니다. 너무나 간절해서 때로 의심하고 때로 부정하면서도 끝끝내 믿는 거죠. 줄을 손에서 놓치고 싶지 않으니까. 깊은 허무의 나락으로 떨어지고 싶지 않으니까. 그런 핵심적인 이야기를 제외하면 나머지 이야기들은 모두 애들 장난 같은 거죠. 필요에 따라 혹은 이익에 따라 믿는 척할 뿐이에요. 핵심적인 이야기는 아주 적죠. 정말 적어요. 하지만 분명히 존재하죠. 그래서 비극적 죽음이 필요한 건지도 모르겠네요. 비극적 죽음 이외의 다른 이야기가 핵심적인 이야기가 될 가능성은 매우 적으니까.

갑자기 여자가 말을 뚝 그쳤다. 그러고는 태수를 똑바로 바라보았다.

진 경장님의 이야기는 뭐죠?

어떤 이야기 말입니까?

여기까지 찾아온 이유가 있을 거 아니에요?

태수는 팔꿈치를 무릎에 대고 손깍지를 꼈다. 머뭇대던 태수는 이내 결심한 듯 입을 열었다.

좋습니다. 말씀드리죠. 제 이야기는 이렇습니다. 한 남자가 있습니다. 꽤 잘나가는 검사였죠. 하지만 권력의 중심부에서는 밀려난 상태였습니다. 부산에서 감옥살이를 하던 어떤 놈이 그 검사에게 정보를 하나 제공합니다. 거액의 비트코인 암호를 외우고 있는 놈이 있다는 정보였죠. 검사는 그 거액의 비트코인을 챙기기로 마음먹습니다. 그래서 그 제보자를 가석방으로 빼내서 같이 암호를 찾으러 가죠. 그리고 동료 여자 검사에게 뒤처리를 부탁합니다. 믿을 수 있는 동료였고, 더구나 그 남자 검사와 같은 처지였죠. 권력의 중심부에서 밀려난 검사. 그리고 이들이 심복으로 부리는 한 남자가 있었죠. 이 일당이 무령으로 와서 암호를 외우고 있는 놈을 찾아냅니다.

그런데 문제가 있었죠. 암호를 외우고 있는 녀석이 약간 얼간이인 데다가 도통 협박이라는 게 안 통하는 놈이라는 점입니다. 그러다가 무슨 이유 때문인지 몰라도 애초에 정보를 제공해줬던 놈이 제거됩니다. 서로 다툼이 벌어졌는지 아니면 우발적인 사고인지는 알 수 없지만, 어쨌든 놈은 죽었습니다. 어쩌면 계획적으로 죽인 걸 수도 있죠. 아무튼 그 시체를 산길에 버려둡니다. 암호를 외우고 있는 얼간이가 차를 몰고 다니는 길목이었죠. 그 얼간이가 죽인 것처럼 누명을 씌우려고 했던 것 같은데, 일이 약간 어긋납니다. 우연히 어떤 여자가 그 시체를 자동차로 치게 되죠. 하지만 마침 그 얼간이가 사고 현장을 발견했고 여자한테서 돈을 받고 시체를 처리하죠. 어쨌든 이제 얼간이를 협박할 거리가 생겼습니다. 죽는 건 무서워하지 않아도 감옥에 가는 건 엄청나게 무서워하는 놈이었으니까요. 일당은 작전을 짭니다. 보란 듯이 산에 사람을 풀어서 시체를 찾는 것처럼 쇼까지 해가면서 그 얼간이가 잔뜩 겁에 질리게 만들죠. 하지만 그놈은 쉽게 입을 열지 않습니다.

결국 최후의 수단을 씁니다. 물리력을 사용한 거죠. 그런데 여기서 일이 어긋납니다. 얼간이의 집에 난데없이 어떤 형사가 나타난 거죠. 여자 검사의 심복이 형사를 산탄총으로 쏴서 죽입니다. 그리고 도망치죠. 여자 검사는 그 심복의 도주를 도우려고 하다가 문득 기지를 발휘합니다. 사건 현장에 당당히 나타나서 얼간이를 회유한 거죠. 그래서 결국 입을 여는 데 성공합니다.

여자가 손을 들어 올렸다.

그만하면 됐어요.

더 중요한 이야기가 남아 있습니다.

뭐죠?

애당초 그 얼간이가 외우고 있던 게 비트코인 개인키가 아니라는 점이죠. 공개키였어요. 말하자면 비밀번호가 아닌 계좌번호를 외우고 있었던 겁니다. 애초에 개인키를 외우고 있던 사람은 그 얼간이가 아니었습니다. 검사에게 정보를 제공했던 바로 그놈이 암호를 외우고 있었죠. 이제는 시체조차 찾을 수 없는 바로 그놈이요.

알았어요. 어쨌든 그게 진 경장님이 믿고 싶어 하는 이야기로군요.

믿고 싶은 게 아닙니다. 합리적으로 추론한 겁니다.

아뇨. 진 경장님은 그 이야기를 믿고 싶은 거예요. 고유림 검사가 악당으로 등장하는 이야기를 원하죠? 그렇게 믿어야 본인의 죄책감이 덜해지니까.

제 감정과는 무관한 문제입니다.

세상에 감정과 무관한 문제라는 건 없어요.

논리적으로 옳은지 그른지의 문제라는 뜻입니다.

논리라는 건 대체로 감정의 갑옷에 불과하죠.

과학과 종교가 같다는 말씀이나 다름없군요.

과학 역시 일종의 이야기라는 점에서는 매한가지죠.

어떤 이야기 말입니까?

무엇도 확실히 알지 못한다는 고백, 지금 안다고 생각하는 것도 결국 틀릴 거라는 예언, 그런 이야기죠.

어쨌든 제 이야기가 틀렸다면 증거를 보여주시면 됩니다.

그럴 필요가 없잖아요.

왜죠?

난 내 이야기를 다른 사람들에게 강요할 힘이 있으니까.

태수는 입을 닫고 여자를 노려보았다. 여자는 창으로 시선을 돌렸다. 그러고는 미동도 하지 않았다. 마치 대리석으로 만든 토르소처럼.

잠시 후 여자가 짧게 숨을 내쉬면서 태수를 바라보았다.

짐작은 했겠지만 내 역할은 해결사예요. 모두에게 이익이 되는 쪽으로 운명을 공정하게 배분할 뿐이죠. 내가 원하는 건 이거예요. 진 경장님의 이야기도 제 이야기도 공정하게 사라지는 것. 그게 검찰에도 경찰에도 최선이에요. 비극적 죽음. 그걸로 충분해요. 자세한 이야기는 필요 없어요. 서로 좋은 게 좋은 거 아닌가요?

시체는 어떡하고요?

어떤 시체 말인가요?

고창혁.

지금쯤 어느 어두컴컴한 바에 앉아 석 잔째 마티니를 마시며 세 사람의 죽음을 축하하고 있겠죠. 그렇게 생각하세요.

여자는 검은 정장 바지의 무릎 부분을 손으로 살짝 털었다. 아무것도 묻은 게 없는데도 불구하고.

다른 용무가 있으신가요?

아뇨.

그만 일어나시죠.

태수는 낮게 숨을 내쉬고는 뻣뻣하게 자리에서 일어났다. 여자도 두 손으로 무릎을 짚고 다리에 힘을 주며 일어섰다. 태수는 여자의 다리와 소파 팔걸이에 기대 세워 둔 지팡이를 내려다보았다.

불편하신 거 아니었나요?

어머니 소설에 이런 구절이 나오죠. 다리를 저는 모습만 보여주면 충분하다고. 비극만 보여주면 다들 알아서 수많은 이야기를 만들어낸다고.

두 사람은 나란히 걸어 내실을 빠져나왔다. 검사실은 여전히 텅 비어 있었다.

검사실 문을 열고 밖으로 나가던 태수는 문득 걸음을 멈추었다. 그러고는 다시 돌아서서 여자에게 말했다.

혹시 황유석 검사 만나시거든 이 말 좀 전해주십시오.

뭐죠?

어디 가시는지 몰라도 길을 잘못 드신 것 같다고요.

여자는 빙그레 웃으며 고개를 가로저었다.

난 누구에게도 경고하지 않아요. 각자의 길은 각자 알아서 가는 겁니다.

그럼 제가 직접 전하죠.

그럴 필요 있을까요? 어차피 모든 길은 한곳으로 통하는데.

그게 어디죠?

죽음.

40

태수는 방문을 열어둔 채 이삿짐이 든 골판지 박스에 걸터앉아 양손으로 앨범을 들어 올렸다. 표지에 묻은 먼지를 손바닥으로 닦아낸 후 중간쯤 아무 페이지나 펼쳐보았다. 초등학교 졸업식에서 찍은 사진이 나왔다. 손바닥만 한 사진 속에 어린 시절 자신의 모습이 들어 있었다.

태수는 사진 속 운동장의 익숙한 풍경을 들여다보았다. 느닷없이 터져 나오던 아이들의 웃음소리와 낡아빠진 축구공, 비 온 뒤의 흙냄새가 어렴풋이 떠올랐다. 흙먼지 날리는 운동장을 배경으로 싱긋이 웃고 있는 소년. 태수는 이 아이의 미래가 어떤 이야기들로 채워질지 알고 있었다. 머지않아 창틀에 쌓아둔 동전이 동난다는 걸, 그래서 사람을 죽이는 연습을 하며 돈을 벌기로 결심한다는 걸, 그러다가 문득 술이 필요한 아침을 맞이한다는 걸. 분노와 굴욕감, 잊기 위해 읽는 책. 태수는 모두 알고 있었다. 그래서 슬퍼졌다.

앨범 갈피에서 종이 한 장이 소리도 없이 떨어졌다. 태수는 허리를 숙여 바닥에 떨어진 변색한 종이를 집어 들었다. 오래된 유서를 읽으며 태수는 죽음에 대해 생각했다. 가만히 앉아서 오랫동안 생각했다.

진 경장, 안에 있나?

손정길 소장의 목소리였다. 태수는 문간에 쌓인 박스를 한쪽으로 밀고 마당으로 나갔다. 정길이 열린 대문으로 고개를 비죽 들이밀고 있었다. 듬성한 은빛 머리칼이 바람에 날렸다. 태수를 본 정길이 마당 안으로 성큼 들어오더니 두꺼운 오리털 파카 주머니에 두 손을 찌른 후 마당에 쌓인 박스들을 말없이 둘러보았다.

소장님, 안 그래도 인사드리러 가려고 했는데.

부동산 박 사장이 그러던데 집도 내놨다면서. 영 떠날 생각이가?

네.

경찰 그만두면 뭐 해서 먹고 살라꼬?

굶어 죽기야 하겠습니까?

정길이 평상 다리를 가볍게 툭 걷어찼다. 낡은 평상 위 모래가 햇살을 받아 사금처럼 반짝였다. 정길은 평상 위에 깔린 장판을 손바닥으로 쓸어낸 다음 손에 묻은 흙을 탁탁 털었다. 그러고는 평상 위에 궁둥이를 붙였다.

앉아서 이야기 좀 하자.

태수는 조용히 정길의 옆에 앉았다. 청바지에 차가운 기운이 닿았다.

담당 검사 찾아갔다면서.

그냥 뭐 좀 물어보려고 간 겁니다.

어차피 최종 결정은 검사가 하는 기다. 우리가 뭘 어쩌겠노?

태수는 입을 다문 채 고개만 끄덕였다. 정길이 바닥에 침을 뱉었다.

검찰에서도 최대한 조용히 마무리하는 쪽으로 결정한 거겠지. 고마 놔둬라. 그쪽도 별수 있겠나? 더 파헤쳐봤자 제 얼굴에 똥칠하는 것밖에 안 되는데.

태수가 계속 말이 없자 정길이 손바닥으로 자신의 양쪽 허벅지를 천천히 쓰다듬었다.

검사가 다른 말은 안 하더나?

태수는 오른손 엄지로 왼쪽 손바닥 가운데를 누르며 잠시 고민했다.

이런 말을 하더라고요.

뭐?

손 선배가 그날 총을 가지고 김석구 집으로 간 이유가 뭔지 아냐고.

그래서?

저는 모른다고 했죠, 뭐.

검사는 뭐라고 하던데?

태수가 고개를 돌려 정길을 바라보았다.

소장님은 혹시 아십니까?

뭘?

누가 손 선배한테 김석구를 죽여달라고 했는지. 누가 순진한 노인네들한테 마약을 파는지. 또 누가 그걸 눈감아주고 잇속을 챙기는지.

무슨 소리고?

태수를 바라보는 정길의 눈동자가 단단한 씨처럼 굳었다. 태수는 고개를 숙여 자신의 발끝을 내려다보았다. 건조하고 차가운 겨울 공기가 콧속으로 파고들었다.

담당 검사가 그러더라고요. 서로 좋은 게 좋은 거라고.

차가운 침묵이 흘렀다. 구름은 산에 그림자를 드리우며 천천히 움직였다. 오전 나절의 골목은 진공처럼 고요했다. 태수는 눈을 내리깔고 생각에 잠겼다.

정길이 마른손을 천천히 비볐다.

무령이 옛날부터 참 살기 좋은 고장이었다. 육이오 동란 때도 북괴군이 여기까지는 못 밀고 내려왔지. 읍내에 강이 흐르다 보니까 피란민들이 무령에 많이 몰려왔다. 피란민들은 물이 있어야 밥을 짓거든. 그때 피란 와서 여기 눌러앉은 사람들도 꽤 있지. 우리 집안이야 원래 여기 토박이지만……. 니도 봐서 알겠지만 무령에 손가들이 많다. 강모 식구들은 여기 토박이는 아니고 피란 와서 눌러앉은 축인데, 그래도 따지고 보면 내하고 같은 집안사람이지.

정길이 고개를 돌려 태수를 바라보았다.

태수야.

네.

죽은 사람 백지 욕보이는 것도 사람 할 짓은 아니다.

압니다.

태수는 고개를 주억거렸다. 그러고는 자신의 두 손을 쫙 펴서 열 개의 손톱을 찬찬히 들여다보았다.

나도 안다. 태수 니 세대하고 우리 세대하고는 생각이 좀 다르지. 안 그렇나?

제가 이상한 놈인 거겠죠.

왜?

속에서 뭐가 배배 꼬인 겁니다.

창자 같은 거?

네.

영 못 견디겠나?

태수는 입술 사이로 숨을 길게 불어냈다. 그러고는 몸을 숙인 채 멍한 눈으로 콘크리트 바닥의 갈라진 틈을 들여다보았다.

뭘 알아서 답답한 건 아닙니다. 제가 옳고 남들이 다 틀렸는데 그걸 사람들이 안 알아줘서, 그래서 억울한 건 아닙니다. 전에는 그랬거든요. 제가 옳다고 생각했죠. 그래서 억울했고, 또 그래서 상황이 좆같긴 해도 어쨌건 아득바득 버틸 수는 있었던 것 같습니다. 그런데 지금은 또 다릅니다. 이제는 제가 맞는 건지 틀린 건지조차 모르겠습니다. 저도 나이를 먹은 건지도 모르죠. 외로운 건지도 모르고. 아무튼 이제는 잘 모르겠습니다. 죽고 나면 다 끝인데 싶기도 하고. 그런데 또 답답한 건 더 답답하고요.

대문 너머에서 고양이가 갸르릉 소리를 한 번 내고 사라졌다. 정길은 주름진 입술을 쭉 내민 채 양 손바닥을 맞대고 비비적거렸다.

누군들 다 알겠나? 나도 잘 모른다.

정길이 입가에 스민 침을 손등으로 닦았다.

글쎄다. 옛날에는 나도 뭘 좀 아는 것 같았지. 그런데 아이엠에프 딱 터지고 나니까 그때부터는 영 모르겠더라고.

태수는 다리에 힘을 주며 천천히 자리에서 일어났다. 정길도 따라 일어섰다. 두 사람의 짤막한 그림자가 신발 밑창에 달라붙었다.

손 선배 자리는 벌써 유지나 경장이 메웠고, 이제 제 자리는 누가 메웁니까?

정길이 태수의 얼굴을 마주 보며 쓴웃음을 지었다. 그러고는 손을 내밀어 악수를 청했다. 태수는 정길과 악수를 나눴다. 노인의 거칠거칠한 손바닥 감촉이 느껴졌다. 정길이 맞잡은 손에 힘을 주었다.

서장이 내보고 그러더라. 형사계장으로 복귀하라고.

어디선가 소방차 사이렌 소리가 요란하게 들려왔다. 태수의 얼굴에서 웃음기가 사라졌다. 태수는 정길의 손을 놓고 고개를 들어 벽돌 담장 너머를 쳐다보았다. 남쪽 하늘에 걸린 먼 산등성이 뒤로 시커먼 연기가 뭉클뭉클 피어오르고 있었다. 정길은 누군가와 통화하며 태수에게 인사도 없이 서둘러 자리를 떴다.

태수는 외투를 찾아 입은 후 대문을 나가 차에 시동을 걸었다. 양수발전소 앞에 도착했을 때, 산불은 이미 저수지 인근과 천경산 일대를 집어삼킨 것도 모자라 산어귀 요양병원까지 포위한 상태였다. 불이 시작된 지점이 누구의 집인지는 물어보지 않아도 알 수 있었다.

진 경장님!

태수는 뒤를 돌아보았다. 유지나 경장이 매캐한 연기 사이로 손에 무전기를 들고 걸어왔다. 청바지에 노란 파카를 입은 지나의 뒤로 바삐 움직이는 소방관들과 어지럽게 주차된 승용차들이 보였다. 군내 공무원들이 몽땅 현장으로 모여들고 있었다. 살을 베는 듯한 사이렌 소리와 누군가가 누군가를 부르는 다급한 외침들이 들려왔다.

요양병원 쪽은 피해가 어때요?

불이 너무 빨리 번졌어요. 지금은 진입조차 안 됩니더. 게다가 요양병원이 워낙 낡아서 건물 자체가 불쏘시개나 다름없어요.

김석구 씨는요?

아직 못 찾았어요.

태수는 미간을 찡그리며 산자락에 너울거리는 불꽃을 물끄러미 쳐다보았다. 검은 연기가 바람에 휘감기며 공중으로 솟구쳤고, 산 너머에서 소방 헬기가 굉음을 내며 날아왔다. 지나의 손에 들린 무전기에서 잡음 섞인 교신이 오갔다.

진 경장님, 사직서 제출했다면서요.

네.

떠날 겁니까?

네.

이제 사투리는 영영 안 쓰시겠네요.

태수는 씁쓸하게 웃었다. 지나가 입에 들어간 나뭇재를 뱉었다.

진 경장님, 그거 제가 알아봤어요.

뭐요?

토끼.

아.

양산 문화예술회관에서 연극 공연이 잡혔다가 하루 전날 취소되었대요. 연극 단원 사이에 불륜인가 뭔가로 싸움이 크게 벌어졌다고 그러더라고요.

그래요? 어떤 연극인데요?

대충 듣기로는 무슨 창작 부조리극이라고 그랬어요.

부조리극이요?

네.

무슨 내용인데요?

저도 몰라요.

내용은 안 물어봤어요?

물어봤는데 다들 모르겠대요.

부조리극이라서?

아뇨.

지나가 태수를 바라보며 어깨를 으쓱했다.

아무도 본 사람이 없잖아요.

태수는 말없이 고개를 끄덕였다.

한 번도 공연한 적 없는 생을 연기하는 두 배우처럼, 태수와 지나는 나란히 고개를 돌려 붉은 산을 바라보았다. 톱날 모양의 불꽃에 포위된 요양병원 진입로를 향해 살수차가 물을 퍼붓고 있었다. 불의 장막에 구멍을 뚫으려는 듯 소방관들이 물줄기를 한곳으로 집중했고, 그러자 불과 물이 맞부딪힌 자리에서 흰 연기가 피어올랐다. 어디선가 헬기가 날아와 공중에서 물을 쏟아부은 후 연기 속으로 사라졌다.

태수는 고개를 들어 하늘을 올려다보았다. 검은 연기와 짙은 구름이 산과 고장을 뒤덮고 있었다. 바람에 실려 온 나뭇재 부스러기들이 희미한 햇살을 받아 이따금 반짝거렸다. 점점이 허공에 흩날리는 익명의 죽음들. 검은 입자들이 마른눈처럼 떨어지기 시작했다. 태수는 죽은 재가 세상을 뒤덮는 모습을 말없이 지켜보았다. 주차장 한쪽에 서 있는 물레방아 조형물의 하얀 표면에도 검은 가루들이 들러붙었고, 돌아가지 않는 물레방아는 마치 해묵은 저주를 견디듯 그저 우두커니 서서 점점 잿빛으로 물들어갔다. 그리고 그 거대한 바퀴 아래 콘크리트 바닥에는 흐릿한 그림자가 맺혀 있었다. 마치 언젠가 그곳에 있었다가 이제는 완전히 말라붙어 사라진 그 무엇의 흔적처럼, 지금껏 누구도 찾지 못한 청춘의 샘처럼.

태수는 두 손을 펴서 굳은살 박인 자신의 손바닥을 내려다보았다. 그러고는 빈손을 꼭 쥐었다. 그것밖에 쥘 것이 없어서 쥐었을 뿐 별 의미는 없었다.

태수는 지나와 작별 인사를 나누고 차를 운전해 집으로 향했다. 잿빛으로 사위어가는 해를 등지고 길고 구불구불한 산길을 돌아갔다. 초승달이 뜬 밤, 태수는 홀로 운전해 고장을 떠났다. 어느 길이든 자신이 원하는 길을 따라서.